A

OP
24

AN ANTHOLOGY OF THE
CONTEMPORARY FRENCH NOVEL

AN ANTHOLOGY OF THE
CONTEMPORARY
FRENCH NOVEL

1919—1949

selected by

D. McMILLAN, Ph.D.

and

G. McMILLAN,

agrégée de l'Université

with an introduction by

RENÉ LALOU

agrégé de l'Université,
Professeur au Lycée Henri-IV

J. M. DENT & SONS LTD.
Bedford Street, London, W.C.2

J. M. DENT & SONS LTD.
Aldine House · Bedford St. · London

Made in Great Britain
by
The Temple Press · Letchworth · Herts
First published 1950

FOREWORD

It would seem desirable to leave no misapprehension as to the scope and purpose of this volume: it is in no way intended to be a methodical presentation of the contemporary French novel (how is it possible to offer in a few pages a representative specimen of the writings of a Gide or a Giraudoux, or to reduce to a volume of this size the complexity of such a vast corpus as that of three decades of the novel?). Our purpose is far less ambitious and more immediately practical; we aim merely at providing the student of French who has already negotiated the nursery slopes of formal grammar and rudimentary vocabulary with a volume of good modern French prose written by contemporaries. We have borne in mind particularly two aspects of the student's work: in the first place that essential exercise, translation; in the second place, aware of the difficulties of conducting oral work without some basic subject for discussion, we have tried to assemble a wide number of topics, with the emphasis laid on the reality that is France. In addition, we believe that a student who has handled a volume of this kind may feel less bewildered in seeking from library shelves or catalogues the general reading material which must play such a large part in his future progress. (For one can only look back with nostalgia at the days when a vast field of exploration could be acquired for a few shillings in the Charing Cross Road or a few francs on the Quais.)

In order to ensure the essentially contemporary nature of this volume we have not only refrained from including any material published prior to 1919, but have systematically excluded authors who, although they may have continued writing after 1919, belong as novelists essentially to the pre-1914 generation.   In restricting ourselves to the novel form (in one or two cases liberally interpreted), it has seemed desirable to include extracts from as many authors as possible, especially of those of the younger generation and those whose works are not always familiar to English-speaking readers, rather than stress needlessly a small number of writers of wider repute.   It is partly for these reasons, and in some cases on account of material difficulties which have proved insurmountable, that we have reluctantly had to forgo passages by such writers as Arland, Arnoux, Artaud, Céline, Genevoix, Mac-Orlan, Schlumberger.

The extracts are reproduced with no attempt at 'editing,' save that, for the sake of clarity, pronouns have occasionally been replaced by the appropriate proper names, and, in the interests of conciseness, in rare cases a few sentences have been excised.   It is hoped that each extract will be found to constitute a self-explanatory unit, its intelligence independent of context.

We owe a profound debt of gratitude to M. René Lalou, whose vast scholarship and unrivalled experience and authority are so ideally suited to provide a prefatory guide to such a labyrinthine subject.

After some hesitation, we have felt that brief factual notes on each author,[1] in no way intended to be critical, might be of service; considerations of space have naturally dictated a degree of brevity which may have led us into the pitfalls of over-simplification.   We have taken advantage of these notes to include explanations of certain allusions and references the comprehension of which appears essential, and which the average reader might be expected to find a source of embarrassment.[2]   Similarly, a glossary is included, comprising only

[1] It should in no way be assumed that the mere space apportioned to each author in any way reflects his value or importance.

[2] Our object being to stimulate rather than satisfy interest, it is no purpose of this volume to give complete bibliographical details concerning each author, the more so as the subsequent reading of many of our readers may be restricted by the library facilities at their disposal.

words the meaning of which a reader with a fair knowledge of modern French might reasonably be expected not to know or to be unable to arrive at.

We cannot pretend to have achieved the miracle of producing a volume of extracts immaculate of sins of either commission or omission; a volume such as the present must of necessity reflect many personal choices and prejudices; these demand therefore neither excuse nor apology.

All matter in this volume being by definition copyright, it is our very pleasant duty to record our deep gratitude to the French publishers and authors whose co-operation and generosity have made our task possible. We therefore thank Editions Charlot for permission to reproduce an extract from Bosco; Editions Corrêa for an extract from Plisnier; Editions de la Nouvelle France for an extract from Ambrière; Editions de Minuit for an extract from Vercors; Editions Denoël for an extract from Cendrars; Editions de Paris for an extract from Béraud; Editions du Pavois for an extract from Rousset; Editions Bernard Grasset for extracts from Chateaubriant, Cocteau, Giono, Giraudoux, Mauriac, Maurois, Montherlant, Morand, Radiguet, and Ramuz; Editions Albin Michel for extracts from Benoit, Carco, Dorgelès, and Van der Meersch; Editions Stock for an extract from Chardonne; J. Ferenczi et Fils for an extract from Colette; René Julliard for an extract from Curtis; Librairie José Corti for an extract from Gracq;

Complete details can be found in the standard works of reference: Talvert and Place, *Bibliographie des auteurs modernes de langue française*, and Thieme, *Bibliographie de la littérature française de 1800 à 1930*, the *Complément* of which, by Dreher and Rolli, brings it up to 1939. These also contain references to critical works concerning the respective authors.

For general works on the French novel during this period, the reader is referred to Thibaudet, *Histoire de la littérature française de 1789 à nos jours* (which, however, stops at 1936), and more particularly to René Lalou, *Histoire de la littérature française contemporaine (de 1870 à nos jours)*, 4th edition, 1947, and, by the same, *Le roman français depuis 1900*, N° 49 of the *Que sais-je?* series; H. Clouard, *Histoire de la littérature française du symbolisme à nos jours*; and, for the more recent authors in particular, Gaëtan Picon, *Panorama de la nouvelle littérature française*.

Librairie Flammarion for extracts from Barbusse and Romains; Librairie Gallimard for extracts from Aragon, Audiberti, Aymé, Breton, Camus, Chamson, Gide, Grout, Hamp, Hériat, Jacob, Jouhandeau, Lacretelle, Larbaud, Lemarchand, Malraux, Martin du Gard, Michaux, Proust, Queneau, Saint-Exupéry, Sartre, and Valéry; Librairie Plon for extracts from Bernanos, Green, La Varende, Tharaud, and Troyat; and Mercure de France for an extract from Duhamel.

Finally we gratefully acknowledge our indebtedness to M. Marcel Didier for his advice and assistance in overcoming many material obstacles.

D. McMILLAN.

G. McMILLAN.

May 1950.

INTRODUCTION

Il peut sembler étrange, au premier abord, que se soit introduit l'usage, parmi les historiens de la littérature et les auteurs d'anthologies, de prendre la fin d'une guerre comme début de telle ou telle période artistique.   Les lecteurs que cela déconcerte ou choque ne manqueront pas d'objecter que l'habitude est relativement récente.   Ils auront même beau jeu à rappeler que nous continuons à parler de 'l'ère élisabéthaine' et du 'siècle de Louis XIV,' sans utiliser pour points de repère les batailles terrestres ou navales de ces époques.   Les critiques modernes ont-ils donc cédé à la tentation d'un spécieux alignement des phénomènes de la littérature sur les événements militaires?

A la réflexion, l'on s'aperçoit vite qu'ils ne furent point coupables d'une telle perversité.   Leur changement d'attitude fut dicté par les faits eux-mêmes.   En ce qui concerne la littérature française, il est certain que, depuis la Révolution de 1789, elle a subi des influences auxquelles elle avait pu demeurer à peu près insensible, au cours des XVIIe et XVIIIe siècles.   La raison en est qu'à partir de ce moment, à chaque grand conflit intérieur ou extérieur, la nation tout entière s'est trouvée engagée.   Les conséquences en apparurent bientôt.   Voyez déjà notre romantisme: sans le souvenir de l'épopée napoléonienne, maints poèmes de Victor Hugo nous seraient inintelligibles, comme aussi *Le Rouge et le noir* de Stendhal ou la *Confession d'un enfant du siècle* d'Alfred de Musset.   Songez encore à la guerre franco-allemande de 1870-1: son issue a infléchi la pensée de Taine et de Renan, orienté la carrière de Barrès et de Bourget.

L'exemple de 1870-1 est particulièrement probant, comme type des effets d'une secousse brutale: en quelques mois, les contemporains ont subi la double expérience de la défaite et de l'insurrection. A cette violence des antagonismes les deux guerres mondiales du xxᵉ siècle ont ajouté une ampleur et une durée qui paraissaient inconcevables. Ces nouvelles conditions devaient réagir sur la vie intellectuelle. Si elle pouvait demeurer suspendue pendant une brève crise, il était impossible qu'elle s'interrompît durant quatre ou cinq années. Mais, en se poursuivant ainsi et dans des circonstances particulièrement tragiques, elle provoquait fatalement des changements d'optique et de tendances chez les écrivains et dans leur public.

Puisqu'ils souhaitaient offrir aux étudiants britanniques un recueil de textes vraiment représentatifs des romanciers français contemporains, M. et Mme McMillan furent donc entièrement justifiés de faire commencer leur panorama vers la fin de la guerre de 1914-18. Car s'il se trouve des historiens pour prétendre que le xIxᵉ siècle s'est réellement prolongé jusqu'en 1914, ce n'est pas notre littérature qui leur apportera un démenti. Par contre, il s'est accompli, entre 1914 et 1920, une importante révision des valeurs. Sur ce point, la comparaison est édifiante entre les enquêtes littéraires de l'avant- et de l'après-guerre. On y constate qu'Anatole France, Maurice Barrès et Pierre Loti ont été supplantés par Paul Valéry, André Gide et Paul Claudel comme 'chefs de file' des nouvelles générations. Et, autour de ces maîtres brusquement acclamés, se presse une cohorte de jeunes talents, tout prêts à assurer la relève.

De ce bouleversement il y a plusieurs explications qui, loin de se contredire, se complètent fort bien. Tout d'abord, il faut tenir compte que, pendant les premières années du siècle, le jeu normal avait été faussé, — en bonne partie, à cause des passions politiques qu'avait excitées l'Affaire Dreyfus. Barrès, Bourget, Maurras et France continuaient d'occuper la scène, non seulement pour la valeur de leurs ouvrages mais grâce aux sympathies des partisans, qu'ils fussent de la Droite ou de la Gauche. C'est parce qu'il s'était mêlé à ces luttes que Charles Péguy était parvenu à grouper des amis autour de ses *Cahiers de la Quinzaine.* Encore n'avait-il échappé à la ruine que grâce à l'éclatant succès du *Jean-Christophe* de Romain Rolland, vaste symphonie qui inaugurait le genre que l'on nommerait plus tard 'le roman-fleuve.'

Néanmoins Claudel et Gide publiaient leurs ouvrages depuis plus de vingt ans et si Valéry gardait le silence, *La Soirée avec M. Teste* datait de 1896. Mais leur renommé ne dépassait point un cercle de *happy few* qui accueillaient aussi avec faveur les débuts pleins de promesses de Jules Romains et de Georges Duhamel, de Jean Giraudoux, de Pierre Hamp, des frères Tharaud. Pour faire apprécier l'importance de ce bouillonnement, il suffit de rappeler que la seule année 1913 a vu paraître les poèmes cubistes d'*Alcools* de Guillaume Apollinaire, la fresque sociale du *Jean Barois* de Roger Martin du Gard, la féerie du *Grand Meaulnes* d'Alain-Fournier, la symphonie cosmopolite de *Barnabooth* de Valery Larbaud et *Du côté de chez Swann*, premier tome de cet *A la recherche du temps perdu* qui devait assurer la gloire de Marcel Proust.

On avait beaucoup lu, durant cette longue guerre, aussi bien dans les tranchées qu'à l'arrière. Beaucoup de livres, mal connus en 1914, avaient enfin rencontré les amis qu'ils méritaient. Au sortir de la tourmente, chacun vantait ses découvertes. Il va de soi que ces éloges n'étaient pas moins confus qu'enthousiastes. A preuve que le supplément, ajouté en toute hâte, à une grave *Histoire de la littérature française*, accordait un bref paragraphe à un curieux 'Paul-Valery-Larbaud'! Voilà pourquoi j'ai tenu à esquisser ici un tableau des circonstances dans lesquelles les amateurs de 1920 furent assaillis par une foule de révélations, pêle-mêle, sans souci des dates, des influences, des liaisons. Si on oublie cela, on ne peut absolument pas comprendre l'importance que la 'chose littéraire' (pour reprendre l'expression de l'éditeur Bernard Grasset) allait prendre dans la vie de ce pays, durant les années de l'entre-deux-guerres.

'Que peut un homme?' C'était la question que Paul Valéry et André Gide se renvoyaient, au temps de leur jeunesse. Dans l'euphorie de la victoire, beaucoup de leurs héritiers se sentaient enclins à répondre: l'homme peut tout, au moins dans le domaine littéraire. Ne se sentaient-ils pas libres de choisir entre maintes séduisantes perspectives? Valéry leur offrait l'exemple d'une inflexible lucidité, d'une merveilleuse alliance d'intellect et de sensualité. Claudel leur déployait les charmes d'un lyrisme où le mot 'catholique' reprenait son sens d'universel. Gide les invitait à une perpétuelle disponibilité qui se pouvait pousser jusqu'à 'l'acte gratuit.' En musicales variations impressionnistes, Giraudoux les guidait vers de subtiles évasions. Jules Romains leur proposait une vision unanimiste où la psychologie des groupes équilibrait celle des individus.

Pour offrir une image complète de cette effervescence, il faudrait une anthologie d'un millier de pages, puisqu'elle devrait s'étendre des poètes aux essayistes, en passant par les romanciers et les dramaturges. Le dessein qu'ont poursuivi M. et Mme McMillan était forcément plus limité. Du moins se sont-ils placés au point de vue le moins exclusif: celui du roman. Beaucoup d'observateurs ont, en effet, remarqué que, depuis une trentaine d'années, notre littérature s'est caractérisée par une absence de cloison entre des genres qui autrefois demeuraient rigoureusement séparés. Il est notoire, par exemple, que l'inspiration poétique a débordé les formes du vers et du verset pour s'infiltrer dans de nombreux ouvrages en prose. C'est naturellement le roman, genre sans limites bien définies, qui a surtout bénéficié de ces mélanges. On n'exagère point en disant que les romanciers contemporains remplissent souvent ce rôle d' 'écho sonore' que Victor Hugo assignait aux poètes.

Sur la guerre dont nous émergions, soutenus par l'espoir qu'elle aurait été 'la der des der,' il ne semblait plus y avoir rien à dire. Le sujet paraissait avoir été épuisé par les nobles témoignages d'Henri Barbusse dans *Le Feu*, de Georges Duhamel dans *Vie des martyrs* et de Roland Dorgelès dans *Les Croix de bois*. Déjà les éditeurs affirmaient que le public se désintéressait des livres de guerre. Ils changèrent d'opinion, en 1929, devant le foudroyant succès de la traduction d'*A l'ouest rien de nouveau*. Alors il se produisit une seconde floraison d'ouvrages sur la guerre. En tous se manifestait l'amère désillusion que tant de sacrifices eussent été stériles. Car une seconde catastrophe menaçait déjà la civilisation européenne. Aussi peut-on estimer que le bilan de la première s'est achevé avec *L'Eté 1914* de Roger Martin du Gard (1936) et le *Verdun* de Jules Romains (1938).

Avant d'être ramenés à ces implacables réalités, beaucoup de nos écrivains avaient goûté les joies d'une fuite dans l'exotisme. Terme très vague et à ne jamais employer sans se souvenir qu'il révèle, pour chacun, la mesure de ses limites, aussi bien que de son pouvoir d'expansion. Nous avons déjà indiqué comment des écrivains aussi différents que Claudel, Apollinaire et Larbaud encourageaient ce renouvellement. La paix signée, nombre d'écrivains eurent la chance de parcourir le monde, comme diplomates, conférenciers ou journalistes. Cela nous valut une avalanche de documentaires romancés, à l'instar des *Nuits* de Paul Morand. Il est permis de leur préférer les ouvrages d'un authentique aventurier tel que Blaise Cendrars, voire d'un aventurier en chambre, à la façon de Pierre MacOrlan. Et nous n'aurions garde d'oublier que George Simenon a su rénover le roman policier par un inquiétant mélange de dépaysement et de familiarité.

L'œuvre d'Henry Michaux montre fort bien comment l'exotisme a pu se concilier avec le surréalisme. Arrêtons-nous un instant à ce mot, pour éviter un malentendu. Il est incontestable qu'à l'origine le surréalisme parut être un mouvement exclusivement poétique. Mais, à l'exception de Paul Eluard, les surréalistes n'ont point tardé à poursuivre également dans des ouvrages de prose leur tentative d'affranchissement par un 'automatisme psychique pur.' La *Nadja* d'André Breton reste l'une des meilleures réussites de cet effort pour refléter le 'fonctionnement réel de la pensée,' sans intervention volontaire de l'écrivain, en repoussant tout contrôle de la raison raisonnante, en excluant tout parti-pris esthétique ou moral. Sans doute plusieurs de ceux qui débutèrent sous cet oriflamme — de Louis Aragon à Philippe Soupault — ont-ils, depuis lors, changé de camp. Sans doute aussi le cercle des fidèles, groupés autour d'André Breton dont l'intransigeance même force le respect, ne s'est-il pas beaucoup élargi avec les années. Mais, en pareil cas, la stricte orthodoxie importe beaucoup moins que le rayonnement. Or, on ne saurait, de bonne foi, nier que, sous des formes moins agressives, l'expérience surréaliste se continue dans des œuvres aussi récentes que celles d'Audiberti, de Raymond Queneau et de Julien Gracq. Ils entretiennent une tradition qui ne se réclame pas seulement du 'roman noir' anglais et des romantiques allemands, mais qu'ont illustrée, chez nous, Gérard de Nerval et Lautréamont.

Une tradition foncièrement française est celle du roman psychologique. Elle s'enorgueillit de chefs-d'œuvre aussi divers qu'*Adolphe* et *Les Liaisons dangereuses*, que *La Chartreuse de Parme* et *La Porte étroite*. Il était réservé à Marcel Proust d'ajouter à ce trésor la grandiose symphonie d'*A la recherche du temps perdu*. Enfermé dans sa chambre de malade, il a recréé ce monde qui se dérobait à lui; par la puissance de la mémoire et un héroïque sacrifice de l'homme à son œuvre, il s'est élevé à la mystique reconquête du 'temps à l'état pur.' On ne s'étonnera pas qu'une entreprise de cette envergure ait éveillé tant d'échos, non seulement chez nous, mais en Grande-Bretagne, comme en ont témoigné Virginia Woolf et Aldous Huxley.

Bien qu'il n'existe guère de genre où Jean Cocteau n'ait déployé sa virtuosité, c'est peut-être dans les pénétrantes analyses de *Thomas l'imposteur* et des *Enfants terribles* qu'il a fourni toute sa mesure. Auprès de lui, Raymond Radiguet ne s'est pas borné à décrire, dans *Le Diable au corps*, le désarroi des adolescents durant la guerre; son *Bal du Comte d'Orgel* manifestait une volonté de retour à la forme dépouillée dont *La Princesse de Clèves* demeure le modèle. En effet, le roman psychologique réclame un effort de stylisation artistique. Elle s'obtient par la pureté des lignes dans les nouvelles de Marcel Arland ou la *Geneviève* de Jacques Lemarchand. Marius

Grout l'a cherchée dans l'emploi du symbole et Julien Green dans une puissance visionnaire qui transcende les conventions de la réalité. Jacques Chardonne, au contraire, semble d'abord accepter le réel; mais c'est pour le décomposer subtilement dans l'atmosphère romanesque où il le baigne. Chardonne s'est fait le romancier du couple humain uni dans la vie conjugale et il a prouvé que ce thème, en apparence limité, se prêtait à des variations aussi multiples que délicates.

Que ce goût de la psychologie puisse conduire à la peinture d'une société, Stendhal l'avait montré en écrivant *Le Rouge et le noir*. Nul ne doute que François Mauriac ne soit surtout préoccupé de révéler des âmes tourmentées, comme celle de Thérèse Desqueyroux, cette Phèdre landaise. Mais justement l'adjectif nous rappelle qu'un personnage de ce genre n'acquiert toute sa valeur que s'il est situé dans un milieu bien défini. Or, de ces 'cellules sociales,' la première est évidemment la famille, — microcosme sillonné de mouvements d'adhésion et d'opposition. Du *Nœud de vipères* de Mauriac au *Cercle de famille* d'André Maurois et à *Famille Boussardel* de Philippe Hériat, ce motif central n'a pas cessé de s'enrichir et les cinq volumes de *Meurtres* sont encore, pour Charles Plisnier, une 'geste' de la famille Annequin. Si l'on note qu'au destin moral d'une famille s'allie souvent la fortune d'un domaine terrien, on rangera auprès de ces ouvrages le *Saint-Saturnin* de Jean Schlumberger et *Les Hauts-Ponts* de Jacques de Lacretelle.

Parmi ces chroniqueurs de leur époque le critique peut, sans arbitraire, distinguer deux groupes d'esprit. Certains ne se soucient nullement de composer un plan d'ensemble: tels Max Jacob en sa truculente fresque de *L'Homme de chair et l'homme reflet* ou Francis Carco lorsqu'il discerne dans les milieux les plus sordides la poésie d'une 'tristesse élémentaire où nous nous retrouvons tous égaux.' D'autres, en revanche, ont voulu offrir d'une certaine durée historique une représentation complète et ramifiée. Tel fut le dessein de Roger Martin du Gard dans ce roman cyclique des *Thibault* (axé sur deux familles, l'une catholique et l'autre protestante), où le romancier prétend égaler l'objectivité de l'historien. A l'inverse, Louis Aragon, des *Cloches de Bâle* à *Aurélien*, décrit l'agonie du régime bourgeois à la lumière d'un 'réalisme socialiste.' Plus sensible aux droits de l'individu, Georges Duhamel a édifié les deux séries des *Salavin* et des *Pasquier* sur le contraste entre une existence qui se désagrège et une vie qui, péniblement mais loyalement, se construit. De toutes ces synthèses la plus ambitieuse fut celle de Jules Romains dans *Les Hommes de bonne volonté*: du 6 octobre 1908 au 7 octobre 1933, il y a évoqué, en un fourmillement épique, vingt-cinq années de notre destin national, — une journée du progrès de l'humanité.

Tant d'écrivains ont choisi comme cadre de leur œuvre une des provinces françaises que l'on a pu s'amuser à dresser une carte de la France vue par ses romanciers. Une anthologie ne saurait les retenir tous. Les lecteurs de celle-ci pourront, du moins, apprécier l'attachement d'Henri Béraud à la région lyonnaise, d'Alphonse de Chateaubriant à la Brière, de La Varende au pays d'Ouche, d'Henri Bosco à la Provence. Il ne s'agit pas seulement là de 'motifs' picturaux: la fidélité à un certain coin de terre implique souvent une certaine conception de l'existence. Dans un canton du Gard André Chamson discerne de nombreux exemples de la lutte entre l'homme et l'histoire, le libre arbitre et le déterminisme. De la campagne de Manosque Jean Giono s'est fait une source de lyrisme panthéiste. Sans doute Marcel Jouhandeau s'est-il plu à transformer l'innocente ville de Guéret en cette féroce cité de Chaminadour où la solitude exaspère les passions. La 'petite patrie' néanmoins peut ne point être une prison. A preuve, tous les livres où C. F. Ramuz, poète de la Suisse romande, a magistralement associé le goût de l'élémentaire et le goût de l'universel.

Une note importante manquerait à cette revue si l'on omettait d'y signaler quelques-uns de ceux que j'appellerais volontiers les conteurs purs. Ils peuvent échafauder des récits d'aventures comme Pierre Benoit, adopter la forme du documentaire à la façon de Van der Meersch, passer des images familiales aux fresques sociales, ainsi que l'a fait Henri Troyat. Mais à travers leurs divergences, ils ont ce trait commun de viser d'abord à narrer une histoire d'une manière attachante pour leurs lecteurs. Marcel Aymé y excelle particulièrement: nul ne sait doser plus adroitement le réalisme, la fantaisie et l'humour. C'est parmi ces indépendants que se situe l'un des maîtres de la prose française en notre temps: que Colette invente un roman ou évoque ses souvenirs, son art, robuste et souple à la fois, donne à toutes ses phrases une garantie de profonde authenticité.

Il est encore trop tôt pour que l'on puisse mesurer l'influence de la seconde guerre mondiale sur notre littérature. Nous en sommes à la période des témoignages dont le premier en date, *Le Silence de la mer* par Vercors, eut un tel retentissement. Parmi ceux qui ont paru depuis la Libération, nous pouvons être assurés que l'avenir retiendra *Les Grandes Vacances* de Francis Ambrière, souvenirs de captivité, comme *Les Forêts de la nuit* de J. L. Curtis et le livre auquel David Rousset a donné ce titre d'une si exacte atrocité: *L'Univers concentrationnaire.* Quant à la vie quotidienne sous l'occupation, André Chamson s'en est fait le mémorialiste dans l'émouvant *Puits des miracles.*

Dans l'intention de mieux nuancer notre panorama, nous avons, chemin faisant, réservé quelques prosateurs dont les œuvres, à différentes dates, furent accueillies avec une ferveur particulière. En dehors de leurs mérites littéraires, elles semblèrent alors répondre à un besoin de l'opinion publique. Ainsi Henry de Montherlant, héritier de Barrès et de Chateaubriand, débuta-t-il en chantre de la camaraderie virile, née de la guerre et du sport. Poète, romancier, dramaturge, il proposa ensuite une théorie de l'alternance, en brusques passages de l'héroïsme à la volupté égoïste. Trahi quelquefois par une vanité puérile, son culte de la grandeur s'est souvent traduit en de belles formules sonores.

Au printemps de 1926, le nom de Georges Bernanos s'imposa par un livre volcanique, *Sous le soleil de Satan.* Obsédé par l'idée du péché, c'était le duel des principes du bien et du mal qu'il représentait, avec une fougue hallucinée, dans ce roman et ceux qui suivirent jusqu'à son chef-d'œuvre, le *Journal d'un curé de campagne*. Après quoi, renonçant aux contraintes du roman, il s'abandonna à son génie de pamphlétaire, non sans des outrances, mais avec une générosité qui fit de lui, dans les années sinistres, un des mainteneurs de l'honneur national.

En 1926 aussi, André Malraux faisait paraître *Tentation de l'Occident*, d'un Occident dont il dénonçait la faillite. Comme autant de manifestes explosifs, se succédèrent *Les Conquérants*, *La Voie royale* et *La Condition humaine*; Malraux s'y posait en champion de l'aventure héroïque qu'il vivait avant de la décrire. Ses premiers personnages semblaient enfermés inéluctablement dans une solitude où chacun se forgeait ses propres mythes. Par une évolution qui aboutit à *L'Espoir*, roman de la guerre civile en Espagne, Malraux montra comment l'action pouvait rompre cette prison et permettre à l'individu de communier dans une fraternité virile.

Quand il composa *Vol de nuit*, en 1931, Antoine de Saint-Exupéry (qui était alors pilote de ligne) semblait proche de Malraux par l'idée que l'action se suffit en elle-même. Après ce livre qui demeurera parmi les classiques de l'aviation, sa pensée dépouilla cette intransigeance. Dans *Terre des hommes* aussi bien que dans *Pilote de guerre*, il a magnifiquement rappelé que le défi à la mort 'n'est que signe de pauvreté ou d'excès de jeunesse' s'il n'est point fondé sur 'une responsabilité acceptée.'

A la date de 1949, l'écrivain le plus encensé comme le plus discuté, c'est incontestablement Jean-Paul Sartre. Philosophe, sa doctrine est un existentialisme athée. Mais, par la souplesse de son talent, il occupe aussi d'importantes positions dans le domaine littéraire, comme critique de *Situations*, puissant romancier de *La Nausée*, poignant dramaturge de *Huis-clos* et des *Mains sales*. A son influence s'est ajoutée celle d'Albert Camus dont la philosophie de l'absurde colorait son roman de *L'Etranger*. Nous n'entrerons point ici dans les innombrables polémiques qu'ont provoquées l'affirmation que l'existence précédait l'essence ainsi que l'idée de la nécessité d'un engagement. Le titre d'une grande fresque de Sartre, *Les Chemins de la liberté* et les émouvants dialogues du roman de Camus, *La Peste*, attestent que l'un et l'autre, bien que sensibles au poids des servitudes humaines, ne s'opposent nullement à une tradition française qui s'identifie, depuis des siècles, avec la libération de l'esprit.

Au terme d'une trop rapide esquisse, il me reste l'agréable devoir de souhaiter à cette anthologie le grand succès qu'elle mérite. Elle a été composée par une Française et un Anglais, particulièrement qualifiés pour choisir des textes qui soient représentatifs à nos yeux et compréhensibles pour nos amis d'outre-Manche. Puisse-t-elle accroître la curiosité et la sympathie des étudiants britanniques pour une littérature qui demeure aussi vivace et variée que celle de leur propre pays!

René LALOU.

CONTENTS

FRANCIS AMBRIÈRE

1. Evasions

Au début de juin 1941, à l'hôpital de K., se formait un convoi de grands blessés et de tuberculeux rapatriables par la Suisse. La veille du jour fixé pour l'embarquement, qui devait avoir lieu le matin de très bonne heure, les autorités hitlériennes firent grouper l'effectif du train sanitaire dans une salle spéciale. Pendant la nuit, l'un des partants, un phtisique d'une extrême faiblesse, et pour qui la joie du retour avait été une émotion trop forte, succomba à son mal. En l'absence du major allemand, c'est un des médecins français qu'on alerta pour constater le décès. Devant le cadavre, sa résolution fut vite prise. Un mort, cela ne peut plus souffrir : qu'importe désormais si son séjour en terre d'exil se prolonge plus ou moins ? Avec la complicité d'un infirmier, le médecin descendit le cadavre à la cave, le dissimula adroitement, se rasa la barbe, se maquilla, et se glissa à la place du disparu dans la couchette vide. Au petit jour, transporté sur une civière jusqu'au wagon-ambulance, il roulait vers la frontière helvétique. Les Allemands ne s'avisèrent de son évasion que douze heures plus tard, et n'en comprirent le mécanisme que le surlendemain, en découvrant la dépouille abandonnée dans les sous-sols de l'hôpital.

Cette histoire souleva parmi ceux des prisonniers qui la connurent les débats les plus passionnés et les plus contradictoires. Il est bien vrai qu'elle offre quelque chose d'inquiétant. Sans faire intervenir le problème du devoir médical, car presque partout les médecins étaient en surnombre, il y a là un manque de respect vis-à-vis de la mort qui ne va pas sans une grandeur assez farouche. Ce qu'il faut pourtant se hâter de dire, c'est que le médecin eût-il déclaré le décès, le cadavre fût demeuré là de toutes façons, car les Allemands n'allaient pas jusqu'à se charger des transports funèbres. Même au prix d'une horrible supercherie, ne valait-il pas mieux libérer un Français de plus? Pour moi, je ne puis m'empêcher d'admirer la présence d'esprit de ce médecin, son courage à dompter toute répugnance physique (car enfin les draps où il s'est inséré ne devaient pas être fort ragoûtants), et même sa vigueur à balayer des opinions reçues. Tout dépend sans doute de l'usage qu'il entendait faire de sa liberté reconquise. Nous sortons d'un temps où les valeurs les plus nécessaires furent si menacées que leur défense requérait tous les vivants, et que selon la parole de l'Ecriture, ce n'était qu'aux morts d'enterrer les morts.

Parmi les évasions 'médicales,' qui furent assez nombreuses, beaucoup s'accompagnèrent de circonstances pénibles. Il s'est rencontré des hommes qui n'hésitaient pas à compromettre leur santé pour mériter le rang et le sort des 'D.U.,' que les médecins allemands renvoyaient en France pour désencombrer le Grand Reich des bouches inutiles. La plupart eurent recours au jeûne prolongé, dont ils espéraient un amaigrissement notable. Cela passait encore, quoique l'organisme, parvenu à un certain degré d'affaiblissement, ait peine à retrouver jamais toute son ancienne vigueur. D'autres, qui se découvraient quelque lésion, la cachaient d'abord et travaillaient consciencieusement à l'aggraver pour faire davantage impression le jour qu'ils iraient s'en plaindre. J'en ai vu qui empoisonnaient leurs plaies ou qui avalaient tout exprès des substances nocives. L'un de mes bons camarades entretint si bien l'affection qu'il avait à l'œil droit qu'il en perdit l'usage; et le plus triste est que cela ne lui valut pas même la libération. Ceux qui employèrent ces moyens extrêmes furent généralement des hommes sans caractère et sans équilibre, des faibles ou des obsédés, abattus par la condition qui nous était faite, et qui ne voyaient pas d'autre issue à cette démission de la vie où l'on nous contraignait, qu'une démission volontaire plus grave et plus irrémédiable.

2

Tout autres sont les prisonniers qui, avec un parfait sang-froid et sans nulle ruine intérieure, ont trouvé la force de feindre des maux susceptibles de leur valoir la liberté. Il y eut dans ce genre de véritables prouesses, et si je songe au temps d'Oberwesel et de Limburg, toute une théorie d'étonnants simulateurs se dresse dans ma mémoire.

Ce n'est pas une mince entreprise que de reproduire avec vraisemblance les troubles du système nerveux ou les troubles mentaux. Il y faut une étude sérieuse, une attention de tous les instants, un pouvoir sur soi-même dont peu de gens se montrent capables. Pour moi, j'eusse éclaté de rire au nez de mes observateurs en apercevant qu'ils donnaient dans mon panneau. Mais d'autres eurent l'étrange patience de soutenir pendant des semaines, voire pendant des mois, le personnage qu'ils avaient une fois choisi d'être. Quelques-uns furent assez constants pour aller jusqu'à nous duper nous-mêmes. Ce n'était pas méfiance quant à nos intentions, c'était prudence quant à d'éventuelles légèretés, et il faut reconnaître que c'était sagesse.

Je me souviens encore de la terreur rétrospective que j'éprouvai, un beau matin de juin 1941, quand je vis Calmelet s'effondrer à mes pieds, en proie à une épouvantable danse de Saint-Guy. Calmelet, coiffeur de son métier et l'homme le plus tranquille du monde, venait de me raser le quart d'heure d'avant, et je me disais avec un frisson: 'Supposé qu'il ait eu sa crise juste à l'instant où il me promenait son rasoir sur la gorge, qui sait s'il ne m'eût pas très proprement saigné?' J'en déduisais les conséquences les plus philosophiques sur le peu que nous sommes, et sur l'adresse de la Mort à nous faire sentir sa puissance jusque sous l'instrument de Figaro.

Cependant Calmelet, à même le sol, l'écume aux lèvres et tout le corps agité d'un tremblement horrible, semblait habité du démon et consternait par son délire, avec nous tous, les deux officiers allemands qui se trouvaient là d'aventure. Ils veillèrent eux-mêmes à le faire transporter à l'infirmerie, sitôt qu'il fut tombé dans cet anéantissement qui suit le paroxysme de la fureur convulsive. Je ne me doutais pas alors que le

3

rusé garçon, prévenu de leur visite, avait soigneusement choisi
son heure, afin que son accès d'épilepsie bénéficiât devant la
commission de réforme d'un témoignage galonné, infiniment
plus efficace que celui de vulgaires wachmann, et bien entendu
que la caution toujours suspecte de compagnons de captivité.
Je ne fus averti que quelques jours plus tard par un ami
commun, qui m'apprit dans quel livre de médecine spécialisé
Calmelet avait étudié les symptômes du haut mal et préparé
son coup. On m'offrit le livre et je déclinai la proposition,
parce que je me jugeais hors d'état d'en tirer profit, peut-être
aussi parce que je sentais que mon destin de prisonnier
était ailleurs. Il servit à documenter deux postulants, dont
j'ignore quelle fin eut leur tentative.

Pour Calmelet, elle fut couronnée du meilleur succès. Mis
en observation au Kranken-Revier, il répondit si bien par son
comportement à toutes les apparences de l'épilepsie, il triompha
avec tant de naturel des différentes épreuves par où on le fit
passer, que le médecin allemand n'eut aucun soupçon et le
désigna au bout de peu de temps pour le plus prochain convoi
de rapatriement. C'est un des plus remarquables exemples
de simulation, et même de dissimulation, que j'aie jamais
observé. Au reste, Calmelet avait déjà témoigné de son
énergie au cours d'une évasion précédente, qu'il avait faite à
pied comme la plupart d'entre nous à leur premier essai.

Les Grandes Vacances, 1939–1945.

Editions de la Nouvelle France, 1946.

FRANCIS AMBRIÈRE (*b.* 1907). Novelist, dramatic and literary
critic; mobilized as a sergeant in 1939, and taken prisoner on the
collapse of the French armies in June 1940, he recounts in *Les
Grandes Vacances* the existence and struggles of the million and a
half French prisoners of war in German hands, whose material
difficulties and more especially moral hardships were so acutely
aggravated by the pressure and propaganda of the Vichy authorities.

p. 2. *D.U.* (*Dienst-Unfähig*), unfit for further service.
p. 4. *wachmann*, guards.
p. 4. *Kranken-Revier*, sick-quarters.

LOUIS ARAGON

2. *Bérénice à Paris*

Les Parisiens n'ont jamais de leur ville le plaisir qu'en prennent les provinciaux. D'abord, pour eux, Paris se limite à la taille de leurs habitudes et de leurs curiosités. Un Parisien réduit sa ville à quelques quartiers, il ignore tout ce qui est au-delà, qui cesse d'être Paris pour lui. Puis il n'y a pas ce sentiment presque continu de se perdre qui est un grand charme. Cette sécurité de ne connaître personne, de ne pouvoir être rencontré par hasard. Il lui arrive d'avoir cette sensation bizarre au contraire dans de toutes petites villes où il est de passage, et le seul à ne pas connaître tous les autres. Mais songez ce que c'est quand cet incognito vous livre cette forêt de pierres, ces déserts de macadam.

Bérénice savourait sa solitude. Pour la première fois de sa vie elle était maîtresse d'elle-même. Ni Blanchette ni Edmond ne songeaient à la retenir. Elle n'avait pas même l'obligation de téléphoner pour dire qu'elle ne rentrait pas déjeuner quand l'envie lui prenait de poursuivre sa promenade. Oh, le joli hiver de Paris, sa boue, sa saleté, et brusquement son soleil! jusqu'à la pluie fine qui lui plaisait ici. Quand elle se faisait trop perçante, il y avait les grands magasins, les musées, les cafés, le métro. Tout est facile à Paris. Rien n'y est jamais pareil à soi-même. Il y a des rues, des boulevards, où l'on s'amuse autant à passer la centième fois que la première. Et puis ne pas être à la merci du mauvais temps. . . .

Par exemple l'Etoile. . . . Marcher autour de l'Etoile, prendre une avenue au hasard, et se trouver sans avoir vraiment choisi dans un monde absolument différent de celui où s'enfonce l'avenue suivante. . . . C'était vraiment comme broder, ces promenades-là. . . . Seulement quand on brode, on suit un dessin tout fait, connu, une fleur, un oiseau. Ici on ne pouvait jamais savoir d'avance si ce serait le paradis rêveur de l'avenue

Friedland ou le grouillement voyou de l'avenue de Wagram ou
cette campagne en dentelles de l'avenue du Bois.   L'Etoile
domine des mondes différents, comme des êtres vivants.   Des
mondes où s'enfoncent ses bras de lumière.   Il y a la province
de l'avenue Carnot et la majesté commerçante des Champs-
Elysées.   Il y a l'avenue Victor Hugo. . . .   Bérénice aimait,
d'une de ces avenues, dont elle oubliait toujours l'ordre de
succession, se jeter dans une rue traversière et gagner l'avenue
suivante, comme elle aurait quitté une reine pour une fille, un
roman de chevalerie pour un conte de Maupassant. Chemins
vivants qui menaient ainsi d'un domaine à l'autre de l'imagination, il plaisait à Bérénice que ces rues fussent aussi bien des
morceaux d'une étrange et subite province ou les venelles
vides dont les balcons semblent avoir pour grille les dessins
compliqués des actions et obligations de leurs locataires, ou
encore l'équivoque lacis des hôtels et garnis, des bistros, des
femmes furtives, qui fait à deux pas des quartiers riches passer
le frisson crapuleux des fils de famille et d'un peuple perverti.
Brusquement la ville s'ouvrait sur une perspective, et Bérénice
sortait de cet univers qui l'effrayait et l'attirait, pour voir au
loin l'Arc de Triomphe, et vers lui la tracée des arbres au pied
proprement pris dans une grille.   Que c'est beau, Paris!   Là
même où les voies sont droites, et pures, que de tournants.
Nulle part à la campagne, le paysage ne change si vite; nulle
part, même dans les Alpes ou sur les bords de la mer, il n'y a
de si forts aliments pour le rêve d'une jeune femme désœuvrée,
et ravie de l'être, et libre, libre de penser à sa guise, sans se
surveiller, sans craindre de trahir sur son visage le fond de son
cœur, de laisser échapper une phrase qu'elle regretterait parce
qu'elle aurait fait du mal à quelqu'un. . . .

   Parfois l'envie lui prenait de changer de ville.   Elle sautait
dans l'autobus, n'importe quel autobus, et gagnait l'autre bout
de Paris.   Elle aimait rester sur la plate-forme, bousculée par
les gens qui montent et ceux qui descendent, sensible aux
densités variables des quartiers.   Elle ne se lassait pas
d'éprouver les transformations autour d'elle.   Qu'après les
Champs-Elysées, la Concorde, la rue de Rivoli parût si étroite,

6

suivant tout à fait comme une idée les étapes d'un raisonnement vers son but; d'abord le long d'un jardin, comme si
l'imagination des arbres libres tout à l'heure eût été maintenant
retenue derrière ces grilles noires, et envahie peu à peu de
statues pour préparer Bérénice à longer un palais.   Les arcades,
de l'autre côté, ajoutaient leur caractère de décor logique à ce
développement de pierre.   Puis après le palais, les arcades
cédaient très vite, et la rue devait alors abandonner l'imagination pour la raison, des maisons de part et d'autre, des maisons
comme toutes les maisons.   L'orgueil du commerce, avec la
Samaritaine pour monument, la Samaritaine qui remplace le
Louvre.   Le trafic des Halles à travers la rue.   L'échappée
d'arbres encore offerte quand on passe à hauteur du Châtelet,
vers la rive gauche et ses rêveries.   Puis c'est fini.   Passé
l'Hôtel de Ville, la rue va s'étrangler, se poursuivre par la rue
Saint-Antoine lourde de souvenirs, grosse de menaces, jusqu'à
ce qu'enfin l'autobus atteigne cette place énorme, cette réplique
de l'Etoile où s'élève la colonne de Juillet.

Là le jeu pouvait recommencer. . . .   Bérénice se perdait à
nouveau de la rue de la Roquette au boulevard Henri-IV, du
faubourg Saint-Antoine au canal Saint-Martin. . . .

Pour ne rien dire du Quartier Latin.   Son mystère est grand
pour une femme de la province, qui le voit avec tout ce que les
romans en ont dit, le charme de la convention.   Et puis il y
avait les grands libraires, pleins de nouveautés qui valaient les
fruits d'Ediard, place de la Madeleine.   Boulevard Saint-
Germain, chez Crès, où on pouvait flâner des heures, à lire les
livres et les revues entre les pages non coupées.   Une petite
boutique grise dans la rue de l'Odéon, dont elle aima les femmes
qui la tenaient.   L'une d'elles, la blonde, lui dit qu'elle était
Savoyarde et lui vendit une première édition de Jules Romains,
et le livre du petit Paul Denis, *Défense d'entrer*.   C'était
déconcertant, un peu court.   Les livres sous les galeries de
l'Odéon avaient un attrait différent.   On n'était pas sûr
d'avoir le droit de les regarder.

Merveille de Paris.   Ne plus penser.   Ne plus se sentir
courbée par la bonté, par la piété.   Etre à nouveau comme

7

jadis la petite fille qui sautait à la corde sans se poser de questions. Elle pouvait rire sans raison. Personne ne l'embarrassait, demandant de la meilleure foi du monde: 'Qu'est-ce qui te fait rire?' Elle pouvait regarder les gens ou les ignorer. Elle pouvait oublier Lucien sans se le reprocher. Il y avait les Grands Boulevards et il y avait le Luxembourg, il y avait la gare de l'Est et il y avait Montrouge. Changer de quartier n'était une infidélité à personne: les Invalides ne la gronderaient pas du temps passé aux Buttes Chaumont.

Elle rentrait rue Raynouard, heureuse, assouplie, avec des joues roses comme si elle avait couru tout le jour dans les champs.

Aurélien.

Librairie Gallimard, 1944.

LOUIS ARAGON (*b.* 1897). Poet, essayist, and novelist, who, with Breton and Paul Eluard, was one of the moving spirits first of *dadaïsme* and then of the surrealist movement from its beginning, even before its principles were enunciated in 1924, date of the first surrealist manifesto. His breaking away from the group in 1930 to embrace orthodox Stalinian communism was a severe blow to his friends, who felt it as a betrayal. Apart from some of his later poems, the most significant part of his work was written when he was still an ardent exponent of surrealist doctrines, notably *Le Paysan de Paris* (1926) and *Traité du style* (1928), in which, however, he was already showing signs of not endorsing all the ideas of the surrealists.

Subsequently his writings have followed much more conventional lines.

8

JACQUES AUDIBERTI

3. *Caracasio au pays du grand Phanaphar*

Caracasio s'ébroua, se releva. La carte du monde était sèche. Il regarda vers la terre. D'un sol très lentement pendant, tapissé d'aiguilles, s'élevaient des pins gigantesques. Chacun était un sage harnaché dans une cuisse de femme compliquée hautement de bras simples, gros et retors comme d'humaines pensées sous le fardeau des immortelles frondaisons.

Le cheval blanc errait avec grâce parmi ces piliers d'écorchure esthétique, dans un luxueux silence où le palais de la sieste récente, rose, doré, se poursuivait dans d'autres teintes avec une égale splendeur, à la fois sensible et supputée.

L'homme, donc, alla vers son cheval au cou plus lisse que d'un cygne ou d'une femme, mais aussi robuste que le membre d'une charpente de bateau. D'une main il le toucha et, de l'autre, le tronc du pin le plus altier. Il aima la douceur profonde de cette écorce d'îles feuilletées et juxtaposées. Il arracha l'une de ces îles de bois, la soumit à la lame courbe de son canif levantin. L'écaille cédait avec une molle souplesse, comme une glaire ligneuse. Promptement il modela une barque avec des banquettes primitive et profonde. Il la passa au fil d'or qui lui ceignait le col et où pendait une médaille.

Puis il sella son cheval et l'enfourcha. Et il se mit en quête d'un relais. Les pins dépassés, il eut à se démêler d'un maquis de fleurs, trouva un chemin. Il comprit qu'il était arrivé au pays du grand Phanaphar. Des orangers apparurent, et des vignes, et des cyprès, et des collines rondes, venues d'ailleurs, achevant là une course dansée, une fugue chinoise, précise jusqu'à la minutie contre un ciel de sels chimiques.

Il rencontra quelques paysans, leur parla. Les femmes portaient des chapeaux ronds, qui leur pendaient dans le dos ou bien auréolaient leur visage hâlé. Bizarres chapeaux, avec une calotte d'un doigt, qui tenaient sur la tête à l'aide de balancines de velours nouées à la taille et que les femmes, en manipulant cette ceinture, brassaient carré ou pointu, suivant le vent et le soleil. Les vieilles le portaient à plat, comme le couvert de la tombe.

Ces paysans avaient un langage au rythme gai, qui faisait, sur les lèvres de tous, une ligne brune et familière, la course d'un rat sans malice presque changé en petit oiseau.

Caracasio, excité par le bain plus que rafraîchi, se refit dans une hôtellerie aux boiseries cirées. Son cheval mangea. Ils repartirent, traversèrent des contrées vertes et rouges. Des fruits de mer, triangles ou losanges bleus, pendaient aux arbres scabreux.

Puis le vent souffla, froid, porteur d'une improbable neige de particules blondes. Fandelglas trottait crûment dans ce pays du grand Phanaphar, paradis terrestre au degré mineur, et de style ambigu, froid et chaud maintenant, comme un glaçon dans une omelette brûlante. Ils traversaient des bourgades baignant dans l'odeur du pébron et du rouget. Les demoiselles se promenaient sur les remparts. Des mules étaient attachées à l'anneau des portes. Les viguiers circulaient en blouse de velours suivis d'un gamin qui portait, à tout hasard, des ciseaux et de la cassonade.

Parfois, tout changeait. Le vent, à force de s'étirer, s'amincissait, comme un aiguillon. Le tonnerre grondait, rappel et testament des puissances violentes. Des risées couraient sur le ciel. Par des pistes rocheuses on atteignit Marseille, une rue sous un ciel d'un vert immonde. Là, il entendit parler, non seulement le dialecte civilisé mais, aussi, celui du royaume voisin, le français, fait de mots tronqués, de raccourcis calcaires, de puérilités agressives, un démarquage où sinuait une tentative de grandeur par les voies du souffle nasal.

Sur le port, il vit le roi du pays, le Phanaphar en personne, qu'on appelait aussi René de Jérusalem. Ce monarque partait pour l'Italie à la tête d'un gros de troupe. Un état-major d'astrologues, de farceurs et de capitaines l'entourait. Il avait sur la poitrine un croissant d'or où pendaient des bâtonnets de saphir. Son bonnet portait une plume d'ange (fausse). Son casque, qu'il trimballait au bras, par la mentonnière, contenait des amandes dont il goûtait. Il en crachait les coques avec bienveillance.

Les soldats du Phanaphar étaient bien armés, et fermes les chevaux. A Marseille, Caracasio se préoccupa d'un bateau pour Barzilona. C'est alors que prit place un incident sans grande importance mais qui parut au voyageur, dénoter un changement dans la manœuvre des âges.

Un sergent de l'armée royale mesura du regard l'homme de Ravenne, sur le port, et l'invita à le suivre dans le cabanon de la police, où il l'interrogea sur sa nation. Caracasio se déclara sujet de la Sérénissime. L'autre, roussâtre dans son vêtement de fer blanc, expliqua que Venise et la Provence étaient, ores, en guerre, à propos des Florentins, et que tout sujet de Venise pouvait être, à bon droit, considéré comme un espion.

Des soldats écoutaient, sans bien comprendre. Les guerres, jamais, n'interrompaient les échanges accoutumés. La plupart du temps, d'ailleurs, on ignorait contre qui son roi ou sa république en avait.

Ce sergent se laissait envahir, du pavé jusqu'à la salade, par la fureur d'une logique barbare. D'où sortent les batailles? Apparemment d'histoires de femmes, de difficultés limitrophes. Mais on sait que des congrès d'astres assument leur urgence, et que leur site est choisi par les directeurs interstellaires des embranchements matériels, cependant que les farfadets présidant aux répartitions statistiques décident de la conclusion à leur donner. Deux armées, celle du giroflier et celle de la licorne, se rencontrent sur le gazon ras. Leurs maréchaux jouent à pile ou face, l'avantage du soleil. Elles courent l'une sur l'autre, se traversent, décrivent, avec symétrie, de vastes courbes et reviennent se faire front comme devant.

Abraxas.
Librairie Gallimard, 1938.

JACQUES AUDIBERTI (*b.* 1899). Poet, playwright, and novelist who, from humble beginnings, made his way through journalism into literature.

II

Of his novels, the first and most important is *Abraxas* (1938), in which he indulges his interest in cabbalism, using it as a background for his realism and his conscious exploitation of unusual precision in vocabulary; of this feature of his writing he says elsewhere: 'Les mots, nos mots, nous les repenserons (sans excepter d'eux les surnoms superposés, les sursens, plutôt, dont l'usage les infiltra). Nous les referons. Nous les rechargerons de toute leur insistance jaillie et, aussi, dans l'inextricable calembour que chacun d'eux entrecroise. Si nous répugnons à former un nouveau lexique, revocabulons celui que nous avons. Revocabulons le monde. Prenons dans leur origine le lexique et le monde.'

This preoccupation appears in the passage quoted; he also on occasion gallicizes words from Italian, Spanish, and in particular Langue d'Oc (*pébron*).

MARCEL AYMÉ

4. En attendant

Pendant la guerre 1939–72, il y avait à Montmartre, à la porte d'une épicerie de la rue Caulaincourt, une queue de quatorze personnes, lesquelles s'étant prises d'amitié, décidèrent de ne plus se quitter.

— Moi, dit une vieille demoiselle, je suis bien fatiguée. La vie, les choses qui arrivent maintenant, ce n'est plus guère pour moi, et de moins en moins. Je suis couturière dans la rue Hermel, mais pas besoin de vous le dire, je ne couds plus grand'chose. Avant guerre, c'était dur. Je faisais la robe, le manteau, le tailleur, le corsage aussi. J'ai eu jusqu'à cinq ouvrières. J'avais la clientèle bourgeoise, je vous parle d'il y a longtemps. Après, la concurrence est venue. Il y avait les grands magasins, les spécialistes du tailleur, ceux de la robe, ceux de la blouse. Et le tout fait, l'article de série. Sauf que c'était moins solide, ils faisaient presque mieux que moi et moins cher aussi, il faut le dire. A la fin, je faisais surtout des rafistolages, des transformations, je n'avais plus qu'une ouvrière, mal payée, mais faire autrement? Et maintenant je n'ai plus d'étoffe. Vous me direz, il y a le marché noir, mais moi, je ne suis pas dans le mouvement. Et les capitaux que je n'ai pas. Quand on est vieux, pour engrener au marché noir, il faut être riche ou bien dans le courant des affaires ou encore être fonctionnaire. Avant guerre, on m'apportait encore du travail à façon. C'est fini ou presque. Les femmes qui s'achètent du tissu à quinze cents francs le mètre, elles veulent des façons qui soient chères aussi. A moins de deux ou trois mille francs, elles n'ont pas confiance et moi, si je demande plus de trois cents, on me rira au nez. Maintenant je suis vieille couturière. C'est ce qu'on dit quand on parle de moi, une vieille couturière rue Hermel, qui fait des petits travaux pour presque rien. La vieille couturière, oui. Et il y a seulement dix ans, j'habillais les commerçantes bien et même des femmes de commissaires et d'avocats. Mais si je vous disais que Mme Bourquenoir, la femme du conseiller municipal, c'est moi qui faisais ses robes. Quand je pense où j'en suis venue: rétrécir des habits pour les pauvres du coin, tailler des culottes de garçon dans des vieux manteaux, mettre des pièces, faire durer. Quand on a été une vraie ouvrière, c'est pénible, allez. Et de la besogne comme ça, si j'en avais à suffisance, mais non, il s'en faut. Ma chance, c'est qu'avec les tickets on ne peut pas manger à sa faim, sans quoi je n'aurais pas du travail pour. J'ai soixante-cinq ans, je n'ai jamais été jolie, et si je comptais pour quelque chose, c'est parce que j'avais un métier, un vrai, mademoiselle Duchat, robes, manteaux, tailleurs. Juste avant la guerre, même encore, j'étais connue des commerçants. Si peu que j'achetais, n'est-ce pas, c'était quand même des sourires et des mots polis, des 'Bonjour mademoiselle Duchat.' Mais aujourd'hui les commerçants, ils ne savent plus mettre un nom que sur l'argent. Les pauvres, ils ne les connaissent plus. La guerre, elle finira peut-être un jour, mais moi, je resterai à l'écart. Les femmes retrouveront leur mari, les hommes leur métier, mais personne ne viendra me le dire. Je n'attends plus rien, moi.

— Moi, dit un Juif, je suis juif.

— Moi, dit une jeune fille, j'ai eu seize ans l'année de la guerre. Je me rappelle Paris quand j'avais seize ans. Que de monde il y avait dans les rues, et du bruit, et des magasins, des voitures sans fin avec des klaxons qui chantaient en jazz et tous les hommes avaient vingt ans. Avec mes amies, en sortant de l'école, il fallait chercher son chemin dans la foule et pour s'entendre, parler haut, rire et crier. Aux carrefours, les agents nous attendaient, tous si jeunes. Ils nous donnaient le bras comme au bal, les voitures faisaient la haie pour nous voir passer et en nous quittant, si je m'en souviens bien, les agents nous offraient des roses, des jasmins et des myosotis. Pour rentrer chez moi, rue Francœur, le joli chemin. Place Clichy, on allait lentement, à cause de la presse et aussi parce qu'il fallait bien répondre à tous les sourires. Les garçons étaient toujours au moins mille et ils avaient tous des souliers de couleur, des pochettes en soie et des figures d'anges. Comme ils nous regardaient, tantôt bleus, leurs yeux, tantôt noirs, et les cils dorés. On n'entendait pas tout ce qu'ils disaient, mais seulement les mots : amour, cœur, demain, ou bien des prénoms et c'étaient toujours les nôtres. Ils passaient pour nous, ils savaient qu'un jour il arriverait des choses à n'en plus finir. Ils se massaient aux terrasses des cafés pour nous suivre des yeux longtemps, nous jeter des fleurs, des oiseaux et des mots qui nous faisaient bondir le cœur. Sur le pont Caulaincourt j'étais déjà un peu ivre, les garçons chantaient dans ma tête. Je me rappelle un mois de juin, sur le pont, c'était grand soleil, les morts du cimetière sentaient les fleurs des prés comme jamais depuis, les garçons marchaient dans des complets de lumière et la vie était si fraîche que j'ai poussé un cri d'élan et que mes pieds ont quitté la terre. C'est Janette Couturier, une amie, qui m'a retenue par les jambes. Je lui en ai voulu longtemps. Le plus beau moment du retour, c'était la montée de la rue Caulaincourt. Dans ce temps-là, elle tournait en

14

spirale tout autour de la Butte. Les autos, rangées le long des trottoirs, faisaient un double trait bleu qui se tordait comme une fumée, et le ciel avait des reflets roses. Si je me trompe, dites-le-moi, mais je me rappelle que les arbres gardaient leurs feuilles en toutes saisons. La rue Caulaincourt était moins passante que le pont, mais les garçons étaient aux fenêtres, aux portières des voitures et surtout dans les arbres. Ils faisaient pleuvoir sur nous des soupirs, des billets doux et des chansons si tendres que les larmes en venaient aux yeux. En rentrant chez moi, je trouvais toujours cinq ou six cousins, venus soi-disant voir mon frère. On jouait à rire et même à s'embrasser un peu. Maintenant, je peux bien le dire. La nuit, je rêvais que j'avais mon baccalauréat et que pour me récompenser, la directrice me donnait à choisir un amant pour la vie entre les cent plus beaux garçons de la Butte. Aujourd'hui, mes seize ans sont loin. Mon frère a été tué à la guerre, mes cousins sont prisonniers, mes amis ont pris le train à la gare du Nord. Les jeunes gens qui restent, on en rencontre quelquefois, ils ne pensent pas à nous. Ils ne nous voient pas. Les rues sont vides, les agents sont vieux. La rue Caulaincourt ne tourne presque plus. En hiver, les arbres sont nus. Vous croyez que la guerre va durer longtemps?

La quatorzième personne ne dit rien, car elle venait de mourir tout d'un coup, entre ses nouveaux amis. C'était une jeune femme, mari prisonnier, trois enfants, la misère, l'angoisse, la fatigue. Ses nouveaux amis se rendirent à la mairie pour y accomplir les formalités. L'un d'eux s'entendit répondre par un employé qu'il n'y avait plus de cercueils pour enterrer les gens du dix-huitième arrondissement. Il protesta qu'il s'agissait d'une femme de prisonnier. 'Qu'est-ce que vous voulez que j'y fasse? je ne peux pas me changer en cercueil,' fit le préposé. On chercha dans le quartier. Borniol n'avait plus rien en rayon. Un confiseur offrit de procurer un cercueil en sapin pour une somme de quinze mille francs, mais les orphelins n'avaient pas le sou et les amis n'étaient pas riches. Un menuisier honnête homme proposa de fabriquer une bonne imitation en contreplaqué. Entre temps, la mairie

15

avait reçu des cercueils et la jeune femme put être enterrée décemment.

Ses compagnons suivirent son convoi, et en sortant du cimetière, s'attablèrent dans un café où on leur servit à chacun, contre un ticket de cent grammes de pain, un sandwich aux topinambours. Ils n'avaient pas fini de manger que l'un des convives fit observer qu'ils étaient treize à table et qu'il fallait s'attendre encore à des malheurs.

Le Passe-muraille.
Librairie Gallimard, 1943.

MARCEL AYMÉ (*b.* 1902). Novelist and dramatist, whose powers of invention are allied to an acute sense of comedy and more particularly of satire which are shown to best advantage in some of his short stories. He has also written a number of children's books, the best known of which are the *Contes du chat perché.*

In its complete form, *En attendant* contains the reflections of all fourteen characters; in the present extract, only three such passages have been retained, each being complete in itself.

p. 15. *le train à la gare du Nord:* allusion to the departure of the young Frenchmen conscripted for forced labour in Germany, who in fact left Paris from the Gare du Nord.

HENRI BARBUSSE

5. *Les Tranchées*

On erra cinq jours, six jours dans les lignes, presque sans dormir. On stationnait des heures, des demi-nuits, des demi-jours, en attendant que fussent libres des passages qu'on ne voyait pas. On nous faisait sans cesse revenir sur nos pas et recommencer. On gardait des tranchées, on s'adaptait à quelque sinistre coin dénudé qui se profilait sur le crépuscule carbonisé ou sur le feu. On était condamnés à voir les mêmes gouffres toujours.

Pendant deux nuits, on s'acharna à raccommoder une vieille tranchée de troisième ligne par-dessus ses vieux raccommodages cassés; on répara le long squelette mou et noir des charpentes; on ramona l'égout desséché plein de débris d'équipements, d'armes pétrifiées, de vêtements décomposés et de mangeaille, d'une sorte de démolition de forêt et de maison, — sale, équipement sale, sale à l'infini. On travaillait la nuit, on se cachait le jour. Il n'y avait d'éclaircie pour nous que dans l'aube lourde du soir où on nous tirait du sommeil: la nuit éternelle était répandue sur la terre.

Après le labeur, dès que le petit jour commençait à remplacer la nuit par la tristesse, on s'ensevelissait en ordre au fond des cavernes qui étaient là. Il n'y pénétrait qu'une rumeur amortie, mais la pierre remuait à cause des tremblements de terre. Quand quelqu'un allumait sa pipe, à cette lueur on se regardait. On était tout équipés, on pouvait repartir d'un moment à l'autre; il était défendu d'ôter d'autour de soi la lourde chaîne cliquetante des cartouchières.

J'entendais quelqu'un dire:

— Moi, dans mon pays, il y a des champs, des chemins, la mer; nulle part au monde il n'y a ça.

Dans les ombres de la caverne semblable à celles des premiers hommes, je voyais saillir la main qui vivait le spectacle des champs et de la mer, essayait de le montrer et de le saisir; ou bien j'apercevais, autour d'un vague halo, quatre joueurs de manille s'acharnant à retrouver quelque chose d'un attachement ancien et paisible sur les faces des cartes; ou bien Margat brandissant un journal socialiste tombé de la poche de Termite, et pouffant à cause des blancs qu'il contenait. Et Majorat s'irritait contre la vie, il embrassait son bidon de réserve à perdre haleine, et, calmé et la bouche gouttante, disait que c'était son seul moyen de sortir de sa cage. Puis le sommeil tuait les paroles, les gestes, les pensées. Je me répétais quelque phrase en essayant en vain de la comprendre, et le sommeil me submergeait, le sommeil ancestral, si morne et si profond qu'il semble qu'il n'y a jamais eu qu'un seul sommeil ici-bas, au-dessus duquel flottent nos quelques actions et qui revient toujours remplir de nuit la chair humaine.

En avant! Les nuits nous sont arrachées par parties. Les corps envahis par le caressant poison et même par des confidences et des fantômes, se secouent et se redressent. On s'extrait du trou, on sort de l'épaisseur des respirations inhumées, on monte en trébuchant dans l'espace glacé et inodore, l'espace illimité. Pendant les pauvres arrêts si courts qu'amène le flottement de la marche battue de chaque côté, on s'appuie sur le talus, on s'y jette. On embrasse la terre puisqu'on n'a plus qu'elle à embrasser.

Puis le mouvement nous reprend. Rythmé par des cahots réguliers, par les coups de chaque pas, et les respirations captives, il ne nous lâche plus et s'incarne en nous. Il fait résonner dans les têtes, entre les dents, une parole basse: 'En avant!', plus longue, plus infinie que les clameurs du bombardement. Il nous fait faire vers l'est ou vers le nord des bonds qui ont des jours et des nuits de longueur. Il nous change en une chaîne qui roule avec son bruit d'acier: martellement mécanique du fusil, de la baïonnette, des cartouches, et du quart qui luit sur les ensembles noircis comme un boulon. Rouages, engrenage, machine. On voit la réalité des choses et la vie se frapper l'une l'autre, s'user et se forger.

On savait bien qu'on allait vers quelque tragédie que les chefs savaient, mais la tragédie c'était surtout d'aller jusque-là.

On changea de région. On quitta les tranchées, on remonta sur la terre. C'était le long d'un grand versant qui nous cachait l'horizon et nous protégeait contre lui.

Le soir qu'on remonta, il y avait un océan de brume où nageaient les étendues plates, aux fantômes d'arbres, et qui balançait le monde, et où on allait noyé. L'humidité charbonneuse changeait le froid en une chose, et nous appliquait des frissons glacés. Une pestilence nous environnait confusément, largement, et parfois, le long de notre passage, des lignes de croix pâles écrivaient la mort d'une façon plus précise.

C'était notre dixième nuit, et cette nuit qui était au bout de toutes nos nuits paraissait plus grande qu'elles. Les distances geignaient, rugissaient, grondaient, dessinaient brusquement dans les suaires du brouillard la crête du versant, et les tressaillements de lumière me montraient par intermittences le soldat qui marchait devant moi. Mes yeux qui reposaient sur lui, fixes, découvraient sa casaque en peau de mouton, son ceinturon cramponné aux épaules par les bretelles de suspension, tiré par les cartouchières bondées de métal, par la baïonnette, par la pelle-bêche; ses musettes rondes refoulées en arrière, son fusil emmailloté et encapuchonné, son sac chargé en hauteur pour ne pas donner prise à la terre qui passe de chaque côté, la couverture, le couvre-pied, la toile de tente, pliés sur le dessus en accordéon, le tout surmonté de la gamelle qui sonnait comme une morne cloche plus haut que la tête. Combien un soldat en armes, vu de près et lorsqu'on ne contemple que lui, est une masse énorme, lourde et puissante!

A un moment, par suite d'un ordre mal donné ou mal compris, il y eut un flottement dans la compagnie qui, refoulée, piétina en désordre sur le versant. Une cinquantaine d'hommes qui se ressemblaient tous, à cause de leurs casaques de peaux de mouton, couraient çà et là et un à un, vague assemblage de créatures obscures, menues et fragiles, ne sachant que faire, et autour desquelles galopaient des sous-officiers qui les engueulaient et les rassemblaient. L'ordre recommença, et sur les nappes blanchâtres et bleuâtres qu'étendaient les fusées, je vis de nouveau, sous le long corps d'ombre s'aligner les balanciers des pas.

Il y eut dans la nuit une distribution d'eau-de-vie. On voyait, aux falots, les quarts se tendre et frémir et miroiter. Cette libation nous tira des entrailles un instant de joie et d'exaltation. L'âpre coulée du liquide éveilla des impulsions

19

profondes, nous rendit l'allure martiale, et nous fit serrer nos fusils avec une triomphante envie de tuer.

Mais la nuit fut plus longue que ce rêve. Bientôt l'espèce de déesse superposée à nos ombres quitta nos mains et nos têtes, et ce frisson de gloire ne servit à rien.

Clarté.

Editions Flammarion, 1920.

HENRI BARBUSSE (*b.* 1874, *d.* 1935). Poet, novelist, journalist, political writer, and one of the dominating figures of the 1914 generation of writers, whose *Le Feu* (1916) is acknowledged as one of the most sensational publications in France of modern times. The power and sincerity of his straightforward description of the daily life of the soldier in the trenches are frequently compared to Zola. In *Clarté* he applies the same qualities and the same theme to his thesis of the essential and fundamental humanity of the common man, the conviction on which his political beliefs were based.

PIERRE BENOIT

6. *Rencontre avec Axelle*

Je n'étais pas éloigné d'elle de plus de cinquante pas. Un rideau de broussailles m'avait jusqu'alors dérobé sa présence. Elle-même ne m'avait pas vu, absorbée qu'elle était par une occupation dont je ne parvenais pas à discerner la nature. Grimpée sur une motte de sable, se retenant d'une main à une branche de sapin elle fouillait du bout d'une perche l'eau d'une petite crique. Peut-être, en demeurant plus longtemps à l'observer, eussé-je fini par connaître la raison de ce manège.

20

Mais je réfléchis qu'Axelle, venant à se retourner et à m'apercevoir, aurait pu ne se montrer que médiocrement satisfaite de ce genre de surveillance. Reprenant ma marche, je me dirigeai vers elle.

Quand elle me vit, elle réprima une exclamation. Evidemment, mon apparition, à une telle distance du château, ne pouvait pas lui sembler très normale. Sa surprise ne tarda pas d'ailleurs à faire place à une expression fort nette de mécontentement.

Assez peu à mon aise, je préférai néanmoins ne pas attendre qu'elle m'interrogeât.

— Gottlieb était inquiet . . . commençai-je.

Je n'osai pas ajouter: 'Et moi aussi.'

— De quoi Gottlieb se mêle-t-il? C'est lui qui vous a envoyé?

— Il est venu également.

— Ah! Où est-il?

— Pas loin d'ici.

Et je me mis à lui expliquer de quelle façon nous avions cru devoir procéder pour aller à sa recherche.

Elle écoutait, les sourcils froncés.

— Il doit être arrivé au ruisseau où vous vous êtes donné rendez-vous. Je connais l'endroit. C'est à dix minutes à peine. Voulez-vous être assez bon pour y aller, et pour dire à Gottlieb que je n'ai pas besoin de lui. Qu'il rentre au château par le chemin qu'il a pris pour venir.

— Dois-je moi-même rentrer avec lui?

Il me sembla qu'elle eût préféré n'avoir pas à répondre à cette question.

— Non, dit-elle, après avoir paru hésiter. Revenez ici. Il faut que je sache si vous avez trouvé Gottlieb.

Je ne tardai pas à être auprès du valet.

— Soyez tranquille, criai-je, du plus loin que je l'aperçus.

— Eh bien!

— Elle est là.

— Il ne lui est rien arrivé?

— Non, rien. Elle vous fait dire de ne pas vous inquiéter. Rentrez de votre côté. Elle n'a pas besoin de vous.

Il était ému, le pauvre diable. Il tint à me multiplier les témoignages de sa gratitude.

— Et dire, monsieur Dumaine, que je voulais vous empêcher de venir!

Quelques considérations suivirent, sur les agréables exceptions que constituent certains Français par rapport au reste de la race. Mais je lui avais déjà tourné le dos. Je refaisais à toute vitesse le chemin que je venais de parcourir.

Mlle de Mirrbach m'attendait, assise sur le tronc d'un sapin.

— Vous l'avez vu?

— Oui, il rentre.

Je m'aperçus qu'elle me considérait avec une certaine anxiété. On eût dit qu'elle avait une question à me poser, et qu'elle n'osait pas.

— Que lui avez-vous dit? finit-elle par demander.

— Que vous reveniez par l'autre chemin.

— Ce n'est pas cela. Ne lui avez-vous pas parlé de ce que je faisais, quand vous êtes arrivé?

Peut-être serais-je arrivé à ne pas trahir mon étonnement à l'entendre me parler de la sorte. Mais au même instant, je venais de faire une remarque curieuse: la perche dont se servait Mlle de Mirrbach quelques instants auparavant pour remuer le sable de la crique, cette perche avait disparu.

— Je n'ai rien dit d'autre à Gottlieb, murmurai-je, balbutiant comme si je mentais.

Ma réponse ne diminua guère l'embarras d'Axelle.

— Il faut me faire une promesse, réussit-elle à dire enfin. Oui, une promesse. Ne parlez jamais à personne de ce que vous venez de voir. Jamais, vous m'entendez? à personne.

— Je vous le promets, dis-je, commençant à être inquiet à mon tour.

— Merci.

Elle me parut hésiter, comme si elle était sur le point de me confier le motif de son insistance à obtenir ma promesse. Finalement, elle garda son secret.

— Quelle heure est-il donc?

— Il ne doit pas être loin de deux heures.

— Mon Dieu, si tard que cela! Je comprends que Gottlieb se soit ému. Allons-nous-en.

— Je vais vous laisser prendre un peu d'avance, lui dis-je.

Elle comprit de quelle réserve était faite ma proposition. D'un sourire, elle m'en remercia.

— Oh! ce n'est pas la peine. On ne rencontre jamais personne par ici. Vous avez pu le constater. Venez.

Quand nous eûmes atteint le bouquet d'arbres situé au milieu des étangs, là où aboutissait la chaussée, nous fîmes halte. Mlle de Mirrbach avait une de ses bottines à relacer. Un oiseau grisâtre s'envola, tourna trois ou quatre fois autour du fourré de viornes et de bouleaux, puis, rassuré, revint se poser à l'endroit d'où il était parti.

— Un râle noir, dit Axelle, je le vois chaque fois que je viens ici. C'est une espèce très sauvage. Mais lui, voyez, il n'a pas peur.

La tempête s'apaisait peu à peu. Tout à coup, entre deux nuées, un pâle rayon de soleil filtra, découpant avec une précision inattendue les détails de la partie occidentale du paysage. L'espace d'une seconde, là-bas, le camp des prisonniers, avec son morne alignement de baraques, se dégagea de la brume. Simultanément, nous détournâmes nos regards, et ce mouvement instinctif fut cause qu'ils se rencontrèrent.

— Rentrons, murmura Mlle de Mirrbach.

L'obscurité de cette soirée orageuse envahissait maintenant le pavillon où j'avais repris ma besogne tout de suite après notre retour à Reichendorf. Comme je terminais l'installation d'une ampoule électrique, Axelle entra.

— Ne vous dérangez pas, dit-elle.

Je tins à lui montrer la lampe toute prête à fonctionner. Elle écouta mes explications. S'étant ensuite assise sur le divan, elle se plongea dans la confection d'un petit abat-jour de tulle. C'était la première fois qu'elle venait s'installer ainsi dans le pavillon pendant que j'étais en train d'y travailler.

Au bout de quelques minutes d'un silence que je n'aurais rompu pour rien au monde, elle dit:

— Vous réclamerez votre capote à Gottlieb. Je lui ai donné l'ordre de la mettre devant une cheminée, afin qu'elle puisse sécher un peu. Vous devez être bien mouillé aussi. Moi, mon manteau de cuir me protège.

Il ne me fut guère possible de nier que j'étais, à la lettre, trempé.

— J'aurais dû songer plus tôt à faire du feu ici, dit-elle.

Elle se leva et se mit en devoir d'allumer le petit poêle. Elle n'y parvenait pas, tant le bois était humide.

— Voulez-vous que je vous aide?

— Je veux bien.

Au bout de quelques instants, les sarments commencèrent à pétiller.

— Maintenant que le pavillon a l'électricité, dis-je, pourquoi ne pas poser un radiateur? Ce serait bien plus pratique que ce poêle.

— Les radiateurs coûtent trop cher, se borna-t-elle à répondre.

Elle s'occupait à placer une bouilloire au-dessus de la flamme. Bientôt, j'entendis le bruit de l'eau qui entrait en ébullition. Puis, je vis Axelle tourner le robinet du samovar. Elle s'avança alors vers moi. Elle avait une tasse de thé à la main, les yeux baissés, elle me la tendit.

— Quoi! fis-je, la voix étranglée par l'émotion, c'est vous qui . . . Vous voulez! . . .

— Prenez, dit-elle.

Voilà ce que fut cette journée. Je n'ai jamais pu évoquer son souvenir sans que mes yeux s'emplissent de larmes. Il devait être environ six heures quand on frappa à la porte.

— Entrez, dit Mlle de Mirrbach.

C'était Gottlieb, qui venait annoncer l'arrivée du soldat chargé de ramener au camp 'Monsieur Dumaine.'

Axelle.

Editions Albin Michel, 1928.

PIERRE BENOIT (*b.* 1886). Author of a large number of novels of the adventure type; although cast in different moulds and set in widely scattered scenes, they mostly conform to variations on the theme of the *femme fatale*. The two which achieved the greatest success are *Koenigsmark* (1918) and *L'Atlantide* (1919).

In *Axelle* the scene is a French prisoner-of-war camp in East Prussia during the First World War, the *femme fatale* being in this case Mlle de Mirrbach, niece of the elderly German general at whose disposal one of the French prisoners had been placed.

HENRI BÉRAUD

7. *La Saint-Honoré*

Si vous n'êtes pas né dans une boulangerie, vous ne connaissez pas la Saint-Honoré. C'est la fête patronale. Autrefois, tous les petits mitrons attendaient ce jour, le plus beau de l'année. A la maison, il s'annonçait dès la fin avril, deux semaines à l'avance, par des visites et des pourparlers. Mon père était vice-président de la corporation, et, comme il était dans sa nature de parler en maître, on ne faisait rien sans prendre son avis. Aux approches de ce grand jour, je ne tenais plus en place. Histoire de me taquiner, on me faisait croire que je n'irais pas à la fête. Mais, sans en avoir l'air, je surveillais les préparatifs et je voyais bien, en même temps que le huit-reflets paternel et la robe en broché de maman, sortir des armoires mon costume de marin à grand col bleu et mes souliers vernis qui me faisaient si mal aux pieds. . . . Ma mère disait:

— C'est pour les brosser, . . .

— Pas vrai!

— Eh bien, tu verras.

C'était tout vu. D'avance, je racontais ma partie de plaisir

25

aux autres gamins. Je brodais même un peu, pour les faire bisquer. Le 15 au soir, ils en étaient pâles de jalousie.

Les gens du pétrin, en bons campagnards qu'ils étaient, aimaient que les joies de leur Saint-Honoré remplissent bien la journée, et qu'on en eût pour ses écus, bien son soûl pour tout un an.

Cela commençait au fin matin, par une messe qu'on célébrait dans l'église de la Charité. Les fils des mitrons y donnaient les répons, tandis que les filles, toutes de blanc vêtues et frisées comme des papillotes, distribuaient le pain bénit. Les boulangères occupaient les prie-Dieu. Pendant ce temps, les hommes buvaient l'apéritif aux cafés voisins, en attendant l'heure du banquet. On le servait tout à côté; mais certains croquants, qui ne voulaient pas rigoler à demi, s'y rendaient en fiacre, avec ce qu'il fallait de bruit pour ameuter tout le quartier. Il y avait en outre des coupés fleuris, pour les épouses des notables de la corporation. A midi, on se mettait à table.

On mangeait et buvait jusqu'au soir, dans un vacarme de noce villageoise. Les convives — il y en avait plusieurs centaines — formaient de longues tablées que présidait le maire, M. Gailleton, en lunettes bleues et barbe blanche. C'était la seule barbe. Les mitrons n'en portaient point, 'à cause de la farine,' mais quelles moustaches! Les dames avaient, plantés dans le chignon, de petits bouquets tricolores en fleurs artificielles. L'assemblée faisait bonne chère. Un banquet de boulangers, c'était quelque chose. Le vin coulait. On ne voyait que coudes levés et têtes hilares. D'heure en heure, le tumulte haussait d'un cran. Certains goinfres, fameux dans toute la boulange, se défiaient, battaient des records. Aux acclamations de leurs voisins, — qui, d'ailleurs, n'en perdaient pas une bouchée, — ils entonnaient des pelletées de victuailles. De rudes farceurs les excitaient, dans l'espoir de les voir enfin suffoquer. Vaine attente. Les goulus tenaient bon. Les autres aussi. De plats en plats, on arrivait à l'heure des bombes glacées et des discours, qui marquaient la fin de ces étonnantes crevailles. Les lustres s'allumaient. Sous leurs feux, la boulangerie lyonnaise tout entière montrait des oreilles comme des écrevisses. Les vestons couleur de fournil craquaient aux entournures. Des milliers de bouteilles vides formaient, au milieu des tables, entre les convives, de longues balustrades. A ce moment, les couteaux faisaient tinter le cristal des verres.

— Silence, criait-on.

Les boulangers, gonflés à bloc, posaient sur les nappes des mains larges comme des écuelles, et se tenaient tout cois. Les dames cessaient de s'éventer. Une voix s'élevait dans le fond de la salle:

— La parole est à Béraud!

Mon père, en habit noir, se levait.

Au milieu de ces lurons et de ces rougeauds, il se dressait, nerveux, vif, cambré, fat, avec son fin visage, ses yeux clairs, son air de coq, sa prestance d'ancien militaire. Et quelle assurance! On eût dit que, toute sa vie, il n'avait fait autre chose. Où prenait-il tout ce qu'il disait là? Chacun et chacune avait son compliment, tourné de la façon la plus galante. Je n'étais qu'un gosse, bien sûr, dont le jugement ne signifiait pas grand'chose. Pourtant, s'il m'arrive de retrouver, dans quelque vieil annuaire corporatif, les toasts du 'vice-président Béraud,' j'en suis charmé comme aux anciens jours. Il avait certainement une rare facilité de parole. Que n'ai-je hérité de lui ce don précieux!

Il en possédait bien d'autres. Quand le président avait parlé, et le maire, et l'envoyé du préfet, les boulangers avaient assez entendu de discours. Ce qu'il leur fallait, c'étaient des chansons. Alors, la même voix, partie du même coin de la salle, criait de nouveau:

— La parole est à Béraud!

Sans se faire prier, il se levait, et, alors, il fallait l'entendre. Sa préférée, c'était la *Promenade du Paysan*, un chant rustique de Pierre Dupont qu'il lançait d'un ténor juste et vibrant, avec des gestes pleins d'à-propos. Les applaudissements ébranlaient la salle. Pendant qu'on battait des mains, il vidait son verre et il chantait d'autres, autant qu'on en désirait, toujours sans façons. Il acceptait d'ailleurs les bravos et les compliments avec la même simplicité, en musicien sûr de son art et de sa voix. Après lui, d'autres se levaient; on en entendait de toutes sortes: des loustics, des tonitruants, des lugubres. Une ou deux boulangères à lorgnons roucoulaient l'opéra et se faisaient accompagner par la pianiste. Mon père applaudissait tout cela, rythmait les bans, versait à tous son entrain.

Bientôt, on enlevait les tables; l'orchestre arrivait. C'était le bal, qu'il ouvrait en valseur émérite. Quel homme!

Si j'étais fier d'un tel papa, cela ne se demande point — et c'était même si naïvement que tout le monde riait de bon cœur. Les boulangères m'embrassaient. On me donnait de petits bouquets d'épis, de bleuets et de coquelicots. Si simple et modeste que soit ma chère maman, elle avait du bonheur plein les yeux.

Cependant l'heure passait. Il fallait regagner la maison. Au sortir de là, après toutes ces lumières, ces musiques, j'étais bien surpris de trouver Bellecour noir et désert. Quelques fiacres plaintifs roulaient vers la gare. La ville n'était donc pas toute en fête?

Nous revenions par les rues du vieil et riche quartier, bordées de maisons aux porches monumentaux. Sous les vestibules, où semblaient osciller des houles de ténèbres, des lanternes pendaient comme des fanaux. Le gaz brûlait en chuintant, et je voyais la jaune lueur des becs à papillon s'écarter dans l'air trouble, en deux faisceaux de jaunes rayons. Aux angles des rues, les passants se retournaient pour regarder à loisir le gibus de mon père et son habit de soirée. A Lyon, on ne voit pas cela tous les jours. Je marchais devant lui. Il m'avait prêté sa canne et je faisais le tambour-major. J'avais la tête toute remplie de l'éclat des lustres. Les flon-flons de l'orchestre me bourdonnaient aux oreilles. Tout commençait à tourner, à cause d'une petite coupe de vin mousseux qu'on m'avait laissé boire. . . . Je chantais. J'imitais mon père, et il riait en fumant un cigare. Ma mère, appuyée sur son bras, riait aussi. Nous arrivions enfin. On entendait de loin claquer la pâte et mugir les garçons. Une odeur de bois brûlé remplissait la nuit. Le lendemain, je n'allais pas à l'école.

La Gerbe d'or.

Editions de Paris, 1928.

HENRI BÉRAUD (b. 1885). More widely known as journalist, pamphleteer, and polemist than as a novelist. Of his novels, the most successful are those which deal with his native Lyons, notably those of the *Sabolas* series and the *Gerbe d'or*, the latter being an autobiographical study of the author's childhood.

p. 25. *Saint-Honoré*, patron saint of bakers, whose feast - day is celebrated on 16th May.

GEORGES BERNANOS

8. *L'abbé Donissan*

Dès lors, l'abbé Donissan connut la paix, une étrange paix, et qu'il n'osa d'abord sonder. Les mille liens qui retiennent ou ralentissent l'action s'étaient brisés tous ensemble; l'homme extraordinaire, que la défiance ou la pusillanimité de ses supérieurs avait renfermé des années dans un invisible réseau, trouvait enfin devant lui le champ libre, et s'y déployait. Chaque obstacle, abordé de front, pliait sous lui. En quelques semaines l'effort de cette volonté que rien n'arrêtera plus désormais commença d'affranchir jusqu'à l'intelligence. Le jeune prêtre employait ses nuits à dévorer des livres, jadis refermés avec désespoir et qu'il pénétrait maintenant, non sans peine, mais avec une ténacité d'attention qui surprenait l'abbé

Menou-Segrais comme un miracle. C'est alors qu'il acquit cette profonde connaissance des Livres saints qui n'apparaissait pas d'abord à travers son langage, toujours volontairement simple et familier, mais qui nourrissait sa pensée. Vingt ans plus tard, il disait un jour à Mgr Leredu, avec malice : ' J'ai dormi cette année-là sept cent trente heures. . . .'

— Sept cent trente heures ?

— Oui, deux heures par nuit. . . . Et encore — de vous à moi — je trichais un peu.

L'abbé Menou-Segrais pouvait suivre sur le visage de son vicaire chaque péripétie de cette lutte intérieure dont il n'osait prévoir le dénouement. Bien que le pauvre prêtre continuât de s'asseoir à la table commune et s'y efforçât d'y paraître aussi calme qu'à l'ordinaire, le vieux doyen ne voyait pas sans une inquiétude grandissante les signes physiques, chaque jour plus évidents, d'une volonté tendue à se rompre, et qu'un effort peut briser. Si riche qu'il fût d'expérience et de sagacité, ou peut-être par un abus de ces qualités mêmes, le curé de Campagne ne démêlait qu'à demi les causes d'une crise morale dont il n'espérait plus limiter les effets. Trop adroit pour user son autorité en paroles vaines et en inutiles conseils de modération que l'abbé Donissan n'était plus sans doute en état d'écouter, il attendait une occasion d'intervenir et ne la trouvait pas. Comme il arrive trop souvent, lorsqu'un homme habile n'est plus maître des passions qu'il a suscitées, il craignait d'agir à contresens et d'aggraver le mal auquel il eût voulu porter remède. D'un autre que son étrange disciple, il eût attendu plus tranquillement la réaction naturelle d'un organisme surmené par un travail excessif, mais ce travail même n'était-il pas, à cette heure, un remède plutôt qu'un mal et comme la distraction farouche d'un misérable prisonnier d'une seule et constante pensée ?

D'ailleurs l'abbé Donissan n'avait rien changé, en apparence, aux occupations de chaque jour et menait de front plus d'une entreprise. Tous les matins, on le vit gravir de son pas rapide et un peu gauche le sentier abrupt qui, du presbytère, mène à l'église de Campagne. Sa messe dite, après une prière d'actions de grâces dont l'extrême brièveté surprit longtemps l'abbé Menou-Segrais, infatigable, son long corps penché en avant, les mains croisées derrière le dos, il gagnait la route de Brennes et parcourait en tous sens l'immense plaine qui, tracée de chemins difficiles, balayée d'une bise aigre, descend de la crête de la vallée de la Canche à la mer. Les maisons y sont rares, bâties à l'écart, entourées de pâturages, que défendent les fils de fer barbelés. A travers l'herbe glacée qui glisse et cède sous les talons, il faut parfois cheminer longtemps pour trouver à la fin, au milieu d'un petit lac de boue creusé par les sabots des bêtes, une mauvaise barrière de bois qui grince et résiste entre ses montants pourris. La ferme est quelque part, au creux d'un pli de terrain, et l'on ne voit dans l'air gris qu'un filet de fumée bleue, ou les deux brancards d'une charrette dressés vers le ciel, avec une poule dessus. Les paysans du canton, race goguenarde, regardaient en dessous avec méfiance la haute silhouette du vicaire, la soutane troussée, debout dans le brouillard, et qui s'efforçait de tousser d'un ton cordial. A sa vue la porte s'ouvrait chichement, et la maisonnée attentive, pressée autour du poêle, attendait son premier mot, lent à venir. D'un regard, chacun reconnaît le paysan infidèle à la terre, et comme un frère prodigue: au ton de respect et de courtoisie s'ajoute une nuance de familiarité protectrice, un peu méprisante, et le petit discours est écouté tout au long, dans un affreux silence. . . . Quels retours, la nuit tombée, vers les lumières du bourg, lorsque l'amertume de la honte est encore dans la bouche et que le cœur est seul, à jamais! . . . 'Je leur fais plus de mal que de bien,' disait tristement l'abbé Donissan, et il avait obtenu de cesser pour un temps ces visites dont sa timidité faisait un ridicule martyre. Mais maintenant il les prodiguait de nouveau, ayant même obtenu de l'abbé Menou-Segrais qu'il se déchargeât sur lui de la plus humiliante épreuve, la quête de carême, que les malheureux appellent, avec un cynisme navrant, leur tournée. . . . 'Il ne rapportera pas un sou,' pensait le doyen, sceptique. . . . Et chaque soir, au contraire, le singulier solliciteur posait au coin de la table un sac de laine noire gonflé à craquer. C'est qu'il avait pris peu à peu sur tous l'irrésistible ascendant de celui qui ne calcule plus les chances et va droit devant. Car l'habile et le prudent ne ménagent au fond qu'eux-mêmes. Le rire du plus grossier est arrêté dans sa gorge, lorsqu'il voit sa victime s'offrir en plein à son mépris.

— Quel drôle de corps! se disait-on, mais avec une nuance d'embarras. Autrefois, prenant sa place au coin le plus noir et pétrissant son vieux chapeau dans ses doigts, le malheureux cherchait longtemps en vain une transition adroite, heureuse, inquiet de placer le mot, la phrase méditée à loisir, puis partait sans avoir rien dit. A présent, il a trop à faire de lutter contre soi-même, de se surmonter. En se surmontant, il fait mieux que persuader ou séduire; il conquiert; il entre dans les âmes comme par la brèche. Ainsi que jadis il traverse la cour du même pas rapide, parmi les flaques de purin et le vol effarouché des poules. Comme autrefois le même marmot barbouillé, un doigt dans la bouche, l'observe du coin de l'œil tandis qu'il frotte à grand bruit ses souliers crottés. Mais déjà, quand il paraît sur le seuil, chacun se lève en silence. Nul ne sait le fond de ce cœur à la fois avide et craintif, que le plus petit obstacle va toucher jusqu'au désespoir, mais que rien ne saurait rassasier. C'est toujours ce prêtre honteux qu'un sourire déconcerte aux larmes et qui arrache à grand labeur chaque mot de sa gorge aride. Mais, de cette lutte intérieure, rien ne paraîtra plus au dehors, jamais. Le visage est impassible, la haute taille ne se courbe plus, les longues mains ont à peine un tressaillement. D'un regard, de ce regard profond, anxieux, qui ne cède pas, il a traversé les menues politesses, les mots vagues. Déjà il interroge, il appelle. Les mots les plus communs, les plus déformés par l'usage reprennent peu à peu leur sens, éveillent un étrange écho. 'Quand il prononçait le nom de Dieu presque à voix basse, mais avec un tel accent, disait vingt ans après un vieux métayer de Sainte-Gilles, l'estomac nous manquait, comme après un coup de tonnerre. . . .'

Nulle éloquence, et même aucune de ces naïvetés savoureuses dont les blasés s'émerveilleront plus tard, et presque toutes, d'ailleurs, d'authenticité suspecte.   La parole du futur curé de Lumbres est difficile; parfois même elle choppe sur chaque mot, bégaye.   C'est qu'il ignore le jeu commode du synonyme et de l'à-peu-près, les détours d'une pensée qui suit le rythme verbal et se modèle sur lui comme une cire.   Il a souffert longtemps de l'impuissance à exprimer ce qu'il sent, de cette gaucherie qui faisait rire.   Il ne se dérobe plus, il va quand même.   Il n'esquive plus l'humiliant silence, lorsque la phrase commencée arrive à bout de course, tombe dans le vide.   Il la rechercherait plutôt.   Chaque échec ne peut plus que bander le ressort d'une volonté désormais infléchissable.   Il entre dans son sujet d'emblée, à la grâce de Dieu.   Il dit ce qu'il a à dire, et les plus grossiers l'écouteront bientôt sans se défendre, ne se refuseront pas.   C'est qu'il est impossible de se croire une minute la dupe d'un tel homme: où il vous mène on sent qu'il monte avec vous.   La dure vérité, qui tout à coup d'un mot longtemps cherché court vous atteindre en pleine poitrine, l'a blessé avant vous.   On sent bien qu'il l'a comme arrachée de son cœur.   Hé non! il n'y a rien ici pour les professeurs, aucune rareté.   Ce sont des histoires toutes simples; celui-là, il faut qu'on l'écoute, voilà tout. . . .   La bouilloire tremble et chante sur le poêle, le chien avachi dort, le nez entre ses pattes, le grand vent du dehors fait crier la porte dans ses gonds et la noire corneille appelle à tue-tête dans le désert aérien. . . .   Ils l'observent de biais, répondent avec embarras, s'excusent, plaident l'ignorance ou l'habitude et, quand il se tait, se taisent aussi.

Sous le soleil de Satan.

Librairie Plon, 1926.

GEORGES BERNANOS (*b.* 1888, *d.* 1948). In his pamphlets and novels he fiercely denounced, from an intensely Catholic standpoint and in an exceptionally powerful style, the evils of modern society—*La Joie* (1928), *Les Grands Cimetières sous la lune* (1938). A militant apologist of the Catholic faith, he particularly excelled in the portrayal of the ecclesiastical world, and gave many moving descriptions of the parish priest in his inner struggle with evil, and the part he plays in the spiritual life of the parish in its relation to the everyday life of the community—*Sous le soleil de Satan* (1926), *Journal d'un curé de campagne* (1936).

HENRI BOSCO

9. *La terre des aïeux*

La terre était belle, ce matin-là. Il est vrai que pour moi elle est toujours belle. Mais souvent elle montre une figure rude et d'un abord difficile, surtout à l'homme de labeur qui ne l'affronte guère que pour lui imposer les marques de son travail.

Elle s'étendait devant moi, grise comme le temps, mais douce, avec ses mottes qui fondaient sous le pied. Sous les gouttelettes encore fraîches de la nuit, brillaient des herbes courtes, et l'odeur amère du chiendent, à chaque pas broyé par les semelles, montait autour de moi, qui avançais par grandes et lentes enjambées dans la glèbe luisante et noire. Chaque fois que je la touchais, mon soulier s'enfonçait en elle jusqu'à la cheville et, sur le cuir, je sentais sa matière friable qui prenait mon pied et cherchait à le retenir. Mais moi, je m'arrachais de là et j'allais plus loin en emportant à mon talon un peu de cette terre tenace sur laquelle avaient peiné les hommes de mon sang, et qui maintenant m'appartenait.

Une terre belle, vraiment. Et un peu grasse, que le soc coupait au couteau, qui ne couvait pas de basse vermine. Elle se refermait bien sur la semence; la pluie y filtrait sagement et le germe, en faisant éclater sa croûte fragile, s'élevait sans briser la pointe tendre où allait se former l'épi. Une terre enfin qui couvait sa graine, l'hiver sous le toit de la neige et qui restait tiède longtemps; puis qui nourrissait cette vie d'une

34

substance brune où mordaient les racines et que noyaient des sucs odorants et vivaces.

Je l'aimais, je le savais bien, et d'elle à moi, s'était établi peu à peu, depuis mon retour, un accord de raison et de sentiment, par quoi je lui donnais mes soins et le plus lourd de mes soucis; mais elle me rendait en raisins, en fruits et en grandes céréales, l'affection que je lui portais et qui cependant lui valait, de l'hiver au printemps, tant de fatigues souterraines.

J'en connaissais depuis longtemps toutes les zones; car elle n'est pas la même partout; et je sais quel plant de raisin elle aime à porter sur le versant méridional de cette pente, ou quelle qualité d'orge, ce creux, à peine différent des autres, accueille cependant le plus volontiers.

Je ne la fatigue pas. Je lui accorde des jachères calmes, où elle peut se refaire des herbes sauvages et des fleurs pendant toute une saison. Ainsi, sous cette parure souvent épineuse, elle recompose en silence ses couches d'humus nourricier et ses veines d'eau.

Le travail des hommes et la puissance de la possession l'ont peu à peu partagée en quartiers différents qui ont gardé quelquefois une marque de leur origine, non seulement par les noms qui les distinguent encore (comme 'le carreau Clodius' ou 'le clos Alibert') mais aussi par la variété des cultures qui s'y sont lentement acclimatées, au cours de tant d'années de patience et de labeur infatigable.

Si j'ai nommé les Alibert, c'est que leurs vieilles terres, limitrophes des nôtres, mais qui depuis quatre-vingts ans nous appartiennent, n'ont pu se fondre cependant aux biens plus vastes et plus forts des Clodius.

Nous les avons honnêtement acquises, et la déchéance des Alibert n'a pas été le fait de notre famille. Mais si les Alibert, tombés de leur aisance par une fatalité dont nous n'étions pas responsables, nous cédèrent le sol de leur plein gré, ce bien, où ils avaient vécu pendant ses siècles, garde de leurs vertus familiales une empreinte si pénétrante que, même aujourd'hui, on en reconnaît la figure sévère et la gravité quasiment religieuse à côté des champs plus amènes qui s'étendent autour de Théotime.

Quoiqu'il n'y ait pas de limites, ces terres ont conservé leur ancien caractère, et Alibert, qui le sait bien, mais qui est d'un cœur délicat, évite d'aggraver ces traits familiaux dans un sol qui n'est plus sa propriété. Cependant, en portant son travail sur mes terres, il leur a donné quelque chose de l'esprit Alibert; et, parfois, quand on marche le long de nos vieilles limites, on ne voit plus trop bien où les avaient tracées nos pères, tant le vieil Alibert y a retourné le soc de sa charrue pour mêler les deux terres associées. Il l'a fait volontairement, à ce que je soupçonne, depuis près de dix ans qu'il y travaille. Et c'est ainsi que, juste sur les lieux où quelques endroits et une vingtaine de bornes séparaient nos familles, il n'y a plus maintenant qu'une terre, et peut-être qu'une seule âme.

Je pensais à cette âme, en marchant lentement, ce matin-là, à travers mes champs.

Elle montait du sol avec une telle puissance, qu'à peine mis le pied hors du mas Théotime, j'en avais retrouvé la majesté. Sans le vouloir mais par l'effet d'une influence dont souvent j'avais éprouvé la force, je me dirigeais vers la métairie des Alibert. Et je voyais devant moi nos vieux champs légèrement en pente, avec leurs grands carrés de cultures où l'avoine surtout était déjà haute, s'étendre par delà cette maison amie jusqu'aux haies basses de Farfaille et au jardin si touchant de Genevet.

Les événements de la nuit et mes réflexions du matin, si brûlantes dans l'immobilité de ma chambre, maintenant que je déplaçais mon corps et mon âme à la fois, en plein air, sur ces terres robustes, sans déchoir de leur importance, perdaient peu à peu cet aspect équivoque de figures de mauvais rêve et ce je ne sais quoi de malsain et d'illégitime qui s'attache toujours aux violences passionnelles.

Les actes accomplis se montraient dans leur vraie nature, et je les jugeais plus graves à mesure que je me sentais plus fort. La terre ne me leurrait pas, bien au contraire; car, en réveillant ma raison elle soumettait à sa lumière tranquille tous les aspects de ma conduite si contraire à ses lois. Mais comme, après mon héritage, je l'avais adoptée et rendue à sa vocation séculaire

36

de nourrice des bêtes et des hommes, elle avait acquis sur mes actes des droits puissants qu'un cœur comme le mien ne pouvait pas oublier. Je savais bien qu'un jour ou l'autre elle les exercerait à sa manière, qui est forte, et qu'il faudrait obéir ou disparaître.

Pour lors elle restait encore bienveillante, et ce n'était pas un matin de jugement.

Le Mas Théotime.
Editions Charlot, 1946.

HENRI BOSCO (*b.* 1888). Like Giono, Bosco has made his native Provence the scene of his novels, two of which, *Le Mas Théotime* (1946) and *Malicroix* (1948), have acquired considerable eminence.

Both these volumes show a deep affection for the land, and for nature in general, but above all for Provence, an affection which Bosco expresses in terms of the close bonds which exist between his characters and their immediate surroundings. Indeed, he depicts his personages less in their struggle against nature than in their communion with it. To this depth of feeling he adds considerable artistry in composition and a refined and elegant style.

ANDRÉ BRETON

10. Rencontre

De manière à n'avoir pas trop à flâner, je sors vers quatre heures avec l'intention de me rendre à pied à la 'Nouvelle France' où Nadja doit se trouver à cinq heures et demie. Le temps de faire un détour par les boulevards: non loin de l'Opéra, j'ai à aller retirer d'un magasin de réparations mon stylo. Contrairement à l'ordinaire, je choisis de suivre le trottoir droit de la rue de la Chaussée d'Antin. Une des premières personnes que je m'apprête à y croiser est Nadja, sous son aspect du premier jour. Elle s'avance comme si elle ne voulait pas me voir. Comme le premier jour, je reviens sur mes pas avec elle. Elle se montre assez incapable d'expliquer sa présence dans cette rue où, pour faire trêve à de plus longues questions, elle me dit être à la recherche de bonbons hollandais. Sans y penser, déjà nous avons fait demi-tour, nous entrons dans le premier café venu. [. . .] Comme elle parle de rentrer chez elle, j'offre de la reconduire. Elle donne au chauffeur l'adresse du Théâtre des Arts qui, me dit-elle, se trouve à quelques pas de la maison qu'elle habite. En chemin, elle me dévisage longuement, en silence. Puis ses yeux se ferment et s'ouvrent très vite comme lorsqu'on se trouve en présence de quelqu'un qu'on n'a plus vu depuis longtemps, ou qu'on ne s'attendait plus à revoir et comme pour signifier qu'on 'ne les en croit pas.' Une certaine lutte paraît aussi se poursuivre en elle, mais tout à coup elle s'abandonne, ferme tout à fait les yeux. Elle me parle maintenant de mon pouvoir sur elle, de la faculté que j'ai de lui faire penser et faire ce que je veux, peut-être plus que je ne crois vouloir. Elle me supplie par ce moyen de ne rien entreprendre contre elle. Il lui semble qu'elle n'a jamais eu de secret pour moi, bien avant de me connaître. [. . .] Je propose que nous dînions ensemble. Une certaine confusion a dû s'établir dans son esprit, car elle nous fait conduire, non dans l'Île Saint-Louis, comme elle le croit, mais place Dauphine où se situe, chose curieuse, un autre épisode de *Poisson soluble*: 'Un baiser est si vite oublié.' (Cette place Dauphine est bien un des lieux les plus profondément retirés que je connaisse, un des pires terrains vagues qui soient à Paris. Chaque fois que je m'y suis trouvé, j'ai senti m'abandonner peu à peu l'envie d'aller ailleurs, il m'a fallu argumenter avec moi-même pour me dégager d'une étreinte très douce, trop agréablement insistante et, à tout prendre, brisante. De plus, j'ai habité quelque temps un hôtel voisin de cette place, 'City Hôtel,' où les allées et venues à toute heure, pour qui ne se satisfait pas de solutions trop simples, sont suspectes.) Le jour baisse. Afin d'être seuls nous nous faisons servir dehors par le marchand de vins. Pour la première fois, durant le repas, Nadja se montre assez frivole. Un ivrogne ne cesse de rôder autour de notre table. Il prononce très haut des paroles incohérentes, sur le ton de la protestation. Parmi ces paroles reviennent sans cesse un ou deux mots obscènes sur lesquels il appuie. Sa femme, qui le surveille de sous les arbres, se borne à lui crier de temps à autre: 'Allons, viens-tu?' J'essaie à plusieurs reprises de l'écarter, mais en vain. Comme arrive le dessert, Nadja commence à regarder autour d'elle. Elle est certaine que sous nos pieds passe un souterrain qui vient du Palais de Justice (elle me montre de quel endroit du Palais, un peu à droite du perron blanc) et contourne l'Hôtel Henri-IV. Elle se trouble à l'idée de ce qui s'est déjà passé sur cette place et de ce qui s'y passera encore. Où ne se perdent en ce moment dans l'ombre que deux ou trois couples, elle semble voir une foule: 'Et les morts, les morts!' L'ivrogne continue à plaisanter lugubrement. Le regard de Nadja fait maintenant le tour des maisons. 'Vois-tu là-bas cette fenêtre? Elle est noire comme toutes les autres. Regarde bien. Dans une minute, elle va s'éclairer. Elle sera rouge.' La minute passe. La fenêtre s'éclaire. Il y a en effet des rideaux rouges. (Je regrette, mais je n'y puis rien, que ceci passe peut-être les limites de la crédibilité. Cependant à pareil sujet je m'en voudrais de prendre parti: je me borne à *convenir* que de noire, cette fenêtre est alors devenue rouge, et c'est tout.) J'avoue qu'ici la peur me prend, comme aussi elle commence à prendre Nadja. 'Quelle horreur! Vois-tu ce qui passe dans les arbres? Le bleu et le vent, le vent bleu. Une seule autre fois j'ai vu sur ces mêmes arbres passer ce vent bleu. C'était là, d'une fenêtre de l'Hôtel Henri-IV, et mon ami, le second dont je t'ai parlé, allait partir. Il y avait aussi une voix qui disait: Tu mourras, tu mourras. Je ne voulais pas mourir, mais j'éprouvais un tel vertige . . . Je serais certainement tombée si l'on ne m'avait retenue.' Je crois qu'il est grand temps de nous en aller. Le long des quais, je la sens tremblante. C'est elle qui a voulu revenir vers la Conciergerie.

39

Elle est très abandonnée, très sûre de moi. Pourtant elle cherche quelque chose, elle tient absolument à ce que nous entrions dans une cour, une cour de commissariat quelconque qu'elle explore rapidement. 'Ce n'est pas là. . . . Mais, dis-moi, pourquoi dois-tu aller en prison? Qu'auras-tu fait? Moi aussi j'ai été en prison. Qui étais-je? Il y a des siècles. Et toi, alors, qui étais-tu?' Nous longeons de nouveau la grille quand tout à coup Nadja refuse d'aller plus loin. Il y a là, à droite, une fenêtre en contre-bas qui donne sur le fossé, de la vue de laquelle il ne lui est plus possible de se détacher. C'est devant cette fenêtre qui a l'air condamnée qu'il faut absolument attendre, elle le sait. C'est de là que tout peut venir. C'est là que tout commence. Elle tient des deux mains la grille pour que je ne l'entraîne pas. Elle ne répond presque plus à mes questions. De guerre lasse, je finis par attendre que de son propre gré elle poursuive sa route. La pensée du souterrain ne l'a pas quittée et sans doute se croit-elle à l'une de ses issues. Elle se demande qui elle a pu être, dans l'entourage de Marie-Antoinette. Les pas des promeneurs la font longuement tressaillir. Je m'inquiète et, lui détachant les mains l'une après l'autre, je finis par la contraindre à me suivre.

Nadja.

Librairie Gallimard, 1928.

ANDRÉ BRETON (b. 1896). After experimenting with *dadaïsme*, Breton, with his *Manifeste du surréalisme* (1924), was the first to lay down the principles of a new and revolutionary doctrine both political and artistic, of which he has remained the chief exponent and most prominent figure.

His chief works are his manifestoes and poems, but he has written an important prose work in novel form, *Nadja* (1928), a surrealist study of a real existence, treated with 'the brevity and exactitude which prevail in medical observations.'

The main lines of the new doctrine are derived from the German romantics, and Rimbaud and Lautréamont, but the surrealists lay great emphasis on 'the magnificent discoveries of Freud' with his 'startling revelation of the depths of the abyss opened by the abandonment of logical thought and by suspicion as to the fidelity of sensorial testimony.' The following definitions of surrealism clearly bring out this attitude:

'Le surréalisme est envisagé par ses fondateurs non comme une nouvelle école artistique, mais comme un moyen de connaissance, en particulier de continents qui jusqu'ici n'avaient pas été systématiquement explorés: l'inconscient, le rêve, la folie, les états hallucinatoires, en un mot . . . l'envers du décor logique.'— M. Nadeau, *Histoire du surréalisme*.

'*Surréalisme:* Automatisme psychique par lequel on se propose d'exprimer soit verbalement, soit par écrit, soit de toute autre manière le fonctionnement réel de la pensée.   Dictée de la pensée, en l'absence de tout contrôle exercé par la raison, en dehors de toute préoccupation esthétique ou morale.'—*Dictionnaire abrégé du surréalisme*, 1938.

'Le surréalisme repose sur la croyance à la réalité supérieure de certaines formes d'associations négligées jusqu'à lui, à la toute-puissance du rêve, au jeu désintéressé de la pensée.   Il tend à ruiner définitivement tous les autres mécanismes psychiques et à se substituer à eux dans la résolution des principaux problèmes de la vie. . . .'—*Encyclopédie philosophique*.

p. 38. *Poisson soluble,* by Breton, published in the same volume as the *Manifeste,* and forming a sequel to it, being, in fact, an example of the application of the theories expressed in the *Manifeste*.

ALBERT CAMUS

11. *Réflexions d'un condamné*

J'étais obligé de constater aussi que jusqu'ici j'avais eu sur ces questions des idées qui n'étaient pas justes.   J'ai cru long-temps — et je ne sais pourquoi — que pour aller à la guillotine, il fallait monter sur un échafaud, gravir des marches.   Je crois que c'était à cause de la Révolution de 1789, je veux dire à cause de tout ce qu'on m'avait appris ou fait voir sur ces questions. Mais un matin, je me suis souvenu d'une photographie publiée par les journaux à l'occasion d'une exécution retentissante. En réalité, la machine était simplement posée à même le sol, le plus simplement du monde. Elle était beaucoup plus étroite que je ne le pensais. C'était assez drôle que je ne m'en sois pas avisé plus tôt. Cette machine, sur le cliché, m'avait frappé par son aspect d'ouvrage de précision, fini et étincelant. On se fait toujours des idées exagérées de ce qu'on ne connaît pas. Je devais constater au contraire que tout était très simple : la machine est au même niveau que l'homme qui marche vers elle. Il la rejoint comme on marche à la rencontre d'une personne. Dans un sens, cela aussi était ennuyeux. La montée vers l'échafaud, l'ascension en plein ciel, l'imagination pouvait s'y raccrocher. Tandis que là encore, la mécanique écrasait tout : on était tué discrètement, avec un peu de honte et beaucoup de précision.

Il y avait aussi deux choses à quoi je réfléchissais tout le temps : l'aube et mon pourvoi. Je me raisonnais cependant et j'essayais de n'y plus penser. Je m'étendais, je regardais le ciel, je m'efforçais de m'y intéresser. Il devenait vert, c'était le soir. Je faisais encore un effort pour détourner le cours de mes pensées. J'écoutais mon cœur. Je ne pouvais imaginer que ce petit bruit qui m'accompagnait depuis si longtemps pût jamais cesser. Je n'ai jamais eu de véritable imagination. J'essayais pourtant de me représenter une certaine seconde où le battement de ce cœur ne se prolongerait plus dans ma tête. Mais en vain. L'aube ou mon pourvoi étaient là. Je finissais par me dire que le plus raisonnable était de ne pas me contraindre.

C'est à l'aube qu'ils venaient, je le savais. En somme, j'ai occupé mes nuits à attendre cette aube. Je n'ai jamais aimé être surpris. Quand il m'arrive quelque chose, je préfère être là. C'est pourquoi j'ai fini par ne plus dormir qu'un peu dans mes journées et, tout le long de mes nuits, j'ai attendu patiemment que la lumière naisse sur la vitre du ciel. Le plus difficile, c'était l'heure douteuse où je savais qu'ils opéraient d'habitude. Passé minuit, j'attendais et je guettais. Jamais mon oreille n'avait perçu tant de bruits, distingué de sons si ténus. Je peux dire, d'ailleurs, que d'une certaine façon j'ai eu de la chance pendant toute cette période puisque je n'ai jamais entendu de pas. Maman disait souvent qu'on n'est jamais tout à fait malheureux. Je l'approuvais dans ma prison, quand le ciel se colorait et qu'un nouveau jour glissait dans ma cellule. Parce qu'aussi bien j'aurais pu entendre des pas et mon cœur aurait pu éclater. Même si le moindre glissement me jetait à la porte, même si, l'oreille collée au bois, j'attendais éperdument jusqu'à ce que j'entende ma propre respiration, effrayé de la trouver rauque et si, pareille au râle d'un chien, au bout du compte mon cœur n'éclatait pas et j'avais encore gagné vingt-quatre heures.

Pendant tout le jour il y avait mon pourvoi. Je crois que j'ai tiré le meilleur parti de cette idée. Je calculais mes effets et j'obtenais de mes réflexions le meilleur rendement. Je prenais toujours la plus mauvaise supposition: mon pourvoi était rejeté. 'Eh bien, je mourrai donc.' Plus tôt que d'autres, c'était évident. Mais tout le monde sait que la vie ne vaut pas la peine d'être vécue. Dans le fond, je n'ignorais pas que mourir à trente ans ou à soixante-dix ans importe peu puisque, naturellement, dans les deux cas, d'autres hommes et d'autres femmes vivront, et cela pendant des milliers d'années. Rien n'était plus clair, en somme. C'était toujours moi qui mourrais, que ce soit maintenant ou dans vingt ans. A ce moment, ce qui me gênait un peu dans mon raisonnement, c'était ce bond terrible que je sentais en moi à la pensée de vingt ans de vie à venir. Mais je n'avais qu'à l'étouffer en imaginant ce que seraient mes pensées dans vingt ans quand il me faudrait quand même en venir là. Du moment qu'on meurt, comment et quand, cela n'importe pas, c'était évident. Donc (et le difficile, c'était de ne pas perdre de vue tout ce que ce 'donc' représentait de raisonnements), donc, je devais accepter le rejet de mon pourvoi.

A ce moment, à ce moment seulement, j'avais pour ainsi

dire le *droit*, je me donnais en quelque sorte la permission d'aborder la deuxième hypothèse: j'étais gracié. L'ennuyeux, c'est qu'il fallait rendre moins fougueux cet élan du sang et du corps qui me piquait les yeux d'une joie insensée. Il fallait que je m'applique à réduire ce cri, à le raisonner. Il fallait que je sois naturel même dans cette hypothèse, pour rendre plausible ma résignation dans la première. Quand j'avais réussi, j'avais gagné une heure de calme. Cela, tout de même, était à considérer.

C'est à un semblable moment que j'ai refusé une fois de plus de recevoir l'aumônier. J'étais étendu et je devinais l'approche du soir d'été à une certaine blondeur du ciel. Je venais de rejeter mon pourvoi et je pouvais sentir les ondes de mon sang circuler régulièrement en moi. Je n'avais pas besoin de voir l'aumônier. Pour la première fois depuis bien longtemps, j'ai pensé à Marie. Il y avait de longs jours qu'elle ne m'écrivait plus. Ce soir-là, j'ai réfléchi et je me suis dit qu'elle s'était peut-être fatiguée d'être la maîtresse d'un condamné à mort. L'idée m'est venue aussi qu'elle était peut-être malade ou morte. C'était dans l'ordre des choses. Comment l'aurais-je su puisqu'en dehors de nos deux corps maintenant séparés, rien ne nous liait et ne nous rappelait l'un à l'autre. A partir de ce moment, d'ailleurs, le souvenir de Marie m'aurait été indifférent. Morte, elle ne m'intéressait plus. Je trouvais cela normal comme je comprenais très bien que les gens m'oublient après ma mort. Ils n'avaient plus rien à faire avec moi. Je ne pouvais même pas dire que cela était dur à penser. Au fond, il n'y a pas d'idée à laquelle on ne finisse par s'habituer.

C'est à ce moment précis que l'aumônier est entré. Quand je l'ai vu, j'ai eu un petit tremblement. Il s'en est aperçu et m'a dit de ne pas avoir peur. Je lui ai dit qu'il venait d'habitude à un autre moment. Il m'a répondu que c'était une visite tout amicale qui n'avait rien à voir avec mon pourvoi dont il ne savait rien. Il s'est assis sur ma couchette et m'a invité à me mettre près de lui. J'ai refusé. Je lui trouvais tout de même un air très doux.

44

Il est resté un moment assis, les avant-bras sur les genoux, la tête baissée, à regarder ses mains. Elles étaient fines et musclées, elles me faisaient penser à deux bêtes agiles. Il les a frottées lentement l'une contre l'autre. Puis il est resté ainsi, la tête toujours baissée, pendant si longtemps que j'ai eu l'impression, un instant, que je l'avais oublié.

Mais il a relevé brusquement la tête et m'a regardé en face : 'Pourquoi, m'a-t-il dit, me refusez-vous mes visites ?' J'ai répondu que je ne croyais pas en Dieu. Il a voulu savoir si j'en étais bien sûr et j'ai dit que je n'avais pas à me le demander : cela me paraissait une question sans importance. Il s'est alors renversé en arrière et s'est adossé au mur, les mains à plat sur les cuisses. Presque sans avoir l'air de me parler, il a observé qu'on se croyait sûr, quelquefois, et, en réalité, on ne l'était pas. Je ne disais rien. Il m'a regardé et m'a interrogé : 'Qu'en pensez-vous ?' J'ai répondu que c'était possible. En tout cas, je n'étais peut-être pas sûr de ce qui m'intéressait réellement, mais j'étais tout à fait sûr de ce qui ne m'intéressait pas. Et justement, ce dont il me parlait ne m'intéressait pas.

L'Etranger.

Librairie Gallimard, 1942.

ALBERT CAMUS (*b.* 1913). Novelist and playwright (born in Algiers). One of the most honest and sincere of present-day writers, shocked by the absurdity of life (like Sartre, he has felt the influence of Kierkegaard). His preoccupation with the possibility of suicide as a solution to the *philosophie de l'absurde* (*Le Mythe de Sisyphe*) strikes the keynote which constantly recurs in his works—his obsession with death. In his renewed attempts at solving the problem, in *L'Etranger* and finally *La Peste* (1948), he reaches a very different solution. In his horror of the crowning absurdity of death he seems very tentatively to uphold love and charity as the only means of bringing some sort of happiness to the otherwise tragic destiny of man.

12. L'homme traqué

L'idée cependant revenait et Lampieur en était prévenu par une sorte d'anxiété soudaine qui s'emparait de tout son être et le rendait attentif aux moindres bruits. Elle revenait. Elle l'attirait et, s'il essayait de lutter contre sa dangereuse emprise, il n'en était pas maître, car elle empruntait, pour le frapper au vif de sa détresse, le plus furtif craquement derrière lui ou le plus sourd écho, dans le mur de la rue, de talons arpentant les trottoirs.

De la cave, Lampieur ne voyait rien et il n'osait se demander qui pouvait bien se promener et parfois s'arrêter près du soupirail. Il pensait à la phrase de Fouasse et la certitude qu'une femme, comme l'avait dit le débitant, est toujours dans l'échec des entreprises les mieux conduites, lui ôtait maintenant l'envie de connaître cette femme. Hélas! pourquoi y avait-il une femme, là-haut, le long du magasin? ... Lampieur l'entendait qui marchait. Qu'espérait-elle? Qu'est-ce qui l'obligeait à faire les cent pas au-dessus de sa tête et à ne pas partir? Quel but était le sien? Voulait-elle, par sa présence de toutes les nuits, le forcer à sortir et à se compromettre? Lampieur sentait que, s'il cédait à l'appel de cette volonté tendue vers lui, il se perdrait ... et non pas tant à cause du fait d'abandonner son travail pour approcher cette femme ... que du besoin maladif qu'il éprouvait, dans de pareils moments, de lui parler et de lui faire préciser ses soupçons.

Déjà, dans le débit, près de ces filles dont il pensait tantôt que c'était l'une, et tantôt l'autre, Lampieur devait prendre sur lui de ne pas leur adresser la parole comme il en ressentait à présent le désir. Que leur aurait-il dit? Non ... non. ... Ce n'était qu'un désir ... un de ces désirs insensés auxquels, si l'on ne résiste pas aussitôt, rien ne saurait plus empêcher qu'ils vous conduisent aux catastrophes. Lampieur s'en rendait compte et il se ressaisissait, mais est-ce qu'il n'était pas fou de se laisser ainsi tenter? Il était fou ... il perdait la raison. ... Ou bien, est-ce qu'il ne vivait pas, tout éveillé, dans un rêve?

Il en avait comme l'impression, certaines nuits, quand, habité par il n'aurait pu définir quelle influence, il imaginait les allées et venues, autour du soupirail, de sa mystérieuse complice. Certainement, la nuit du crime, elle avait dû rôder ainsi, étonnée au début qu'il n'y eût personne en bas dans le fournil, puis surprise et se demandant la raison pour laquelle il n'y avait personne, se penchant, appelant, jetant les sous et la ficelle, et regardant encore par le soupirail, si l'homme qui répondait d'habitude n'était pas endormi. Combien de temps avait-elle attendu? A la fin, elle avait dû partir. ... Etait elle revenue avant qu'il n'eût regagné le sous-sol? Lampieur aurait voulu le croire. Mais si elle avait plusieurs fois opéré ce manège et insisté pour mieux se faire entendre? Il tremblait alors qu'un passant, peut-être même un voisin, assistant à toute la scène, n'en eût, quelques jours plus tard, fait part secrètement à la police.

Il n'y avait là rien d'impossible. Ainsi cette fille, qui stationnait le long du magasin, obéissait à la police. Son but était visible. Elle tendait un piège. Elle voulait attirer Lampieur dans la rue et, une fois devant elle, comment Lampieur aurait-il fait pour ne pas se trahir? Il n'était pas d'homme, dans ce cas, qui eût pu se défendre. ... Bien sûr, Lampieur n'avait qu'à nier qu'il fût sorti à l'heure du crime. Qui l'avait vu? Voilà: il s'était endormi dans le bûcher contigu au fournil. Tout le monde peut être fatigué, n'est-ce pas? Surtout dans ce métier de nuit, si pénible qu'il n'est presque plus en usage dans les boulangeries. Pouvait-on prouver qu'il ne se fût pas endormi dans l'autre cave ainsi qu'il l'affirmait? Lampieur n'avait pas d'autre défense. ... Il ne démordrait pas de là.

Mais qui donc le poussait si fort à se défendre? On ne l'accusait pas. Bien plus, quand il lui arriva par la suite, à deux ou trois reprises, de quitter le fournil pour aller boire chez Fouasse et créer à rebours une espèce d'alibi confus, il n'y avait personne dehors. Lampieur n'en avait pu croire ses yeux. Pourtant, il eût juré que quelqu'un était là, comme tous les soirs. . . . Etait-ce possible? La rue vide avec ses trottoirs luisants, ses réverbères, les façades closes de ses maisons, s'ouvrait largement devant lui et ce n'est qu'à la hauteur des Halles, où commençait l'animation, qu'il avait rencontré les premières filles qui se promenaient.

L'Homme traqué.

Editions Albin Michel, 1922.

FRANCIS CARCO (*b.* 1886). Novelist, poet, critic, whose writings are centred round the fringes of the Paris underworld, the characters of which he analyses and portrays with a wealth of detail and a feeling for humanity which have led critics to compare him to Dostoevsky.

BLAISE CENDRARS

13. *Secrets de Marseille*

Je n'ai jamais habité Marseille et une seule fois dans ma vie j'y ai débarqué descendant d'un paquebot, le *d'Artagnan*, mais Marseille appartient à celui qui vient du large.

Marseille sentait l'œillet poivré, ce matin-là.

Marseille est une ville selon mon cœur. C'est aujourd'hui la seule des capitales antiques qui ne vous écrase pas avec les monuments de son passé. Son destin prodigieux ne vous saute pas aux yeux, pas plus que ne vous éblouissent sa fortune et sa richesse ou que ne vous stupéfie par son aspect ultra-ultra (comme tant d'autres ports *up to date*) le modernisme du premier port de France, le plus spécialisé de la Méditerranée et l'un des plus importants du globe. Ce n'est pas une ville d'architecture, de religion, de belles-lettres, d'académie ou de beaux-arts. Ce n'est point le produit de l'histoire, de l'anthropogéographie, de l'économie-politique ou de la politique, royale ou républicaine. Aujourd'hui elle paraît embourgeoisée et populacière. Elle a l'air bon enfant et rigolarde. Elle est sale et mal foutue. Mais c'est néanmoins une des villes les plus mystérieuses du monde et des plus difficiles à déchiffrer.

Je crois tout simplement que Marseille a eu de la chance, d'où son exubérance, sa magnifique vitalité, son désordre, sa désinvolture. Oui, Marseille est selon mon cœur, et j'aime que sise dans une des plus belles assiettes du rivage de la Méditerranée, elle ait l'air de tourner le dos à la mer, de la bouder, de l'avoir bannie hors de la cité (la Cannebière ne mène pas à la mer mais s'en éloigne!) alors que la mer est sa seule raison d'être, de travailler, de s'activer, de spéculer, de construire, de s'étendre et que tout le monde en vit directement, du plus gros richard de la ville au plus famélique des pilleurs d'épaves.

C'est qu'à Marseille tout a l'air d'avoir été relégué, la mer, derrière les collines désertiques, le port, au diable vauvert, si bien que l'on peut aimer jusqu'à ses laideurs: le moutonnement interminable de ses tristes maisons de rapport, ses rues bancales, ses ruelles enchevêtrées, les quelques édifices insignifiants construits sous le IIe Empire ou la IIIe République disséminés de par la ville, les usines neuves et les raffineries et les vieux moulins à huile semés un peu partout, les palais à l'italienne des nouveaux riches ou leurs villas syriaques prétentieuses, l'outrageant style de Notre-Dame de la Garde et de la Cathédrale, la fausse façade et l'escalier faunesque de la gare Saint-Charles, ou le ridicule du gazomètre de la Viste, ou l'attendrissante silhouette du pont-transbordeur pour lequel les Marseillais, qui adorent les diminutifs familiers, n'ont jamais trouvé un petit nom tendre tel que *La Toinette*, ou *La Guêpe*, ou *La Veuve Joyeuse*. C'est que cet immense portique, comme tout le reste, semble perdu en ville et que, réellement, tout cela n'a aucune espèce d'importance. D'ailleurs, personne n'y fait attention.　J'ai peine à croire que le guide *Michelin* ou le *Baedecker* puissent en parler sérieusement.　Jamais Marseille n'a essayé de se dépasser, et de faire grand, trop grand, voire grandiose.　C'est une ville qui reste humaine.　Il n'y a pas de ruines, et quelle leçon pour les urbanistes!　Marseille, presque aussi ancienne que Rome, ne possède aucun monument.　Tout est rentré sous terre, tout est secret.　Et c'est là l'image de la chance de Marseille, de la chance tout court, la chance, la chance qu'Henri Poincaré a vainement essayé de capter dans une formule mathématique, ainsi que tous les joueurs savent qui ont tenté fortune sur le tapis vert en tablant sur cette formule que l'on trouve dans les *Œuvres complètes* de l'éminent mathématicien.　La chance, cela ne s'enseigne pas.　Mais c'est un fait.　Une conjoncture.　Voyez Marseille.　On peut apprendre à jouer aux cartes.　On peut même apprendre à tricher aux cartes.　Mais la chance, cela ne s'apprend pas.　On l'a.　Et celui qui l'a ne s'en vante pas.　Il se tait.　C'est son secret.　Cet air de secret sur lequel on bute partout à Marseille. . . .

Le paquebot à peine accosté, j'avais sauté à quai, puis bondi dans un taxi pour me faire conduire dans un café du Vieux-Port comme si j'avais été un trafiquant d'opium pressé de se débarrasser de sa camelote, moi qui rapporte toujours de mes virées dans les pays d'outre-mer un bel éclat de rire, souvent un matelas de billets de banque et, le plus naturellement possible, mais à l'insu de tous, une pincée de poèmes.　Cette fois-ci, c'était des poèmes sur la chasse à l'éléphant.

Traînant de bar en bar, déjà je m'étais fait de nombreux amis car, contrairement à Lisbonne, qui est la ville des adieux, Marseille est la ville de l'arrivée, de la bienvenue.　Quelle liesse!　Quelle chaleur dans la réception et quelle cordialité; mais on devine immédiatement que, tout comme les histoires marseillaises qui ont été inventées pour tromper les Parisiens, les touristes, les étrangers de passage qui veulent se mêler aux Marseillais et dont tout un monde d'affranchis vit en les exploitant jusqu'à la gauche et en les faisant marcher, sinon chanter, cette cordialité est une astuce de plus pour tromper les curieux car, à Marseille, on vit entre soi, et l'on n'a que faire des curieux! Et cette mentalité d'insulaires dans une ville qui est la centrale de plusieurs réseaux officiels et occultes qui font plusieurs fois le tour du monde, est la chose qui me frappe le plus. Malgré leur bavardage, à Marseille les gens sont secrets et durs. Dieu, que cette ville est difficile!

J'arrivais d'Egypte et du Haut-Soudan. Avant de faire le tour du Vieux-Port, ce forum qui est un plan d'eau, pour me rendre à pied *Chez Félix*, quai de Rive-Neuve, un caboulot corse, dont Victor, le barman du *d'Artagnan*, m'avait donné l'adresse et où j'avais invité mes compagnons de voyage, j'avais voulu aller voir le chef de saint Lazare, cet homme qui me passionne parce qu'il est le patron des lépreux et que le premier homme que j'ai tué était un lépreux. Mais cela est une autre histoire. . . .

Presque aussi antique que Rome, Marseille n'a aucun monument. Je sortais de l'ancienne cathédrale de la Majour, où est l'autel de Saint-Lazare et où l'on conserve son chef, mais dont je n'avais pu me faire montrer la châsse, le sacristain étant allé faire son marché, m'avait-on dit, je sortais de ce qui reste debout de cette humble et basse église romane que l'on a doublée d'une insolente cathédrale nouvelle, la Majeure, d'un style à la mode romano-byzantin, donc très déconcertant. Je débouchais quai du Port, ayant trouvé l'issue d'un dédale de ruelles sans nom, me répétant: tout est rentré sous terre, tout est enseveli, l'histoire de Marseille est secrète. Sur le quai, je me retournai. Au fond d'une impasse sordide, au haut d'une rampe de pierres déchaussées, juché sur un terrassement, étayé de traviole, se détachant en noir sur les façades lépreuses, et d'autant plus malades que le soleil du matin les éclairait en plein, des maisons lézardées de la rue Caisserie qui le dominaient, j'aperçus le pauvre clocheton ajouré des Accoules. Et le fameux temple de Diane d'Ephèse, sous un des petits portiques duquel (portique latéral beaucoup plus tard transformé en oratoire et portant son nom) sainte Madeleine avait prêché pour évangéliser les Massaliotes? Il ne reste rien, tout est oublié. Le petit oratoire chrétien a été jeté bas il y a moins de cent ans et de l'immense temple païen il ne reste pas une ruine. Tout est rentré sous terre, tout est enseveli. L'histoire de Marseille reste secrète. Je me retourne encore. Je vais m'asseoir sur une bitte au bord de l'eau. J'allume une cigarette. Et de la mainmise royale et de sa forte tradition, que reste-t-il? L'hôtel-de-ville; une porte, une balustrade, un écusson, par ci, par là, dans le vieux quartier que je viens de parcourir; ici, quai du Port, les pierres du quai; au bout, l'épaulement d'un fort, et, en face, l'actuel bassin de carénage, une souille, l'ancien bassin des galères, l'enclos de la chiourme. La destinée de Marseille est merveilleuse. Assaillie, pillée, incendiée par les Sarrasins, les Normands, les Espagnols et les Bourguignons, plusieurs fois saccagée de fond en comble, Marseille subsiste à la même place, insolente, heureuse de vivre, et plus indépendante que jamais.

Cette chance! J'en reste rêveur. Quelle ville!

Après cette constante, la tradition du langage humain qui s'est maintenue depuis la nuit des temps, depuis l'origine de l'homme jusqu'au jour d'aujourd'hui avec la même surabondance géniale et l'inépuisable richesse poétique, ce qui me semble être, ainsi que je l'ai noté dans la préface de mon *Anthologie nègre*, la plus belle illustration à la loi de constance intellectuelle entrevue par Rémy de Gourmont, en voici un autre et plus pathétique exemple: Marseille, Marseille la grouillante, Marseille au vocabulaire populaire, fort en gueule et sonore comme un coup de mistral et dont le génie tutélaire semble être le génie de l'éloquence, qui est aussi le génie de l'intrigue, génie qui se manifeste au cours d'une lente, longue, singulière et sanguinaire et ininterrompue initiation qui va des mystères du culte de la Diane d'Ephèse aux conciliabules secrets de Carbone, sans oublier les réunions occultes des premiers chrétiens dans les catacombes du *Paradis*, autour de *la confession Saint-Lazare*, ce siège taillé en plein roc, monument souterrain de la confession auriculaire. Lazare, l'ami personnel de Notre-Seigneur; qui mourut de maladie, la poitrine desséchée par les ardeurs de la fièvre, à trente ans, et qui fut ressuscité quatre jours après par Jésus-Christ; qui vécut

encore trente ans après sa résurrection et mourut une deuxième
fois, le 31 août de l'an 63 à Marseille, où il eut la tête tranchée
sous Domitien; saint Lazare, premier évêque de Marseille,
premier martyr des Gaules, dont le corps fut enfoui et caché
profondément au fond d'une crypte et déposé dans un sar-
cophage anonyme, relique insigne autour de laquelle se constitue
peu à peu un sanctuaire parmi les tombes par l'apport d'innombrables sarcophages de plus en plus riches, mais chrétiens
du fait de nouveaux et de nouveaux martyrs (sarcophages de
plus en plus riches mais de plus en plus barbares du fait que
les nouveaux chrétiens ne fréquentaient pas les académies
païennes de sculpture et de peinture parce que ces écoles
étaient pleines d'idoles); cimetière dit *Le Paradis*; lieu que le
saint abbé Cassien choisit pour construire son monastère (le
premier couvent en Europe) et dont l'église, qui date du V⁰
siècle, fut dotée par Charlemagne en 814, relevée de ses ruines
après l'expulsion des Sarrasins et consacrée par le pape Benoît
IX en 1040, fortifiée et envahie par les croisés lépreux retour
de Terre-Sainte, l'église de Saint-Victor qui, elle, est toujours
debout, justement derrière ce lieu maudit qui est l'ancienne
chiourme, l'actuel bassin de carénage, Saint-Victor qui pourrait
être la plus vénérable basilique de France si Viollet-le-Duc
n'était passé par là pour camoufler, sous prétexte de restauration, ce haut-lieu de l'Esprit en '*un vieux bâtiment d'aspect
gothique. . . .*' Mais j'ai déjà dit que les monuments n'ont
aucune espèce d'importance à Marseille.

Je me remets en marche pour me rendre à mon rendez-vous.

Dites-moi, que peuvent bien se communiquer de bouche à
oreille ces gens qui flânent dans les cafés ou qui stationnent,
par deux ou trois, au coin des rues et qui se taisent soudain à
votre approche ou qui ont tous un bœuf sur la langue si vous
entrez, — des ordres de Bourse, des secrets du trafic, des mots
de passe, ou quoi?

J'en donne ma langue au chat.

C'est une énigme.

'— *O étranger, je t'expliquerai l'énigme de cette peinture dont
tu sembles tout émerveillé. Vous, autres, Grecs, vous faites*

53

Mercure dieu de l'éloquence; nous, Gaulois, nous avons choisi
Hercule comme plus vigoureux; et il n'y a pas à s'étonner si nous
le représentons vieux, car c'est dans la vieillesse que l'éloquence
atteint sa force la plus complète. Un de vos poètes l'a dit avec
raison : " L'esprit de la jeunesse est obscurci ; c'est la vieillesse qui
sait parler sagement." — Ce vieil Hercule qui n'est pas autre chose
que la faconde elle-même, traîne tout ce peuple attaché à sa langue
par l'oreille ; or, tu n'ignores pas quelle relation existe entre
l'oreille et la langue. . . . En résumé, nous pensons que cet
Hercule, homme sage et persuasif, a conquis le monde par la
parole. Quant à ses flèches, ce sont les mots aigus, ingénieux,
rapides, qui pénètrent dans l'âme; d'où vient aussi que votre
Homère met des ailes aux mots et les appelle empennés.'

C'est dans ces termes qu'un philosophe transalpin expliquait
à Lucien, le satiriste, une peinture représentant une figure de
vieillard armé, comme l'Hercule grec, de la massue et de l'arc,
et qui était revêtu de la peau de lion, mais que ses captifs
suivaient gaiement, attachés par l'oreille à des chaînes d'or et
d'ambre qui sortaient de sa bouche. Cet immortel portait le
nom d'*Ormius*, où certains ont cru reconnaître le mot gaëlique
ogham, qui signifie: *l'écriture.*

L'Homme foudroyé.

Editions Denoël, 1945.

BLAISE CENDRARS (*b.* 1887). The literary output of this poet,
novelist, and critic, who has been associated with every major
literary movement in France for nearly half a century—he was a
close friend of Apollinaire, and was the first to introduce Henry
Miller to French readers—is largely inspired by Cendrars' im-
mensely varied activities, which range from selling cheap jewellery
in central Russia to trading in South America, juggling in a London
music hall, driving a tractor on a Canadian ranch, and filming big
game in Africa. In the First World War, although of Swiss
nationality, he enlisted in the Légion Etrangère, and lost an arm.

Although some of his short stories are based on his experiences,
Histoires vraies (1937) and *La Vie dangereuse* (1938), it is principally
since the Second World War that in a series of loosely knit autobiographical novels he has developed a number of themes and a

number of widely divergent incidents ranging over three decades and four continents: *L'Homme foudroyé* (1945), *Dan Yack* (1946), *La Main coupée* (1946), *Bourlinguer* (1948), and *Le Lotissement du ciel* (1949).

p. 51. *Le Vieux-Port*, the not unjustifiably ill-famed quarter of the city bordering on the old harbour, which is still used by fishing vessels. The whole area of the Vieux-Port was dynamited by order of the Germans on 1st February 1943; in a footnote, Cendrars quotes the following description of the demolition from the German propaganda review *Signal*: 'Jamais midi n'a sonné à Marseille comme ce lundi: un signal de clairon sur le quai: un officier allemand çasqué sort en courant d'une des ruelles près du transbordeur et disparaît dans la porte cochère d'un des bâtiments bas du port; pendant quelques secondes, le quai reste désert; puis, une détonation énorme. Les cloches du "vieux bâtiment gothique" au pied de Notre-Dame de la Garde commencent à sonner. Le déplacement de l'air les a mises en branle. Un nuage de poussière blanche s'élève de la ruelle, de petites ombres noires disparaissent vers la rive. Ce sont les rats qui fuient. Une grêle de morceaux de bois et de pierres tombe du ciel. . . .'

ANDRÉ CHAMSON

14. Le mouchard éclairé

Ce petit jeu se prolongea aussi longtemps que l'inconnu put espérer que j'allais répondre à ses propos. Mais quand il se fut assuré qu'il ne tirerait rien de moi, il changea brusquement de conversation:

— La vie est bien triste, dans ce petit trou. . . . Connaissez-vous au moins des gens intéressants? Vous êtes-vous fait des amis dans le voisinage?

Je répondis par un geste vague et l'inconnu, un peu gêné, me sembla-t-il, se mit à regarder autour de lui comme pour découvrir un nouveau sujet de conversation. Je sentis que j'avais affaire à un de ces hommes qui croient que les rapports humains sont réglés par des trucs ou par des ficelles. Il cherchait le truc qui devait marcher avec moi.

— Vous avez des livres, monsieur. . . .

— Ils ne sont pas à moi. . . .

— Ça ne fait rien. . . . Ce sont de bons amis. . . . J'ai fait des études, moi aussi, ajouta-t-il comme pour excuser l'indiscrétion de son propos. (Mais pourquoi disait-il 'moi aussi'? Quel sous-entendu, quelle complicité mettait-il dans ces paroles? Etait-ce le truc?) Je suis un secondaire, reprit-il avec un orgueil non dissimulé. J'ai même fait du latin jusqu'en troisième. . . . Je n'ai pas pu passer mon second bac pour des raisons de famille, continua-t-il après quelques secondes d'hésitation, dans un grand élan de sincérité. Mais le premier bac, c'est tout de même une porte. Ça sert pour entrer dans un tas d'administrations, surtout maintenant. . . . On ne croirait pas. . . . C'est une autre garantie que les brevets, surtout pour la mentalité de l'éducation. . . . Une supposition, vous avez à choisir entre le brevet supérieur et le bachot? Ça ne peut pas se comparer. . . . En tout cas, j'aime bien lire. On s'ennuie tellement, quelquefois. . . . Ah! vous avez le père Hugo? Ce qu'il en tient, de la place! Mais c'est surfait. . . . Beaucoup de gueule et des idées à la flan. Il n'avait même pas d'idées, c'est bien connu. . . . Tiens, Balzac? Un vrai gaillard. J'ai lu *Le Père Goriot*. . . . C'est bien de lui? Oui, c'est bien ça. . . . C'est intéressant, mais les descriptions sont trop longues, ça n'ajoute rien, au contraire. . . . En tout cas, c'est bien agréable d'avoir de la lecture sous la main. Si j'ai besoin d'un bouquin, je viendrai pour vous l'emprunter. Mais on a beau dire, les livres ne remplacent pas les relations. . . . On ne peut pas vivre comme un chartreux. . . . Vous avez bien dû faire des connaissances, depuis que vous êtes ici? On ne voit pourtant pas grand monde chez vous.

Je répondis sèchement que je vivais seul et j'allai chercher ma tête de loup. L'inconnu me remercia de mon obligeance et courut à ses toiles d'araignées.

A peine était-il sorti de chez moi que je courus moi-même

aux nouvelles. Le vieux monsieur qui se souvenait de l'ancien monde n'était pas chez lui. Les enfants qui jouaient dans le ruisseau avaient en tête des choses trop importantes pour pouvoir répondre aux questions que je me posais. J'entrai donc chez les apprêteuses de peaux de lapins. Après avoir dit les quelques mots d'usage sur les restrictions — c'était l'A.B.C.D. de tous les entretiens, comme dans la comptine que chantaient les enfants, à côté de nous: 'A.B.C.D., des carottes et des navets'; — j'entrai un peu plus avant dans l'échoppe:

— Dites-moi, il y a un nouveau locataire dans la maison où j'habite.... Vous savez, dans l'appartement du monsieur....

D'imperceptibles poils de lapin me chatouillaient le fond de la gorge. La plus pâle des deux sœurs leva vers moi un visage épouvanté. Je ne reconnaissais plus Mlle Palmyre. Elle me fit signe de venir contre elle, et, dans un imperceptible balbutiement, je sentis sur mon oreille son haleine à l'odeur de chambre fermée:

— C'est un mouchard. . . .

Je n'étais pas très sûr d'avoir bien entendu, mais je compris qu'elle ne répéterait plus le mot qu'elle venait de me dire. Elle fit trois fois 'oui' du bout des lèvres et continua son travail d'un air glacé. J'avais donc bien compris! Une peur idiote s'emparait de moi. Qu'avais-je dit? A quel moment étais-je tombé dans les pièges de ce coquin? Et d'abord, quels pièges m'avait-il tendus? Il fallait retrouver chacun des mots que j'avais dits, préparer un système de défense. Je sortais déjà de la boutique sans même penser à dire au revoir, quand la vieille fille me fit signe de me pencher à nouveau vers elle:

— C'est lui qui a fait arrêter le monsieur . . . pour lui prendre son appartement . . ., et, depuis, il surveille tout le monde, dans le quartier. . . . Méfiez-vous, méfiez-vous! Il dit du mal de ce que fait le gouvernement à tous ceux qu'il peut rencontrer, mais si on a trop l'air d'être de son avis . . . bonsoir. . . . On ne vous voit plus. Il a demandé trois fois après vous pendant que vous étiez en voyage. Il a cherché à savoir si vous n'aviez pas connu ces deux femmes qui sont parties. . . . Je ne sais pas pourquoi, mais il vous tient à l'œil!

Je ne le savais que trop bien! J'étais lucide et désespéré, c'est-à-dire suspect! J'avais trop bien compris les mystères du tueur de chiens et les secrets du monde nouveau. Je reliais trop les discours de l'hydrocéphale ventriloque aux misères des temps présents. J'étais trop évidemment complice de Payan, du monsieur de Vienne et des enfants scrofuleux. Déjà, pendant plusieurs mois, au début des temps du malheur, un inconnu m'avait suivi comme mon ombre, puis avait disparu, englouti par l'immensité de sa tâche. Mais, à ce coup-ci, l'ombre s'était assise dans mon fauteuil vert, au cœur même de mon logis. Qu'avais-je dit? Quelle imprudence avais-je pu commettre?

Je descendais la rue en monologuant, à peine attentif à sauvegarder la dignité de ma tenue, mais indifférent, pour une fois, aux petits spectacles familiers dans lesquels se reflétait la détresse du monde. Pour tenter de me rendre maître de l'absurde terreur qui était en moi, je me mis à réfléchir sur le caractère inévitable et presque fatal du mouchard. Pourquoi m'étonner de le rencontrer sur mon chemin? Il était nécessaire aux époques maudites. Elles le sécrétaient comme la plaie le pus, le crachat le bacille et la charogne les vers. Il marchait avec la famine et la tyrannie, avec la vermine et avec la peste. Quand tout allait au pire, quand il n'y avait plus que des désespoirs et des espérances, il était le seul à pouvoir calmer la peur des puissants. Il fracturait le silence des multitudes, avec ses fausses clés et ses pinces-monseigneur. Il faisait le marché noir des consciences! Sans doute livrait-il parfois de la marchandise frelatée, du tabac d'armoise et de sureau, du vin mouillé, du savon d'argile. Même en admettant qu'il y eût des innocents et des coupables, il pouvait aussi bien dénoncer les innocents. Qu'importait donc ce que l'on pouvait dire devant lui? Ce qui comptait, c'est ce qu'il faisait dire à ses victimes, quand il composait ses rapports. Il lui suffisait de savoir bâtir en trois points une composition française sur un invariable sujet. M. Un Tel: opinions de M. Un Tel: caractère criminel des opinions de M. Un Tel! C'est pour cela qu'on le préférait bachelier et dégrossi par les disciplines classiques.

Mais les dissertations qu'il pondait ainsi n'avaient pas moins de valeur en exposant le mensonge qu'en dévoilant la vérité. Il exerçait une fonction dont la nécessité ne dépendait pas du réel. Elle n'avait d'autre but que de soulager l'angoisse des dominateurs. Mais alors, pourquoi me donner tant de peine à rechercher dans mes souvenirs ce que j'avais pu dire devant lui? Ce qui comptait, c'est ce qu'il me ferait dire lui-même. S'il en était ainsi, autant lui cracher au visage tout de suite!

Ah ça mais! Ah ça mais! Etais-je fou? J'en arrivais à bâtir des raisonnements beaucoup plus absurdes que les plus déraisonnables mouvements de panique. Je le compris en sentant l'haleine du fleuve sur mes yeux. Ce n'était pas le moment de faire des coups de tête par excès de dialectique. Le mieux n'était-il pas de surmonter cette peur idiote et de m'en remettre au hasard? Mais non! Il fallait au contraire me garder attentivement et battre le mouchard à force de prudence. Sa méthode consistait à dire ce qu'il supposait être la pensée des ses victimes? C'était là son traquenard favori. J'étais donc averti. Je savais comment il chercherait à me prendre. Il venait même de l'essayer. Mais je connaissais la parade. Il était enfantin de ne rien répondre! Il pouvait donc revenir, attaquer M. Tourinas, le tueur de chiens et le marché noir, dénoncer l'hydrocéphale ventriloque! Il n'aurait pas l'ombre d'un signe d'approbation de ma part. Je me sentais devenir un monstre de ruse!

Le Puits des miracles.

Librairie Gallimard, 1945.

ANDRÉ CHAMSON (b. 1900). Novelist, essayist, and critic, much of whose writing concerns his native Cévennes, and the ordinary man whose quest for happiness and freedom leads him into conflict with the harsher necessities and realities of organized society.

In *Le Puits des miracles* the setting is that of the German occupation.

p. 56. *secondaire:* the French teaching system comprises two entirely separate categories; the *primaire*, centred round the *école communale*, with its series of *brevets*, is sharply opposed to the *secondaire*, based on the *lycée*, with its two *baccalauréats* (more frequently referred to as *bachot* or *bac*), of which the first is taken at the age of about sixteen to seventeen and the second a year later.

p. 56. *en troisième*. The *premier baccalauréat* is taken by pupils at the end of their year in *première*, the other classes being reckoned downwards to the very young children's classes *huitième* and *neuvième*.

JACQUES CHARDONNE

15. *Armande*

Un soir, à la gare Saint-Lazare, Octave prenait le train pour Dimours.   Dans un compartiment éclairé, il aperçut Armande qui s'assit auprès d'un jeune homme.

— Un bambin de seize ans.   Ils étaient arrivés ensemble. J'ai été surpris par le mouvement qu'elle fit en se penchant sur lui pour regarder le journal qu'il venait d'ouvrir . . . un mouvement si vif! . . .   Je ne pourrais dire ce que sa figure exprimait. . . .   Il y avait en elle une espèce de lumière. . . .

Je ne pris pas garde à ce récit, mais plus tard je m'aperçus que cette vision avait beaucoup frappé Octave.

— Oui, j'y pense souvent.   Par hasard, la nuit, à travers la vitre, dans un wagon éclairé, tu aperçois la femme que tu aimes depuis quinze ans, et c'est une femme que tu n'as jamais vue et qui sûrement ne se connaît pas.   Je suis resté là, planté devant le wagon, consterné, mais ravi.   Elle était si touchante à voir, radieuse, illuminée intérieurement . . . illuminée par quoi? . . .   C'est très difficile à démêler, impossible, je crois, pour un cerveau d'homme. . . .   Ce gamin lui est tout à fait indifférent. . . .   Ainsi, auprès de moi, Armande a un visage, un maintien, peut-être une âme qui sont conformes à une certaine nécessité . . . artifice inconscient qui m'est dédié, qui est mon œuvre. . . .   Auprès de moi, elle n'est pas elle-même, pas tout à fait spontanée et réelle. . . .

Du moins, elle est aussi une autre que j'aurais pu ignorer toujours. . . . As-tu songé à cette suite d'oppressions que représente la vie d'une femme? Toute petite, dans la famille, ce ne sont qu'interdictions, théories, devoirs. Chaque fois que j'ai questionné une femme, elle m'a dit: 'Je n'ai pas eu de jeunesse.' J'ai cru d'abord que c'était le sort des enfants de prince, mais depuis . . . Enfin, pour Armande, c'est vrai. Puis vient l'amour. Il faut se plier au caractère d'un mari: encore une discipline. Songe à cette contrainte que l'homme impose, surtout l'amoureux: il veut une femme à son gré. Que de contorsions cela suppose chez la femme qui aime, et dans de petites pièces confortables et malsaines, un air desséché par les radiateurs! A la fin, la femme est une névrosée, une mécanique, une morte. Et je ne parle pas d'un mari butor ou original, je parle d'un mari normal, celui qui entend que sa femme n'ait aucune existence en dehors de lui. Il lui permet d'être mère. C'est tout. Aussi, elle se jette dans cette impasse, jusqu'à écraser ses enfants. . . . Lorsque je contemplais Armande dans la clarté du wagon, toute vibrante d'un sentiment que j'ignorais, mais dont j'étais exclu, au lieu d'éprouver une mâle rancune, j'étais content. J'ai pensé: serais-je un monstre? Simplement je l'aime et sa joie me fait plaisir. Peu m'importe la cause. . . .

— Tu es généreux.

— Non. C'est nous qui poussons la femme à l'infidélité classique. Elle prend un amant pour se promener. Mais la plupart des femmes sont assommées par leurs amants: elles ont des sens bien trop délicats. Elles ne demandaient qu'un peu d'air. . . . Nous ne comprenons pas l'innocence. . . . En voilà une preuve: rien de sensuel ne peut exister entre Armande, cette femme si froide, et ce bambin. Elle est une femme essentiellement pure. Il en existe. Pourquoi ce visage rayonnant, cette espèce de palpitation joyeuse? Il a y là une revendication profonde de l'être, un cri de la nature intraduisible pour nous.

Romanesques.
Editions Stock, 1937.

Jacques Chardonne (*b.* 1884). In a series of important works from 1921 onwards, this *analyste-né, miniaturiste précis* examines from the point of view of the observer the problem which is for him the essential of human existence and of society, that of the union of two people in matrimony; it has been said of him that 'il étudie la vie conjugale à l'état pur,' in other words, the relations of the two partners isolated from the encroachments of outside events, influences, or persons.

ALPHONSE DE CHATEAUBRIANT

16. *La Brière*

C'était une route récente qui remplaçait le vieux chemin de souffrance, toujours croulant, couvert d'eau l'hiver, qui jusqu'à ce jour avait desservi ce pays perdu. Tout droit vers le nord elle remonte, sans un embranchement, sans un carrefour, coupant en croix quelques longs canaux, dans ces prairies de Montoir qui se déploient jusqu'où l'œil peut apercevoir.

Parfois se rencontre un petit village, quelques maisons blanches aux toits de chaume, contre un rang de têtards de saules penchés sur une douve peuplée de canards.

Aoustin passait. Par les portes ouvertes lui arrivait le bruit des cuillers dans les écuelles. Parfois il croisait quelque noir tourbeur attardé.

Le soleil se couchait. Les prairies, tout à l'heure hautes et sèches, par une inclinaison insensible, commençaient à se couvrir de fines mailles d'eau morte, et même de larges nappes hérissées de piquants de joncs et de têtes de landèche se perdaient vers des horizons de pâtis roses et violets, pâtis de brume ou pâtis du ciel, dans la confusion des limites de la terre et de l'air, espaces sans bornes, d'où sourdait à cette heure de la marée la sirène des grands paquebots qui partent pour les Amériques. ...

Et des vaches pâturaient tout parmi ces lagunes, les traversaient de leur pas lent, ou rêvaient, immobiles, sur ces bords empourprés par le soir.

Il marchait; et sa pensée aussi voyageait. Chaque fois qu'il revenait de Nantes, c'était même jeu, même chose: il ne lui déplaisait point, une fois l'an, d'aller retrouver dans ce grand port le décor des bordées de sa jeunesse, à Amsterdam, à Gênes, à Arkangel; mais dès qu'il se retrouvait ainsi dans le rude souffle bleu du soir de Brière, qu'il venait à renifler, des petites chaumières fumant sur le chemin, cette maîtresse prise de l'odeur retrouvée des mottes, il se sentait pousser les ailes du canard sauvage quand il revoit de loin briller l'eau de son étang. Et la carte du globe décidément pour lui se divisait en deux parts: les continents d'un côté, et la Brière de l'autre. De même qu'il y avait deux espèces humaines: les hommes d'ailleurs, et ses compatriotes de la tourbe, les fils farouches de ce sol noir, nés comme lui dans le chaland sur une brassée de paille. ...

'Si tu n'as pas le pied briéron, inutile de t'aventurer! ... car qui rencontres-tu, ici, qui n'ait pas été bercé dans la misère de la tourbière? Quelques marchands forains, des huissiers et autres recors de justice? Les autres, eux, ne soupçonnaient rien; ils ne savaient même deviner ce qui fourmillait là-bas derrière! Le voyageur du chemin ferré n'aperçoit que de la prairie dans un brouillard. Et c'est très bien de même! Le Briéron se voit ainsi à mille lieues du reste du monde! ... car tu n'aimes point qu'un quiconque se lève sur ton horizon. L'horizon? Autant dire la route du tort et du dommage! Chacun chez soi! Et ils étaient chez eux! ... et ils savaient se défendre! On ne les prenait point au picotin! Ils avaient la défiance dans le pli de l'oreille, et toujours à la muraille, accroché par le bon bout, le vieux mousquet de l'ancêtre! Pendant des siècles, tu as glissé comme l'anguille dans la main de fer des barons de Ranrouet; tu as envoyé promener les vicomtes de Donges qui, sang de gibier, voulaient te faire payer le feu! Tout récemment, quand les ponts et chaussées ont entrepris de canaliser le Brivet, et jeté sur la Brière des équipes d'ouvriers, tu n'as rien dit, tu as laissé pousser les travaux, puis tu t'es rué à l'assaut, tu as crevé les maçonnes, incendié les ponts, détruit les ouvrages! . . .'

Il se rappelait bien cette chose, il y avait pris part. . . .

Il allait, pressait le pas, son bâton à chaque enjambée frappant le sol. Il passait le lieu dit 'la Clairvaux,' un endroit où tombèrent pendant la Révolution, sous les coups de feu des femmes cachées dans les roseaux, un peloton de dragons coupables de traverser le pays pour se rendre en haute Bretagne; et sans doute gisaient-ils encore dans les profondeurs, comme ces cavaliers en armures, retrouvés après des siècles dans les tourbières du Lancashire. . . .

Depuis bientôt quarante ans qu'il était le garde de la Brière, il connaissait les plus vieux secrets ensevelis dans son sein. . . .

Oui, ils étaient chez eux ici! . . . un pays quasiment retiré en sa physionomie . . . fait peut-être bien du mélange de tous les matériaux de la création! . . . Mais c'était la pâture de leur pauvre vie; une âme subtile y nourrissait la moelle de leurs os. Pas un brin d'herbe, pas une flaque, qui ne fût leur commune chevance. Tout était à eux, toutes ces vasières, tous ces roseaux! . . . Et cela, depuis cet an de grâce où la bonne Duchesse avait pris pitié de leurs guenilles, où elle leur avait signé ce papier à la grande forme dont la teneur durait toujours. C'était un rude souvenir! . . . Quand il y songeait, la reconnaissance était en lui, comme le sel est dans la mer. . . . Un rude souvenir! . . . que, chaque fois qu'il rentrait de ses voyages, il retrouvait ainsi partout au-dessus de sa tête, aussi vaste que son ciel de Brière — lequel commençait céans à s'étoiler. . . .

Il marchait toujours, — il y a loin jusqu'à Fédrun, — en même temps que dans le grand sombre ses yeux allaient chercher tout le détail des alentours.

Un instant, sur la route, sa pensée fut mise en fuite par un fracas de véhicules. C'étaient les cent carrioles, qui, tous les soirs, à la file, fouets claquants, forgeant l'étincelle, ramènent les Briérons qui travaillent à Trignac, et, leur journée finie, font encore toutes ces lieues pour rentrer dans leurs îles.

Elles roulèrent dans l'ombre, à plein faix de leurs grappes d'hommes secoués dont volaient les cabans; et le voyageur, pour laisser passer cette trombe, dut se garer dans le fossé. Il grognait, ayant, ainsi que les vieux de son temps, de la rancune à ces nouveaux hommes qui s'étaient laissé corrompre pour le salaire des forges. . . .

Ce n'étaient plus maintenant des prairies, mais des bas-fonds d'herbe à chevaux non fauchable, criblés de trous de marécages. Jusqu'au bord de la route s'en venaient les œillets d'eau, où de temps en temps un chaland, sur ces nappes engourdies, allongeait sa forme noire, comme abandonné là. . . .

A mesure qu'il s'enfonçait plus au creux du marais, s'épaississaient les brouillards; et il se hâtait, son pas sonnant ferré dans le silence, tant qu'il fit même se lever deux hérons, qui s'éloignèrent sur les eaux, l'un derrière l'autre, en ramant lentement de leurs grandes ailes gonflées, toutes bleues dans la nuit venue. . . .

La Brière.

Editions Bernard Grasset, 1923.

ALPHONSE DE CHATEAUBRIANT (*b*. 1877). In this novel, set in the grim peat-bogs of the Loire estuary, Chateaubriant depicts with great artistic feeling and skill the existence of the Briérons, resolutely and jealously isolated from the surrounding country.

In a previous novel, *Monsieur des Lourdines* (1911), Chateaubriant had similarly portrayed the Vendée country of his childhood.

JEAN COCTEAU

17. Jeux

Ce jeu de villégiature commença dans la salle à manger. Elisabeth et Paul, malgré l'effroi de Gérard, s'y livraient sous les yeux de l'oncle qui ne rencontrait jamais que leurs mines de sainte nitouche.

Il s'agissait de terrifier par une brusque grimace les petites filles malingres, et pour cela, il fallait attendre un concours de circonstances exceptionnel. Après un long affût, si, pendant une seconde d'inattention générale, une des petites filles, disloquée sur sa chaise, tendait son regard vers la table, Elisabeth et Paul ébauchaient un sourire qui s'achevait en grimace affreuse. La petite fille, surprise, détournait la tête. Plusieurs expériences la démoralisaient et provoquaient des larmes. Elle se plaignait à sa mère. La mère regardait la table. Aussitôt Elisabeth souriait, on lui souriait, et la victime bousculée, giflée, ne bougeait plus. Un coup de coude marquait le point, mais ce coup de coude était complice et menait aux fous rires. Ils éclataient dans la chambre; Gérard mourait de rire avec eux.

Un soir, une très petite fille que douze grimaces n'avaient pas réduite et qui se contentait de plonger le nez dans son assiette, leur tira la langue sans être vue de personne, lorsqu'ils quittèrent la table. Cette riposte les enchanta et dénoua définitivement l'atmosphère. Ils purent en retendre une autre. Comme les chasseurs et les joueurs de golf, ils crevaient d'envie de ressasser leurs exploits. On admirait la petite fille, on discutait le jeu, on compliquait ses règles. Les insultes reprirent de plus belle.

Gérard les suppliait de mettre une sourdine, d'arrêter les robinets qui coulaient sans cesse, de ne pas essayer de se maintenir la tête sous l'eau, de ne pas se battre ni se poursuivre en brandissant des chaises et en appelant au secours. Haines et fous rires se déroulaient ensemble, car quelque habitude qu'on eût de leurs volte-face, il était impossible de prévoir la seconde où ces deux tronçons convulsés se réuniraient et ne formeraient qu'un seul corps.   Gérard espérait et redoutait ce phénomène.   Il l'espérait à cause des voisins et de son oncle; il le redoutait parce qu'il liguait Elisabeth et Paul contre lui.

Bientôt le jeu s'amplifia.   Le hall, la rue, la plage, les planches, agrandirent son domaine.   Elisabeth forçait Gérard à les seconder.   La bande infernale se divisait, courait, rampait, s'accroupissait, souriait et grimaçait, semant la panique.   Les familles traînaient des enfants au cou dévissé, aux bouches pendantes, aux yeux hors de la tête.   On claquait, fessait, privait de promenade, enfermait à la maison.   Ce fléau n'eût point connu de bornes sans la découverte d'un autre plaisir.

Ce plaisir était le vol.   Gérard suivait, n'osant plus formuler ses craintes.   Ces vols n'avaient que le vol pour mobile.   Il ne s'y mêlait ni lucre, ni goût du fruit défendu.   Il suffisait de mourir de peur.   Les enfants sortaient des magasins où ils entraient avec l'oncle, les poches pleines d'objets sans valeur et qui ne pouvaient servir à rien.   La règle interdisait la prise d'objets utiles.   Un jour, Elisabeth et Paul voulurent forcer Gérard à reporter un livre parce qu'il était en langue française. Gérard obtint sa grâce sous condition qu'il volerait 'une chose très difficile,' décréta Elisabeth, 'par exemple un arrosoir.'

Le malheureux, affublé par les enfants d'une vaste pèlerine, s'exécuta, la mort dans l'âme.   Son attitude était si maladroite et la bosse de l'arrosoir si drôle, que le quincaillier, rendu crédule par l'invraisemblance, les suivit longuement des yeux. — 'Marche! Marche! idiot! soufflait Elisabeth, on nous regarde.'   A l'angle des rues dangereuses, ils respiraient et prenaient leurs jambes à leur cou.

Gérard rêvait, la nuit, qu'un crabe lui pinçait l'épaule. C'était le quincaillier. Il appelait la police. On arrêtait Gérard.   Son oncle le déshéritait, etc. . . .

Les vols: anneaux de tringles, tournevis, commutateurs, étiquettes, espadrilles pointure 40, s'entassaient à l'hôtel, espèce de trésor de voyage, perles fausses des femmes qui circulent et laissent leurs vraies perles dans le coffre-fort.

Le fin fond de cette conduite d'enfants incultes, frais jusqu'au crime, incapables de discerner un bien et un mal, c'était, chez Elisabeth, un instinct qui la faisait redresser, avec ces jeux de pirates, la pente vulgaire qu'elle redoutait pour Paul. Paul, traqué, épouvanté, grimaçant, courant, injuriant, ne riait plus aux anges. On verra jusqu'où elle poussait sa méthode intuitive de rééducation.

Ils revinrent. Grâce au sel d'une mer qu'ils avaient distraitement regardée, ils rapportaient des forces qui décuplaient leurs aptitudes. Mariette les trouva méconnaissables. Ils lui offrirent une broche qui ne provenait pas d'un vol.

Les Enfants terribles.

Editions Bernard Grasset, 1929.

JEAN COCTEAU (*b.* 1892). This poet and novelist is probably better known as a writer for stage and cinema. Always a leading figure in the world of *avant-garde* writers, painters, and musicians in Paris, he has tried his hand at many diverse modes of expression, with the very definite and conscious purpose of producing an original art form. At one with, although not exactly of, the surrealists, he has contributed to the diffusion of their influence by introducing much of the result of their experiments into his poems, novels, plays, and films. His characteristics are virtuosity and versatility, and his most significant novel, subsequently made into play and film, is *Les Enfants terribles*, in which he treats the problem of dream and reality.

COLETTE

18. Ma mère et les bêtes

Une série de bruits brutaux, le train, les fiacres, les omnibus, c'est tout ce que relate ma mémoire, d'un bref passage à Paris quand j'avais six ans. Cinq ans plus tard, je ne retrouve d'une semaine parisienne qu'un souvenir de chaleur sèche, de soif haletante, de fiévreuse fatigue, et de puces dans une chambre d'hôtel, rue Saint-Roch. Je me souviens aussi que je levais constamment la tête, vaguement opprimée par la hauteur des maisons, et qu'un photographe me conquit en me nommant, comme il nommait, je pense, tous les enfants, 'merveille.' Cinq années provinciales s'écoulent encore, et je ne pense guère à Paris.

Mais à seize ans, revenant en Puisaye après une quinzaine de théâtres, de musées, de magasins, je rapporte, parmi des souvenirs de coquetterie, de gourmandise, mêlé à des regrets, à des espoirs, à des mépris aussi fougueux, aussi candides et dégingandés que moi-même, l'étonnement, l'aversion mélancolique de ce que je nommais les maisons sans bêtes. Ces cubes sans jardins, ces logis sans fleurs où nul chat ne miaule derrière la porte de la salle à manger, où l'on n'écrase pas, devant la cheminée, un coin du chien traînant comme un tapis, ces appartements privés d'esprits familiers, où la main, en quête de cordiale caresse, se heurte au marbre, au bois, au velours inanimés, je les quittai avec des sens affamés, le besoin véhément de toucher, vivantes, des toisons ou des feuilles, des plumes tièdes, l'émouvante humidité des fleurs. . . .

Comme si je les découvrais ensemble, je saluai, inséparables, ma mère, le jardin et la ronde des bêtes. L'heure de mon retour était justement celle de l'arrosage, et je chéris encore cette sixième heure du soir, l'arrosoir vert qui mouillait la robe de satinette bleue, la vigoureuse odeur de l'humus, la lumière déclinante qui s'attachait, rose, à la page blanche d'un livre oublié, aux blanches corolles du tabac blanc, aux taches blanches de la chatte dans une corbeille.

Nonoche aux trois couleurs avait enfanté l'avant-veille, Bijou, sa fille, la nuit d'après; quant à Musette, la havanaise, intarissable en bâtards . . .

— Va voir, Minet-Chéri, le nourrisson de Musette!

Je m'en fus à la cuisine où Musette nourrissait, en effet, un monstre à robe cendrée, presque aussi gros qu'elle, un fils de

chien de chasse qui tirait comme un veau sur les tétines délicates, d'un rose de fraise dans le poil d'argent et foulait
rythmiquement, de ses pattes onglées, un ventre soyeux qu'il
eût déchiré, si . . . si ma mère n'eût taillé et cousu pour lui, dans
une ancienne paire de gants blancs, des mitaines de daim qui
lui montaient jusqu'au coude. Je n'ai jamais vu un chiot de
dix jours ressembler autant à un gendarme.

Que de trésors éclos en mon absence! Je courus à la grande
corbeille débordante de chats indistincts. Cette oreille orange
était de Nonoche. Mais à qui ce panache de queue noire,
angora? A la seule Bijou, sa fille, intolérante comme une
jolie femme. Une longue patte sèche et fine, comme une patte
de lapin noir, menaçait le ciel; un tout petit chat tavelé comme
une genette et qui dormait, repu, le ventre en l'air sur ce
désordre, avait l'air assassiné. Je démêlais, heureuse, ces
nourrices et ces nourrissons bien léchés, qui fleuraient le foin et
le lait frais, la fourrure soignée, et je découvrais que Bijou, en
trois ans quatre fois mère, qui portait à ses mamelles un
chapelet de nouveau-nés, suçait elle-même, avec un bruit
maladroit de sa langue trop large et un ronron de feu de
cheminée, le lait de la vieille Nonoche inerte d'aise, une patte
sur les yeux.

L'oreille penchée, j'écoutais, celui-ci grave, celui-là argentin,
le double ronron, mystérieux privilège de félin, rumeur d'usine
lointaine, bourdonnement de coléoptère prisonnier, moulin
délicat dont le sommeil profond arrête la meule. Je n'étais
pas surprise de cette chaîne de chattes s'allaitant l'une à l'autre.
A qui vit aux champs et se sert de ses yeux, tout devient
miraculeux et simple. Il y a beau temps que nous trouvions
naturel qu'une lice nourrît un jeune chat, qu'une chatte choisît,
pour dormir, le dessus de la cage où chantaient des serins verts,
confiants et qui, parfois, tiraient du bec, au profit de leur nid,
quelques poils soyeux de la dormeuse.

Une année de mon enfance se dévoua à capturer, dans la cuisine
ou dans l'écurie à la vache, les rares mouches d'hiver, pour la
pâture de deux hirondelles, couvée d'octobre jetée bas par le

vent. Ne fallait-il pas sauver ces insatiables au bec large, qui dédaignaient toute proie morte? C'est grâce à elles que je sais combien l'hirondelle apprivoisée passe, en sociabilité insolente, le chien le plus gâté. Les deux nôtres vivaient perchées sur l'épaule, sur la tête, nichées dans la corbeille à ouvrage, courant sous la table comme des poules et piquant du bec le chien interloqué, piaillant au nez du chat qui perdait contenance. Elles venaient à l'école au fond de ma poche, et retournaient à la maison par les airs. Quand la faux luisante de leurs ailes grandit et s'affûta, elles disparurent à toute heure dans le haut du ciel printanier, mais un seul appel aigu: 'Petî-î-î-tes'! les rabattait fendant le vent comme deux flèches, et elles atterrissaient dans mes cheveux, cramponnées de toutes leurs serres courbes, couleur d'acier noir.

Que tout était féerique et simple, parmi cette faune de la maison natale. . . . Vous ne pensiez pas qu'un chat mangeât des fraises? Mais je sais bien, pour l'avoir vu tant de fois, que ce Satan noir, Babou, interminable et sinueux comme une anguille, choisissait en gourmet, dans le potager de Mme Pomié, les plus mûres des 'caprons blancs' et des 'belles-de-juin.' C'est le même qui respirait, poétique, absorbé, des violettes épanouies. On vous a conté que l'araignée de Pellisson fut mélomane? Ce n'est pas moi qui m'en ébahirai. Mais je verserai ma mince contribution au trésor des connaissances humaines, en mentionnant l'araignée que ma mère avait — comme disait papa — dans son plafond, cette même année qui fêta mon seizième printemps. Une belle araignée des jardins, ma foi, le ventre en gousse d'ail, barré d'une croix historiée. Elle dormait ou chassait, le jour, sur sa toile tendue au plafond de la chambre à coucher. La nuit, vers trois heures, au moment où l'insomnie quotidienne rallumait la lampe, rouvrait le livre au chevet de ma mère, la grosse araignée s'éveillait aussi, prenait ses mesures d'arpenteur et quittait le plafond au bout d'un fil, droit au-dessus de la veilleuse à huile où tiédissait toute la nuit, un bol de chocolat. Elle descendait, lente, balancée mollement comme une grosse perle, empoignait de ses huit pattes le bord de la tasse, se penchait tête premiére, et buvait jusqu'à satiété. Puis elle remontait, lourde de chocolat crémeux, avec les haltes, les méditations qu'impose un ventre trop chargé, et reprenait sa place au centre de son gréement de soie. . . .

Couverte encore d'un manteau de voyage, je rêvais lasse, enchantée, reconquise, au milieu de mon royaume.

— Où est ton araignée, maman?

Les yeux gris de ma mère, agrandis par les lunettes, s'attristèrent:

— Tu reviens de Paris pour me demander des nouvelles de l'araignée, ingrate fille?

Je baissai le nez, maladroite à aimer, honteuse de ce que j'avais de plus pur.

— Je pensais quelquefois, la nuit, à l'heure de l'araignée, quand je ne dormais pas . . .

— Minet-Chéri, tu ne dormais pas? on t'avait donc mal couchée? . . . L'araignée est dans sa toile, je suppose. Mais viens voir si ma chenille est endormie. Je crois bien qu'elle va devenir chrysalide, je lui ai mis une petite caisse de sable sec. Une chenille de paon-de-nuit, qu'un oiseau avait dû blesser au ventre, mais elle est guérie. . . .

La chenille dormait peut-être, moulée selon la courbe d'une branche de lyciet. Son ravage, autour d'elle, attestait sa force. Il n'y avait que lambeaux de feuilles, pédoncules rongés, surgeons dénudés. Dodue, grosse comme un pouce, longue de plus d'un décimètre, elle gonflait ses bourrelets d'un vert de chou, cloutés de turquoises saillantes et poilues. Je la détachai doucement et elle se tordit, coléreuse, montrant son ventre plus clair et toutes ses petites pattes griffues, qui se collèrent comme des ventouses à la branche où je la reposai.

— Maman, elle a tout dévoré!

Les yeux gris, derrière les lunettes, allaient du lyciet tondu à la chenille, de la chenille à moi, perplexes:

— Eh, qu'est-ce que j'y peux faire? D'ailleurs, le lyciet qu'elle mange, tu sais, c'est lui qui étouffe le chèvrefeuille . . .

— Mais la chenille mangera aussi le chèvrefeuille . . .

— Je ne sais pas. . . .   Mais que veux-tu que j'y fasse?   Je ne peux pourtant pas la tuer, cette bête. . . .

Tout est encore devant mes yeux, le jardin aux murs chauds, les dernières cerises sombres pendues à l'arbre, le ciel palmé de longues nuées roses, — tout est sous mes doigts: révolte vigoureuse de la chenille, cuir épais et mouillé des feuilles d'hortensia, — et la petite main durcie de ma mère. Le vent, si je le souhaite, froisse le raide papier du faux-bambou et chante, en mille ruisseaux d'air divisés par les peignes de l'if, pour accompagner dignement la voix qui a dit ce jour-là, et tous les autres jours jusqu'au silence de la fin, des paroles qui se ressemblaient:

— Il faut soigner cet enfant. . . .   Ne peut-on sauver cette femme?   Est-ce que ces gens ont à manger chez eux?   Je ne peux pourtant pas tuer cette bête. . . .

La Maison de Claudine.

J. Ferenczi et Fils, 1922.

SIDONIE-GABRIELLE COLETTE (*b.* 1873). Above all a sensual writer, she is at her best when, with deep sensitiveness, tenderness, and pleasure, she re-creates the animal world, and describes those most instinctive of beings.   Equally lacking in moralizing or intellectual preoccupations are her descriptions of the relationship between man and woman, in which the interest is focused on woman, whether the background be married life (*Claudine*), or the freer life of the music hall (*L'Envers du Music-Hall, La Vagabonde, L'Entrave*).   In their loosely knit structure and impressionistic style, which seem to follow the modulations of the author's reminiscences, Colette's works are more akin to the *biographie romancée* than to the rigidly constructed novel.

JEAN-LOUIS CURTIS

19. *Un dimanche de fin décembre, 1943.*

— Asseyons-nous, dit Jacques. Mousseux ? Il n'est pas mauvais, il est fabriqué avec du vin de mes vignes.

Gérard s'assit. Il avait rencontré Jacques Costellot en se rendant à la kermesse. Jacques et lui n'étaient pas très intimes et se voyaient fort rarement. Jacques lui avait proposé de 'prendre un pot' à la kermesse. 'Toute ma famille y est au grand complet, avait-il ajouté, sur un ton de moquerie : même mon beau-père, asthmatique et rhumatisant, mais qui n'a pu résister à l'attrait du devoir : goinfrer au bénéfice des prisonniers.'

Gérard regardait Jacques Costellot avec un mélange d'admiration et de méfiance. Admiration, car le type avait de la classe. Méfiance, car c'était aussi un garçon qui savait manier avec dextérité des armes tranchantes et redoutables.

La conversation s'engagea, banale. Que faisait Gérard ? Toujours à Sainte-Croix ? C'était drôle, l'enseignement ? Gérard devrait essayer de partir aux Etats-Unis après la guerre. Il y aurait sûrement une forte demande de professeurs français dans les universités américaines. . . . Et la vie à Paris ? Morne, bien entendu. . . . Jacques y allait faire un bref séjour, tous les mois environ. . . . Paris était morne, en effet. . . . Ils parlèrent des pièces de théâtre. Rien de bien fameux, sur scène, à l'exception peut-être de l'*Antigone* d'Anouilh. . . . Encore que l'idéologie de l'œuvre ne séduisît guère Jacques Costellot : il n'était ni du côté de Créon ni du côté d'Antigone. Celle-ci se sacrifiait pour quoi, en définitive ? Ni par dévotion à son frère, ni par obéissance à Dieu, ni même par révolte pure et simple contre l'ordre établi, contre Créon. Elle se sacrifiait par dégoût sentimental du monde. C'était idiot. Le dégoût du monde, à condition de n'être pas sentimental, peut être un stimulant de vie plus haute.

— Il y a peut-être, **malgré** tout, des causes qui valent qu'on meure pour elles, dit Gérard, en manière de timide suggestion.

— Tu en connais? demanda Jacques.

— Je connais du moins un homme qui est prêt à mourir, s'il le faut, pour une certaine cause.' Il pensait à Pierre. 'Et je ne crois pas que cet homme soit une dupe ou un imbécile.'

— Alors, c'est qu'il ne croit pas véritablement à cette cause, dit Jacques. Il doit y avoir chez lui un simple excès de vie, ou encore un goût profond de la fraternité, ou bien l'amour du combat, du risque. Comme chez les aventuriers de Malraux, si tu veux. . . . Je peux comprendre ces sentiments-là. Même la fraternité, ajouta-t-il avec un petit sourire bizarre. C'est très peu dans ma ligne, mais il m'arrive parfois, exceptionnellement, de comprendre la fraternité. . . . Je suppose que c'est un sentiment plus qu'à demi physiologique; quelque chose comme l'euphorie qui suit un bon repas.

Jacques Costellot, fraternel? Gérard regardait le curieux masque aigu et souriant, la bouche méprisante, les yeux au regard froid. Il n'y avait pas un grand rayonnement de sympathie humaine dans ce visage trop discipliné, 'indéchiffrable.' . . . En quelle occasion Jacques avait-il pu se sentir fraternel?

— En somme, dit Gérard, tu ne crois pas en la valeur objective d'une cause quelconque?

— Non, dit Jacques. Et quelle que soit cette cause, le communisme théorique, l'ordre nouveau hitlérien ou la démocratie américaine avec Fords en série, juifs capitalistes, Ku-Klux-Klan, optimisme officiel, ligues de vertu et Hollywood. Naturellement, si j'avais le choix, j'opterais sans doute pour la démocratie américaine: on y est beaucoup plus confortable qu'avec les deux autres systèmes; c'est bon-enfant et facile . . . quand on a la chance de n'être ni chômeur ni nègre. Justement, j'ai cette chance. Vive donc la bannière étoilée!

— Des hommes meurent pour que tu jouisses un jour de ce confort et de cette facilité, dit Gérard.

— Oui, et c'est absurde, n'est-ce pas? Car il est certain que fort peu d'entre eux savent qu'ils meurent pour cela. Et il est certain que la grande masse n'a pas la moindre envie de mourir, pour ça ou pour autre chose, et qu'ils ne le font que contraints, les pauvres diables. . . . Il me tarde de voir les films américains que l'on projette en ce moment là-bas, continua-t-il en changeant de ton.

— Les films américains?

— Tu sais bien: Trois de la Marine, ou les Ailes Victorieuses ou quelque chose comme ça. L'anecdote patriotique fabriquée par les métèques de la Métro-Goldwyn-Mayer, avec jeunes aviateurs héroïques, infirmières à sex-appeal, et à la fin, la Star Spangled Banner flottant dans l'azur au son de la Marche de Sousa.

— Oui, je sais, dit Gérard. Nous aussi, nous avons fabriqué cette sorte de saleté. Et tu as bien vu des films allemands?

— Bien sûr. Et je lis *Signal* religieusement chaque semaine. Je te jure que le reportage du jeune S.S. en permission de détente dans son village, avec photos de la vieille maman, de la fiancée, de l'ami, ça valait le coup. *Signal* remplace avantageusement les meilleures publications comiques d'avant-guerre. . . . Non, que veux-tu? on ne peut plus nous la faire, aujourd'hui. Complètement coulés, le genre tricolore et les laïus sur la liberté ou la solidarité. On a compris. *long-winded speech*

— Tout cela est évident. Mais, lorsque, en fait, notre liberté est aliénée, de façon concrète, comme aujourd'hui, il faut bien essayer de la reprendre, je suppose. Devant l'urgence de la menace, il faut bien faire quelque chose. Ce n'est plus une question de fièvre patriotique, c'est affaire de vie ou de mort.

— En 39–40, j'ai fait ce qu'on m'a commandé de faire, dit Jacques. Je l'ai fait au mieux de mes aptitudes et des possibilités, non point du tout par enthousiasme ou même, sens du devoir, mais par simple . . . décence, si tu veux. Aujourd'hui, je suis en dehors de tout ça, je ne marche plus, tu comprends? . . . Si j'espérais quelque chose, j'espérerais la victoire alliée, pour les raisons que je t'ai dites. Mais j'accepte aussi l'éventualité de la victoire boche, avec tout ce que cela implique. Je suis prêt à n'importe quoi. L'acceptant pour

76

moi, il n'y a pas de raisons que je ne l'accepte aussi pour les autres. Dans ces conditions, je n'ai pas à bouger le petit doigt.

— Je comprends, dit Gérard. Si je ne te connaissais pas, je dirais que ton attitude est commode, parce que, en définitive, tu es sûr, aujourd'hui, de la victoire alliée. . . . Tu es sûr d'avoir, en fin de compte, ta liberté et ton confort. Tu serais un autre type, je dirais que tu es un lâche ou un cynique. Mais je te connais un peu.   Et je pense que tu es seulement . . . désespéré.

Jacques haussa les épaules, sourit.

— Il n'est pas nécessaire de donner un nom à toute chose, dit-il sèchement.

Il y a, pensait Gérard, il y a dans le monde des millions d'hommes qui, contraints ou pas, se battent et souffrent pour que ce monde devienne meilleur. Il y a aussi des millions d'hommes qui, installés dans une sécurité relative, attendent, en continuant à vivoter, que la guerre soit finie, que l'orage passe. Beaucoup de ces hommes pourraient faire quelque chose pour hâter la fin de la guerre, ou aider, dans la limite de leurs possibilités et de leurs forces, ceux qui travaillent à hâter la fin de la guerre. Mais ils ne font rien. Et quand l'orage sera passé, quand les Alliés auront ramené sur la terre une paix provisoire, ces hommes pousseront un soupir de soulagement. Ils diront : 'Enfin, c'est fini. Les démocraties ont gagné ; avec mon flair, je l'avais d'ailleurs prévu.' Ils assisteront aux défilés de la victoire, ils applaudiront les régiments glorieux. Puis, avec le retour progressif des anciennes habitudes, ils se poseront en citoyens conscients d'un pays qu'ils auront négligé de défendre, en partisans enflammés d'une liberté qu'ils auront laissé aux autres le soin de reconquérir. Ils prétendent jouir, au même titre que n'importe qui, des bienfaits d'une paix qu'ils n'auront achetée ni par leur sang ni par leur souffrance. Ils blâmeront avec amertume les faiblesses du gouvernement. Ils proclameront avec hauteur les droits imprescriptibles de la personne humaine, eux qui, pendant cinq ans, l'auront vue bafouée et torturée sans se donner la peine de 'lever le petit doigt.' Ils se seront tirés de tout : les tranchées, les camps, la Gestapo, les bombes, la misère, la faim. Mais la guerre finie, ils continueront à creuser dans la communauté humaine une place que les sacrifices et la mort des autres leur auront sauvegardée. Ils auront été les grands astucieux de la guerre. Ils en seront les vrais vainqueurs. Je ne veux rien avoir de commun avec eux.

Mais Jacques non plus n'était pas de ceux-là. Car eux attendaient tout. Lui n'attendait rien. Des milliers de Français, pouvant agir, libres d'agir, attendaient tout de la croisade alliée. Mais ils n'auraient pour rien au monde accepté de se joindre à la croisade et de risquer un millimètre de leur précieuse peau. Ils se contentaient de critiquer violemment les lenteurs de l'avance américaine, d'évoquer avec un rictus sardonique le 'mythe' du débarquement allié sur les côtes d'Europe. Jacques, lui aussi, refusait de rejoindre la croisade. Mais lui n'attendait rien. Il acceptait toute chose avec une froide égalité. Il ne pouvait se soustraire à une solidarité de fait qui liait son destin à celui du monde. Mais, par le mépris et l'indifférence, il se dégageait d'une solidarité morale, celle qui dicte des devoirs et confère des droits. Son attitude était cohérente et lucide. Elle le condamnait à la solitude.

Mais moi, se disait Gérard, je ne veux pas de la solitude. J'appartiens au monde. Je souhaite la paix. Je veux être un homme libre parmi des hommes libres. Eh bien, je ferai quelque chose pour mériter cette liberté. Je ne veux pas être le profiteur de la mort des autres.

Une exaltation secrète s'irradiait en lui. Rien ne le trahissait dans son visage. Il regarda Jacques Costellot. 'Demain, se dit-il, je le vaudrai.' Il allait travailler avec Pierre. Il ne reculerait devant aucune mission, aucun risque. Il n'avait plus besoin de personne pour lui donner la vie de l'âme. C'est lui-même, désormais, qui se tresserait ses propres couronnes.

Même si je ne suis pas sûr que les fins poursuivies soient parfaitement justes, pensait-il, je ferai quelque chose pour hâter l'avènement de ces fins. Il songeait à Pierre. Et aussi à Francis. Pierre, Francis. A côté d'eux, je ne suis rien. Pierre, Francis. . . . Il y a une grâce dans l'acte de servir. Il y a une vertu dans le sacrifice. Sans bien se rendre compte qu'il parlait sa pensée, il répéta la phrase à mi-voix : 'Il y a une vertu dans le sacrifice.'

Jacques sourit encore.

— Peut-être, en effet, dit-il. Mais je crains qu'on n'ait écrit beaucoup de littérature là-dessus.

Son sourire s'accentua.

— A propos de littérature, commença-t-il.

Gérard se sentir frémir. Tout son être se rétracta, dans l'attente du coup. Il devinait ce que Jacques allait dire. Jacques avait posé son menton sur ses mains, les coudes sur la table, et il dévisageait son ami, les yeux dangereusement pétillants.

— A propos de littérature, dit Jacques, je ne vois plus tes articles dans *La Gerbe* et autres publications. Tu as jugé préférable de t'abstenir, sans doute ? Il vaut mieux être prudent, tu as raison . . .

Gérard fit un effort immense pour demeurer impassible. Une chaleur montait le long de sa nuque vers ses oreilles. Non, je ne rougirai pas. Non, il ne me verra pas rougir. Maintenant, je sais pourquoi il m'a invité ici : c'était pour me poser cette question, m'humilier. Il se demande comment je vais me tirer de ce mauvais pas. Il s'attend à une protestation de patriotisme, une tentative passionnée de réhabilitation, une palinodie bégayante et furieuse, quelque chose comme : 'Moi, continuer de collaborer à ces torchons-là ? Jamais ! Ce sont des salauds, on m'a trompé, égaré, j'ai découvert ceci et cela. . . . Mais je me suis ressaisi !' C'est à cela qu'il s'attend. Afin de me mépriser davantage. Eh bien, pour une fois, le pauvre Gérard sera plus malin.

— Non, penses-tu, dit-il avec une douceur à peine exagérée, j'ai eu beaucoup de travail, beaucoup de corvées, récemment. C'est pourquoi je . . . Mais dès le début de janvier, je reprendrai mes chroniques à *La Gerbe*. C'est trop bien payé, tu comprends.

Jacques hocha la tête. Ses yeux plissées par une gaîté intérieure étaient pétillants. Il eut un petit rire silencieux, se leva, donna une tape amicale sur l'épaule de son camarade.

— Bien joué, Gérard! lança-t-il avec âpreté. Mon brave Gérard! continua-t-il d'un ton à la fois cordial et moqueur, tu te défends beaucoup mieux qu'autrefois. Tu as évolué depuis le collège. Mais je t'aime mieux ainsi. Allons faire un tour, veux-tu?

Les Forêts de la nuit.

Editions René Julliard, 1947.

JEAN-LOUIS CURTIS (*b.* 1917). Apart from periods of study at the Sorbonne and in England, Curtis has lived in the south-west of France; one of the outstanding figures of the younger generation of novelists, his most important novels to date are *Les Forêts de la nuit* (1947) and *Gibier de potence* (1949).

The liberation saw a spate of novels based on the experiences of the occupation, many of them, such as J.-L. Bory's *Mon village à l'heure allemande*, of considerable worth, others scarcely rising above the level of Resistance thrillers. Almost all these early post-occupation novels were, not unnaturally, inspired by the ideals which had animated the Resistance, but many of them fell victim to the crude sophism so ardently exploited by the propaganda services of the Gaullist organization and to some extent by the B.B.C., that all good Frenchmen were in the Resistance, and all Frenchmen not in the Resistance were not good Frenchmen. Curtis does not accept this unsubtle over-simplification, but, throughout his novel, shows how the material and moral problems posed by the presence of the Germans had many and complex repercussions on a number of widely diversified individuals, whose characters he succeeds in throwing into sharp relief.

p. 76. *Signal*, German propaganda weekly published by the occupation authorities in France (and other European countries).

p. 79. *La Gerbe*, literary review published in Paris under German licence during the occupation.

ROLAND DORGELÈS

20. La Butte de Montmartre, 1913

On ne rencontrait plus guère que là ces artistes à l'ancienne
mode qui coiffaient leurs maîtresses en bandeaux, accrochaient
le masque de Beethoven au-dessus de leur divan-lit et déco-
raient leur atelier avec des chardons. Ces dames portaient de
gros bijoux d'étain et des robes de velours. Eux des dolmans
noirs et des feutres cabossés. La nuit, ils traversaient Paris
en troupe pour aller voir la lune se lever sur Notre-Dame, et,
le dimanche, on s'écrasait aux petites places de chez Colonne
pour acclamer *la Neuvième* ou *la Damnation*. L'Art avec un
grand A. Peut-être un peu naïfs. Mais tellement convaincus!

On préférait se priver de tout, mais ne pas abdiquer. Prendre
un métier? Jamais.

Il est vrai qu'avec les repas à vingt-trois sous et des loyers de
cent cinquante francs, il ne fallait pas tellement. On place
des dessins, on vend un portrait, on propose un conte. Si on
peut, on fait des dettes, s'il faut on ne mange pas. Autant de
souvenirs pour plus tard, quand on sera arrivé. Car c'était là,
le secret de leur force, leur richesse ignorée: ils espéraient.
Peintres, musiciens, poètes, tous se croyaient appelés à boule-
verser le monde. La confiance fermentait en eux comme le
vin dans les tonnes. Ils ne désiraient même pas; ils étaient
sûrs d'atteindre.

Les gens arrivés les rebutaient, les éditeurs fermaient leurs
portes, les marchands de tableaux leur riaient au nez. Tant
pis! Ils s'admireraient l'un l'autre.

— Toi, tu seras le grand peintre.

— Toi, le grand poète.

— Ils te supplieront à quatre pattes!

— Tu les chasseras de l'Académie!

Quel imbécile a prétendu qu'on ne vit pas d'espoir? Sans ce
laurier à mâcher, ils seraient tous morts de faim.

Silencieux dans son coin, Gérard prenait sa part du festin

chimérique. 'Moi aussi, j'arriverai!' Ses vers lui brûlaient les lèvres, le désir de se faire connaître, de les étonner. Mais sa timidité le retenait encore, ou peut-être son orgueil, la peur d'être raillé, et, les poings sur la bouche, les yeux dilatés, il écoutait les autres.

On récitait pêle-mêle du Villon et du Verlaine, du Baudelaire et du Laforgue, et quand Barbenfeu réclamait du Leconte de Lisle, le grelottant Hubert, pour lui faire plaisir, se mettait au piano, sans quitter ses mitaines ni sa toque de fourrure, et improvisait un accompagnement. Dans ses jours graves, le peintre préférait la lecture, et juché sur un escabeau, il psalmodiait *l'Ecclésiaste* en battant la mesure avec sa pipe.

Après, on discutait, sans but ni raison, par besoin de se prodiguer. Religion, musique, état social, bal des Quat'z'arts, tout était bon, même la fameuse hiérarchie de Barbenfeu, sans cesse remise sur le tapis, pour savoir si les sorciers seraient assimilés aux prêtres et si les terreurs de Barbès seraient admises dans la caste des guerriers. Ils y apportaient plus de feu que de lumières, mais ils parlaient si vite qu'on ne le remarquait pas.

Elie Grinberg, théoricien d'art et cabaliste, qui possédait des formules magiques aussi bien contre les saignements de nez que contre les chagrins d'amour, les excitait encore, contredisant avant d'avoir compris et lançant des répliques qu'on ne savait par quel bout ramasser.

— *Nin! Nin!* démentait-il. J'attends le peintre aveugle: il sera forcé de créer!

Ou bien à un poète qui déclamait les yeux au ciel:

— Moins de métrique et plus de génie. Lâche les mots, ils s'envoleront.

Ses rires étaient plus outrageants que des paires de claques, et il débrouillait ses idées en vous agitant sous les yeux des mains agiles d'escamoteur qui donnaient le vertige.

— Je dis *nin!* Je dis *nin!* Tout Descartes pour une voiturée de foin. . . . Il faut fuir la raison. La lumière est dans le puits.

Le temps de trouver une riposte, il était déjà loin, à parler d'autre chose.   Avec lui, le blanc devenait noir et il prouvait que le soleil brillait la nuit.   Les peintres surtout le redoutaient. Quand ils l'apercevaient au coin de la rue de l'Abreuvoir, rendez-vous préféré des paysagistes, ils pliaient leur bagage et filaient au plus court.   Mais une fois dans l'atelier, on était bien forcé de rester.

— Pourquoi des formes? . . .   Y en a-t-il dans un coucher de soleil?   Et des lignes. . . .   As-tu vu des lignes sur un œuf? Alors, peins ce que tu ne vois pas: peins la chaleur, peins le vent.

Au bout d'un quart d'heure de ces sophismes décourageants, le plus résolu décidait d'entrer dans le commerce.   Moulinier seul osait parfois lui tenir tête en se retranchant derrière des noms célèbres:

— Et Chardin?   Et Cézanne?

— Les fameuses pommes?   Ça ne se peint pas, ça se mange. . . .

— J'observe la nature!

— *Nin!*   Tu copies de la viande, tu contrefais de la vaisselle, tu mets ta signature sous des bottes de radis.   Voilà ce que tu appelles peindre.   Une œuvre d'art ne doit pas se lire comme une image de calendrier.   Dès que tu comprends, c'est moins bien.   La vérité me gêne, les formes aussi.   Les reflets sur l'eau n'ont pas de contour.

L'autre grand diable écoutait cela comme du latin, incapable de rien réfuter; alors, pour avoir le dernier mot quand même, il se mettait à beugler le *Père Dupanloup* ou bien jouait du clairon en soufflant dans son pouce.   C'est ce qu'il appelait 'avoir le Mage à la fatigue.'   Par exemple, une fois le tumulte déchaîné, il n'était plus question de revenir au calme et de réciter des vers: le délire les gagnait, comme chez les derviches; ils braillaient, ils chantaient, ils sautaient. ● Barbenfeu, pour épater les filles, jonglait avec un poids de cinq kilos qu'il ratait à tout coup, et le tailleur du dessous avait beau cogner au plafond avec son balai toujours prêt, cela ne faisait que les échauffer.

— Quoi, un pique-pou voudrait nous imposer silence?

83

s'emportait Barbenfeu. Je te dompterai, croquant! Je t'enfoncerai tes aiguilles dans les yeux. Je te mangerai le foie. Taïaut! Taïaut!

Les cris tournaient à la huée, le tapage à l'explosion. Sur le buffet de la loge, les assiettes entraient en danse et la concierge savait ainsi que la fête battait son plein.

— Toujours à la même heure, c'est réglé comme les vêpres, constatait-elle paisiblement.

Et si le locataire du troisième descendait se plaindre:

— Que voulez-vous, ils sont jeunes, le sang les travaille. Et puis, des artistes, ça ne vit pas comme tout le monde.

Les jeudis surtout étaient bruyants. Ce jour-là, le peintre laissait sa porte ouverte, la fenêtre aussi, et son atelier était envahi par une bande de bons à rien qui passaient le meilleur de leur temps à palabrer dans les allées du Luxembourg en s'empruntant mutuellement du tabac. A trois heures, toutes les chaises étaient occupées et le divan partait complet comme un autobus. Comme Barbenfeu avait le don d'exprimer les choses les plus usuelles dans un style insoluble qui défiait l'entendement, ces innocents à lavallière l'écoutaient avec déférence analyser le Pentateuque ou commenter Zarathoustra. Heureusement cette attitude de dévotion ne leur était pas imposée longtemps. Il suffisait que quelqu'un questionnât Barbenfeu sur ses projets pour que la foudre éclatât.

— Je décorerai les Invalides, vous entendez. Jusqu'au dôme. Ou bien je crèverai!

Pourquoi voulait-il décorer de préférence ce monument militaire, nul ne l'a jamais su et rien ne prouve qu'il y tenait vraiment, mais il le proclamait avec une telle véhémence que la première fois au moins, on en restait saisi. Le feu lui jaillissait de partout, par les prunelles, par les narines, par la bouche, il défiait le monde entier, mêlant à ses divagations des menaces d'Ezéchiel, et ceux qui avaient l'habitude parvenaient seuls à comprendre dans ce flux d'imprécations qu'il revendiquait pour les artistes, la direction de l'Etat, les honneurs de la pairie et le droit d'entrer à cheval dans les musées.

Examinés à froid, ces projets pouvaient paraître superficiels, mais les recrues du jeudi n'y regardaient pas de si près. Le principal était de beugler.

— Je serai célèbre! écumait Barbenfeu, comme pris du haut-mal, en envoyant rouler sa pipe.

Ils le soutenaient de leurs clameurs:

— Oui, tu seras célèbre!

— Tu l'es déjà!

Ils croyaient d'autant plus au génie de leur hôte qu'il ne leur avait jamais montré un seul de ses tableaux. Il se contentait de les leur décrire.

— Ici, les chevaliers, expliquait-il en dessinant, à grands traits dans l'espace. Leurs casques, leurs armures d'argent. Au premier plan, les eaux écument sur le rocher. . . . Derrière, des arbres qui s'écartèlent sur un ciel de tempête. Et elles, *elles*, vous les voyez? Sur leurs chevaux cabrés, tordant des crinières de sang!

Il y apportait une telle frénésie, qu'on finissait, sans lanterne magique, par découvrir le Walhalla et les Walkyries, 'le soleil, ses rayons et toute sa gloire' et le dindon lui-même n'aurait plus osé dire qu'il ne distinguait pas très bien. Mais à force de raconter ses œuvres, Barbenfeu perdait le goût de les entreprendre et quand ses intimes étaient admis à juger le fruit de ses efforts, ils demeuraient pantois devant d'immenses toiles blanches où surgissaient, de-ci, de-là, des moitiés de personnages, des fragments d'arbres et des tronçons de chevaux. Le reste était peint sur la fumée. . . .

Le Château des brouillards.

Editions Albin Michel, 1932.

RAYMOND DORGELÈS (*b.* 1886). Novelist and journalist who early made Paris, and more particularly Montmartre, his home. His *Croix de bois* (1919), a sober and human account of the war as it came to the common man, marked him as one of the outstanding of the writers of the 1914 generation. His writings are often centred round the Bohemian life of the painters, writers, and musicians of Montmartre; indeed *Le Château des brouillards*, the scene of which is set in Montmartre in the months leading up to

31st July 1914, is dedicated to the memory of those of their number who fell in the First World War.

p. 81. *chez Colonne*, Paris musical society founded by Colonne which gives weekly public concerts.

p. 81. *la Neuvième*=la neuvième symphonie de Beethoven.

p. 81. *la Damnation*=*la Damnation de Faust*, de Berlioz.

p. 82. *Quat'z'arts*, popular and traditional form of the four arts taught at the Ecole des Beaux Arts.

GEORGES DUHAMEL

21. Le dilemme de Salavin

10 Mars. — Je n'aurais point imaginé qu'il fût si rare de rencontrer dans les rues de Paris une personne pliant sous une lourde charge. J'ai cherché, de tous mes yeux, cherché bien en vain. Rue d'Assas, un fort de la Halle déchargeait des sacs; mais ça, c'est son métier. Rue de Rennes, un vieux monsieur marchait, devant moi, portant un paquet qui ne pesait sûrement pas plus de huit ou de dix kilos. Alors? Enfin, rue de Sèvres, une jeune blanchisseuse . . . Je ne veux pourtant pas qu'on se trompe sur mes intentions. Tant pis! Tant pis!

Il ne faut pas se presser. Si l'on regarde les textes de près, beaucoup de saints n'ont pas fait grand'chose.

Je viens de lâcher le mot, le fameux mot. A quoi bon me cacher? Ma mère et Marguerite me connaissent assez ombrageux; il n'y a nulle raison pour qu'elles viennent fouiller dans mon tiroir. Liraient-elles ce cahier, que la lettre S. leur indiquerait assez que je cache quelque chose. Et qu'iraient-elles inventer? Tant de mots commencent par un S. C'est donc fini. Je n'aurais jamais dû recourir à ces dangereuses précautions.

Un moment, j'avais pensé que, pour éluder ces difficultés, il serait préférable de ne pas prononcer le mot de 'saint.' Autant renoncer à ce journal. Il est même indispensable de prononcer souvent le mot pour ne pas perdre la chose de vue.

Je disais que beaucoup de saints ont obtenu le titre à peu de frais. Certains se sont contentés de diriger une abbaye, d'autres d'écrire de vagues ouvrages que tout le monde ignore. Je sais bien qu'il ne faut pas viser au minimum, en cette matière, et chercher ses modèles dans la médiocrité.

Ce qui me paraît évident, c'est, chez la plupart des saints, un prodigieux dégoût du siècle. Ils pleurent abondamment et ne rêvent que de se retirer dans la solitude. Les saints, en général, sont des misanthropes; sous ce jour, je me sens déjà de taille à leur rendre des points. Ma situation n'en est pas moins exceptionnelle. Qu'ai-je à gagner dans la solitude, puisque je n'ai pas la foi? J'y pourrais, à la rigueur, devenir un sage, point un saint. Or mon parti est pris, bien pris. Plus à y revenir.

J'ai, ces derniers mois, eu quelques entretiens avec M. Amigorena, le sous-chef comptable. C'est un catholique fini, très ferré sur la doctrine, avec une pointe d'intolérance. Je n'ai, bien entendu, pas fait à mon projet l'ombre d'une allusion. Une habile petite enquête. Pour M. Amigorena, cela va sans dire, hors de l'Eglise, point de saints. Ça m'est bien égal. Mon désir de perfectionnement est sincère, je le jure. Je consens, si je réussis, à être considéré comme un amateur. L'histoire démontre que l'amateur tombe souvent le professionnel. A preuve Pasteur, qui n'était même pas médecin et qui les a tous matés.

Je viens de constater que les chances d'accomplir des actions vertueuses sont, au total, assez rares et qu'il faut surtout beaucoup de présence d'esprit pour les saisir à point nommé. C'est sans doute pourquoi la plupart des saints officiels, pour se tenir en haleine, se livrent à toutes sortes de pratiques, quelque chose comme l'entraînement des athlètes entre les épreuves. Les saints couchent sur la dure, portent le cilice, boivent de l'eau, mangent peu, s'exposent au froid, veillent, s'infligent de cruelles fatigues. Certains même se donnent la discipline, d'autres marchent nu-pieds sur les cailloux et les épines. Longtemps, j'ai considéré ces manèges comme extravagants, et, pour le moins, superflus. Je reviens aujourd'hui sur mon sentiment. Je vois là quelque chose à tirer au clair. Pour que cette méthode soit répandue, il faut qu'elle ait des avantages. Châtier son corps est une excellente préparation; en outre, cela donne quelque chose à faire en attendant les événements. Le pis est de ne rien faire du tout. La fortune vient parfois à qui dort, sûrement pas la sainteté.

13 Mars. — Je creuse le sujet. Il en vaut la peine. Les austérités et les macérations semblent avoir une influence excellente sur la santé. En général les saints vont très vieux, quand, bien entendu, leur carrière n'est pas interrompue par le martyre. Saint Philippe de Néri n'a pas vécu moins de quatre-vingts ans, saint Guillaume, quatre-vingt-dix-huit, saint Pierre Célestin, quatre-vingt-un, le fameux saint Vincent de Paul, quatre-vingt-quatre, saint Alphonse de Liguori plus de quatre-vingt-dix. Il en faudrait citer une foule d'autres: saint Raymond de Pegnafort est mort à quatre-vingt-dix-neuf ans et saint Antoine le Grand, malgré ses tentations, à cent cinq. Ce n'est pas rien.

J'ai cherché, je cherche encore ce qui, dans tous ces systèmes de mortification, serait applicable à mon cas. Je prends ce nouveau parti librement, en toute connaissance de cause. On ne peut devenir un saint dans le confort et la mollesse. Je doute même qu'on y puisse rester un brave homme. On se fait à la douceur, on doit alors l'accroître et la compliquer sans cesse. A quel prix? Inutile de chercher un état moyen. L'homme, même honorable, songe: 'Toujours plus de bien-être.' Et le saint: 'De moins en moins.'

Reste à trouver la règle. C'est incroyablement compliqué.

Il n'y a pas lieu de soulever la question du cilice. Coutume barbare et d'ailleurs antique. On fabriquait, paraît-il, les cilices en Cilicie, avec du poil de chèvre. Je ne crois même pas que l'on puisse trouver de tels articles dans le commerce. Je ne vois pas un client demander un cilice au Louvre ou au bazar de l'Hôtel-de-Ville.

Je crois pourtant à l'action de tels objets et je sais quel mérite il y a, pour une personne tant soit peu nerveuse, à porter un vêtement incommode. Pour moi, la laine, la simple laine, a les propriétés d'un cilice. Le contact direct de la laine et de la peau me procure une irritation douloureuse. J'en viens à concevoir les vrais végétariens et leur aversion pour la chose animale.

Il suffirait donc, pour me mortifier, d'adopter les sous-vêtements de laine.

Autre embarras. Si je porte de la laine, je ne peux plus m'exposer au froid et le mépris du froid est le rudiment de la doctrine.

Tout pesé, c'est le froid que je choisis. Ce n'est d'ailleurs pas aussi simple qu'on pourrait le croire: mon état d'employé comporte des servitudes. Je ne peux renoncer au gilet: j'aurais l'air débraillé. Restent le foulard et le pardessus. Je les supprime à partir de demain. Si tout va bien, cette mesure entraîne des avantages économiques. Il y en a d'autres: l'endurcissement, qui est si souhaitable. M. Magnin, ce vieil instituteur que nous avons connu jadis, sortait en veston, quelles que fussent l'heure et la saison. Il ne s'enrhumait guère. Adopté!

Boire de l'eau n'est pas une privation pour moi, car j'ai mal à l'estomac. C'est boire du vin qui m'est pénible. Je ne vais pourtant pas me mettre au vin par esprit de sacrifice. Ce que je peux faire, c'est supprimer un repas. Adopté! Je supprime le repas du soir. Je n'en dormirai que mieux, quand je dormirai, puisque j'entends aussi multiplier les veilles.

Je m'imposerais bien volontiers de cruelles fatigues. A quelle heure? Je suis pris tout le jour et mes heures du soir sont consacrées soit à ce journal, soit à la méditation, qui a bien son prix. Il faut du temps, beaucoup de temps pour se livrer à toutes ces pratiques. J'en arrive à croire que les saints n'ont, le plus souvent, pas grand'chose à faire. Je ne vis pas, hélas! dans la paix du couvent. Je suis la proie d'un monde tyrannique à qui je dois chaque jour des comptes.

Tout le reste, pour l'instant, me dégoûte, ou me révolte: les promenades sur les épines, les coups de discipline et autres fantaisies démentes. J'ai d'ailleurs entendu dire que certains débauchés se font fouetter pour le plaisir. Alors?

A retenir l'abstinence et le mépris du froid.

15 Mars. — Nous avons de nouveaux voisins, un couple d'anciens boutiquiers de la rue Saint-Médard. Ils ont passé leur vie dans une caverne où le soleil ne pouvait parvenir, même au fort de l'été. Ils ont mis quatre sous de côté, juste assez pour mourir, et ils sont venus s'échouer dans le logement qui touche au nôtre. Deux pièces, une cuisine. Le soleil dès dix heures du matin, car nous sommes au quatrième étage. Quand la femme, qui est obèse et catarrheuse, a vu le soleil entrer dans sa chambre, elle s'est mise à pleurer. Elle criait:

— Je ne pourrai pas. Je ne pourrai jamais m'y faire.

Et comme on la consolait, elle a dit encore:

— Je n'ai pas l'habitude, ça me fait honte.

Le type est sombre, peu bavard. Il paraît qu'il s'enivre à mort, deux fois par mois, avec exactitude.

20 Mars. — Je suis au lit, depuis quatre jours. Voici le premier résultat de mes privations: foulard et pardessus. Le jeûne du soir n'y est sans doute pas pour rien, car je me sens très affaibli. Il s'agit d'un point pleurétique. Fâcheux. Le médecin est venu trois fois. Il doit revenir. Il prend très cher. Quoi que l'on fasse, la question d'argent se pose et repose sans cesse. C'est à croire que seul un millionnaire peut prétendre à la sainteté.

Ce n'est quand même pas ce problème accessoire qui me retient, depuis que je suis malade. Un autre plus grave.

Je ne crois pas à la vie future. C'est terrible, mais c'est ainsi. Je n'ai donc aucun espoir de poursuivre ma carrière dans le ciel. C'est sur terre qu'est mon but. Si je meurs, me voici bien avancé. Je dois vivre. Pour devenir un saint, il me faut, de toute nécessité, vivre. J'ai beau retourner la question, je ne sors pas de là. Or les pratiques de macération ne conduisent pas toujours à la vieillesse; elles sont parfois dangereuses. Beaucoup de saints sont morts à la fleur de l'âge, sans que le martyre soit intervenu. Saint Casimir, par exemple, et sainte Euphrasie et sainte Elisabeth de Hongrie, et nombre d'autres.

La mort ne m'effraie que dans la mesure où elle m'empêcherait de parvenir à mes fins. J'abandonne, sans trop de regret, des pratiques dont je n'ai pas grand bien à tirer, dans ce cas particulier qui est le mien, et qui pourraient faire de moi un infirme à la charge de sa famille ou de la société. Si je tombe sérieusement malade, je ne serai plus en état de faire la moindre bonne action.

J'ai lu que saint Ambroise n'hésita point à vendre les vases sacrés de l'église pour racheter des captifs. Cet acte me plaît. Pourtant, en rachetant des captifs, saint Ambroise les privait d'une occasion de souffrir. De tout cœur, j'approuve saint Ambroise, cela va sans dire; mais je suis bien troublé.

Une petite victoire à noter, quand même; à la faveur de cette maladie, j'ai supprimé le tabac. C'est beaucoup plus dur que je ne l'avais cru tout d'abord. Je songe à d'autres exercices. Ne pourrai-je m'accoutumer à la douleur sans compromettre ma santé? Si! Je suis sur une piste et je cherche.

Jibé m'a rendu visite, hier matin. De me voir dans mon lit, des larmes lui sont venues. Brave garçon, malgré ses erreurs! Il se peut que ces mêmes erreurs lui aient ouvert le chemin de la vérité. Depuis l'affaire, il semble nager dans la béatitude. Il n'attend sans doute qu'une clarté, qu'un signe.

Si je réussis, je tâcherai d'entraîner Jibé, par mon exemple. Pourquoi Jibé ne serait-il pas mon disciple? Il m'aime et me respecte. La présence de trois ou quatre disciples doit favoriser grandement les choses, d'abord parce que l'on se trouve dans la nécessité de leur offrir un modèle irréprochable, ensuite parce qu'il doit être moins embarrassant de trouver des règles, somme toute de simplifier, quand il s'agit des autres. Je le crois, je me trompe peut-être.

Il est onze heures du soir. J'entends, à travers les cloisons, ronfler notre nouveau voisin. Il paraît que c'était le jour ... le jour de l'ivrognerie bi-mensuelle. Sa femme a rencontré Marguerite dans l'escalier et s'est plainte, amèrement, non du scandale, car le triste sire se tient assez bien, mais de la dépense. Elle a dit : 'Autrefois, il avait ça pour cent sous. Aujourd'hui, une cuite, c'est trente, trente-cinq francs. Ils devraient être plus raisonnables.' Alors Marguerite : 'Qui donc?' — 'Le bistro, dame, et le gouvernement.'

Ma mère semble affectée de ce voisinage. Ah! s'il pouvait m'être donné, quelque jour, d'aider ce misérable à lutter contre sa passion.

Le Journal de Salavin.

Mercure de France, 1927.

GEORGES DUHAMEL (*b.* 1884). His early training as a doctor has left Duhamel, one of the most eminent of contemporary French men of letters, with a keen power of observation which he has applied in particular to the problems of the society of the 1919–39 period. While his series of novels constituting the *Chronique des Pasquier* portrays the existence of a lower middle-class family, in the five novels of the *Salavin* series he becomes the satirist studying the struggles of a very ordinary being wrestling with the moral problems posed by our times.

ANDRÉ GIDE

22. *Le Journal d'Edouard*

1 novembre.

Il y a quinze jours . . . — j'ai eu tort de ne pas noter cela aussitôt. Ce n'est pas que le temps m'ait manqué, mais j'avais le cœur encore plein de Laura — ou plus exactement je voulais ne point distraire d'elle ma pensée; et puis je ne me plais à noter ici rien d'épisodique, de fortuit, et il ne me paraissait pas encore que ce que je vais raconter pût avoir une suite, ni comme l'on dit : tirer à conséquence; du moins, je me refusais à l'admettre et c'était pour me le prouver, en quelque sorte, que je m'abstenais d'en parler dans mon journal; mais je sens bien, et j'ai beau m'en défendre, que la figure d'Olivier aimante aujourd'hui mes pensées, qu'elle incline leur cours et que, sans tenir compte de lui, je ne pourrais ni tout à fait bien m'expliquer, ni tout à fait bien me comprendre.

' Je revenais au matin de chez Perrin, où j'allais surveiller le service de presse pour la réédition de mon vieux livre. Comme le temps était beau, je flânais le long des quais en attendant l'heure du déjeuner.

'Un peu avant d'arriver devant Vanier, je m'arrêtai près d'un étalage de livres d'occasion. Les livres ne m'intéressaient point tant qu'un jeune lycéen, de treize ans environ, qui fouillait les rayons en plein vent sous l'œil placide d'un surveillant assis sur une chaise de paille dans la porte de la boutique. Je feignais de contempler l'étalage, mais, du coin de l'œil, moi aussi je surveillais le petit. Il était vêtu d'un pardessus usé jusqu'à la corde et dont les manches trop courtes laissaient passer celles de la veste. La grande poche de côté restait bâillante, bien qu'on sentît qu'elle était vide; dans le coin l'étoffe avait cédé. Je pensai que ce pardessus avait déjà dû servir à plusieurs frères, et que ses frères et lui avaient l'habitude de mettre beaucoup trop de choses dans leurs poches. Je pensai que sa mère était bien négligente, ou bien occupée, pour n'avoir pas réparé cela. Mais, à ce moment, le petit s'étant un peu tourné, je vis que l'autre poche était toute reprisée, grossièrement, avec un gros solide fil noir. Aussitôt, j'entendis les admonestations maternelles: "Ne mets donc pas deux livres à la fois dans ta poche; tu vas ruiner ton pardessus. Ta poche est encore déchirée. La prochaine fois, je t'avertis que je n'y ferai pas de reprises. Regarde-moi de quoi tu as l'air!..." Toutes choses que me disait également ma pauvre mère, et dont je ne tenais pas compte non plus. Le pardessus, ouvert, laissait voir la veste, et mon regard fut attiré par une sorte de petite décoration, un bout de ruban, ou plutôt une rosette jaune qu'il portait à la boutonnière. Je note tout cela par discipline, et précisément parce que cela m'ennuie de le noter.

'A un certain moment, le surveillant fut appelé à l'intérieur de la boutique; il n'y resta qu'un instant, puis revint s'asseoir sur sa chaise; mais cet instant avait suffi pour permettre à l'enfant de glisser dans la poche de son manteau le livre qu'il tenait en main; puis, tout aussitôt, il se remit à fouiller les rayons, comme si de rien n'était. Pourtant il était inquiet; il releva la tête, remarqua mon regard et comprit que je l'avais vu. Du moins, il se dit que j'avais pu le voir; il n'en était sans doute pas bien sûr; mais, dans le doute, il perdit toute assurance, rougit et commença de se livrer à un petit manège, où il tâchait de se montrer tout à fait à son aise, mais qui marquait une gêne extrême. Je ne le quittais pas des yeux. Il sortit de la poche le livre dérobé; l'y renfonça; s'écarta de quelques pas; tira de l'intérieur de son veston un pauvre petit porte-feuille élimé, où il fit mine de chercher l'argent qu'il savait fort bien ne pas y être; fit une grimace significative, une moue de théâtre, à mon adresse évidemment, qui voulait dire: "Zut! je n'ai pas de quoi," avec cette petite nuance en surplus: "C'est curieux, je croyais avoir de quoi," tout cela un peu exagéré, un peu gros, comme un acteur qui a peur de ne pas se faire entendre. Puis enfin, je puis presque dire: sous la pression de mon regard, il se rapprocha de nouveau de l'étalage, sortit enfin le livre de sa poche et brusquement le remit à la place que d'abord il occupait. Ce fut fait si naturellement que le surveillant ne s'aperçut de rien. Puis l'enfant releva la tête de nouveau, espérant cette fois être quitte. Mais non; mon regard était toujours là; comme l'œil de Caïn; seulement, mon œil à moi souriait. Je voulais lui parler; j'attendais qu'il quittât la devanture pour l'aborder; mais il ne bougeait pas et restait en arrêt devant les livres, et je compris qu'il ne bougerait pas tant que je le fixerais ainsi. Alors, comme on fait à "quatre coins" pour inviter le gibier fictif à changer de gîte, je m'écartai de quelques pas, comme si j'en avais assez vu. Il partit de son côté; mais il n'eut pas plus tôt gagné le large que je le rejoignis.

'— Qu'est-ce que c'était que ce livre? lui demandai-je à brûle-pourpoint, en mettant toutefois dans le ton de ma voix et sur mon visage le plus d'aménité que je pus.

'Il me regarda bien en face et je sentis tomber sa méfiance. Il n'était peut-être pas beau, mais quel joli regard il avait! J'y voyais toute sorte de sentiments s'agiter comme des herbes au fond d'un ruisseau.

'— C'est un guide d'Algérie. Mais ça coûte trop cher. Je ne suis pas assez riche.

'— Combien?

'— Deux francs cinquante.

'— N'empêche que si tu n'avais pas vu que je te regardais, tu filais avec le livre dans ta poche.

'Le petit eut un mouvement de révolte et, se rebiffant, sur un ton très vulgaire:

'— Non, mais, des fois . . . que vous me prendriez pour un voleur? . . . — avec une conviction, à me faire douter de ce que j'avais vu. Je sentis que j'allais perdre prise si j'insistais. Je sortis trois pièces de ma poche:

'— Allons! va l'acheter. Je t'attends.

'Deux minutes plus tard, il ressortait de la boutique, feuilletant l'objet de sa convoitise. Je le lui pris des mains. C'était un vieux guide Joanne, de 71.

'— Qu'est-ce que tu veux faire avec ça? dis-je en le lui rendant. C'est trop vieux. Ça ne peut plus servir.

'Il protesta que si; que, du reste, les guides plus récents coûtaient beaucoup trop cher, et que "pour ce qu'il en ferait" les cartes de celui-ci pourraient tout aussi bien lui servir. Je ne cherche pas à transcrire ses propres paroles, car elles perdraient leur caractère, dépouillées de l'extraordinaire accent faubourien qu'il y mettait et qui m'amusait d'autant plus que ses phrases n'étaient pas sans élégance.

'Nécessaire d'abréger beaucoup cet épisode. La précision ne doit pas être obtenue par le détail du récit, mais bien, dans l'imagination du lecteur, par deux ou trois traits, exactement à la bonne place. Je crois du reste qu'il y aurait intérêt à faire raconter tout cela par l'enfant; son point de vue est plus significatif que le mien. Le petit est à la fois gêné et flatté de l'attention que je lui porte. Mais la pesée de mon regard

fausse un peu sa direction.   Une personnalité trop tendre et
inconsciente encore se défend et dérobe derrière une attitude.
Rien n'est plus difficile à observer que les êtres en formation.
Il faudrait pouvoir ne les regarder que de biais, de profil.

'Le petit déclara soudain que "ce qu'il aimait le mieux"
c'était "la géographie."   Je soupçonnai que derrière cet amour
se dissimulait un instinct de vagabondage.

'— Tu voudrais aller là-bas? lui demandai-je.

'— Parbleu! fit-il en haussant en peu les épaules.

'L'idée m'effleura qu'il n'était pas heureux auprès des siens.
Je lui demandai s'il vivait avec ses parents. — Oui. — Et s'il
ne se plaisait pas avec eux? — Il protesta mollement.   Il
paraissait quelque peu inquiet de s'être trop découvert tout à
l'heure.   Il ajouta:

'— Pourquoi est-ce que vous me demandez ça?

'— Pour rien, dis-je aussitôt; puis, touchant du bout du
doigt le ruban jaune de sa boutonnière:

'— Qu'est-ce que c'est que ça?

'— C'est un ruban; vous le voyez bien.

'Mes questions manifestement l'importunaient.   Il se tourna
brusquement vers moi, comme hostilement, et sur un ton
gouailleur et insolent, dont je ne l'aurais jamais cru capable et
qui proprement me décomposa:

'— Dites donc . . . ça vous arrive souvent de reluquer
les lycéens?

'Puis, tandis que je balbutiais confusément un semblant de
réponse, il ouvrit la serviette d'écolier qu'il portait sous son
bras, pour y glisser son emplette.   Là se trouvaient des livres
de classe et quelques cahiers recouverts uniformément de
papier bleu.   J'en pris un; c'était celui d'un cours d'histoire.
Le petit avait écrit, dessus, son nom en grosses lettres.   Mon
cœur bondit en y reconnaissant le nom de mon neveu:

'GEORGES MOLINIER.'

Les Faux-monnayeurs.

Librairie Gallimard, 1926.

André Gide (*b*. 1869). Since the first publication in 1897 of *Les Nourritures terrestres* Gide has been one of the dominating figures of the French literary scene. Although his writings range over the whole field of literary production and thought, few of them are in novel form. Of these, *Les Faux-monnayeurs* (1926) was the first of the few volumes which Gide himself has defined as such. In this it is generally acknowledged that the character of Edouard is a self-portrait.

Few writers have had such a wide and profound influence on their contemporaries as has Gide, an influence exercised in many fields and in many ways, but always as foreshadowed by Gide's own formula in *Les Nourritures terrestres*: 'assumer le plus d'humanité.'

An essentially Christian thinker, Gide's constant preoccupation is with the quest for the ultimate truth in human problems, a quest in which he displays ruthless sincerity and utter intellectual probity. He has been defined as 'un des écrivains les plus personnels, un des penseurs les plus libres, et un des meilleurs artistes de toute notre littérature.'

JEAN GIONO

23. *Aux champs*

Après dix heures de vent de nuit, c'est un jour tout neuf qui se lève ce matin. Les premiers rayons du soleil entrent dans un air vide; à peine envolés ils sont déjà sur les lointaines collines entre les genévriers et sur le thym. On dirait que ces terres se sont avancées depuis hier.

— On les toucherait avec la main, pense Gondran.

Le ciel est bleu d'un bord à l'autre. Le profil des herbes est net, et tous les verts sont perceptibles dans la tache verte des champs : sur une touffe de bourrache le vent a porté une feuille d'olivier ; la saladelle est plus claire que la chicorée, et, dans ce coin où l'on a épousseté les sacs de phosphate, des herbes charnues, presque noires, fusent comme les poils plus vivaces d'un grain de beauté. Au sommet des pins on compterait les aiguilles.

Il y a quelque chose d'étrange, aussi : le silence.

Hier encore, le ciel était l'arène du bruit ; des chars, des cavales aux sabots de fer y passaient dans un grondement de galop et des hennissements de colère.

Aujourd'hui, le silence. Le vent a dépassé la borne et court de l'autre côté de la terre.

Pas d'oiseaux.

Silence.

L'eau, elle-même, ne chante pas ; en écoutant bien, on entend quand même son pas furtif : elle glisse doucement, du pré à la venelle sur la pointe de ses petits pieds blancs.

Gondran regarde l'aube neuve et prépare le carnier. Il va fouir son olivaie, là-bas, à la 'Font de Garin' au fond des terres. C'est loin. C'est tout là-bas, derrière les trois collines couchées en travers du val et qui ne se dérangent pas, et qu'il faut contourner en leur passant sur le ventre.

Il porte son dîner : une tomme toute fraîche dans sa guangue d'aromates, six gousses d'ail, une topette d'huile bouchée par un morceau de papier, du sel et du poivre dans une vieille boîte de pilules, un tail de jambon, un gros pain, du vin, une cuisse de lapin rôtie roulée dans une feuille de vigne et un petit pot de confiture. Tout cela pêle-mêle dans la besace de cuir.

Dans la cuisine Marguerite fouaille le fourneau à grands coups de tisonnier pour hâter le café.

Le silence est lourd comme un plomb. Gondran est le seul bruit du matin ; il va et vient avec ses gros souliers à clous.

D'habitude les plus matinaux sont les pigeons de Jaume ; l'aube aux mains molles jongle avec eux. Aujourd'hui le pigeonnier semble mort.

Gondran va voir la pendule : quatre heures pourtant.

— Elle va bien?

— Je l'ai mise à l'heure du soleil, avant-hier.

Malgré tout, ce silence sent bon. Le parfum des chèvre-feuilles et des genêts y coule en grandes ondes. Et puis, à quoi bon s'inquiéter des gestes de la terre? Elle fait ce qu'elle veut; elle est assez grande pour savoir ce qu'elle a à faire, elle vit son petit train. . . .

— Y a pas beaucoup de bruit, jord'hui, dit Janet.

— On dirait que tout est mort. Ecoutez, on n'entend rien bouger.

— Ça c'est mauvais; apprends-le, mon fi, c'est d'une fois comme ça, que c'est parti . . .

— Quoi?

— Ça se dit pas.

Et Janet fixe ses yeux sur le calendrier des postes.

Gondran passe sa bêche dans la courroie du carnier et se charge. Au bas des escaliers, il siffle son chien; Labri, qui dormait sous un rosier, sort, s'étire, bâille, renifle la besace, suit, et Gondran écoute joyeusement le grignotis des petites pattes onglées, derrière lui.

Dépassé le pré de Maurras qui est à cheval sur la pente, le chemin est autant dire rien. Il se perd peu à peu dans l'herbe comme une eau sans force.

Ce verger où il va, il l'a acheté, l'an dernier, à un de Pierre-vert qui 'faisait des sous' pour prendre une adjudication de courrier postal.

C'est dans le territoire de Reillanne, au diable vert, mais il l'a eu pour un morceau de pain et les oliviers ont déjà payé. Somme toute, avec un petit travail il a de l'huile et du bois; seulement, c'est loin. C'est d'autant plus loin qu'il n'y a pas de chemin pour y aller. Il faut passer par les bas-fonds, suivre des lits de torrents enchevêtrés de viornes et de ronces, tourner autour des collines dans des défilés sauvages où les pierres ont des visages comme des hommes mal finis.

Gondran pense que la prochaine fois il vaudra mieux suivre les sommets du côté de la Trinquette; ça montera un peu, mais,

après, c'est de belle vue tout le long.   Il y a bon air, on entend
chanter les perdreaux; ici le silence est vraiment inquiétant.
Heureusement le chien fait compagnie.

Vu du sommet de 'Pymayon' le verger de Gondran est
comme une tache de dartre dans la guarrigue.   Autour le poil
est sain, bourru, frisé, mais là, la bêche de Gondran a râclé la
peau.

C'est un verger en pente sur le flanc gras de la colline, à
l'endroit où les ruisselets laissent l'alluvion.   Sous lui, le torrent
a fendu la terre d'une fente étroite, noire, et qui souffle frais
comme la bouche d'un abîme.   Un vieil aqueduc romain
l'enjambe; ses deux jarrets maigres et poudreux émergent des
oliviers.

D'abord Gondran a creusé un trou sous le genévrier le plus
touffu, et quand il a atteint la terre noire, il a mis sa bouteille
au frais.   Il a choisi une bonne branche à l'abri des fourmis
pour pendre son carnier, puis, manches troussées, il s'est mis
au travail.

Et l'acier de sa bêche a chanté dans les pierres.

L'ombre des oliviers s'est peu à peu rétrécie; tout à l'heure,
comme un tapis fleuri de taches d'or, elle tenait tout le champ.
Sous les rais de plus en plus droits elle s'est morcelée, puis
arrondie.   Maintenant elle n'est plus que gouttes grises autour
des troncs.

C'est midi.

La bêche s'arrête.

Colline.

Editions Bernard Grasset, 1928.

JEAN GIONO (*b.* 1895). One of the most outstanding of the
regional writers, intensely attached to his native Provence, in
which, as here, many of his scenes are set.   He portrays with great
vigour and even brutality the struggle of man and nature in its
most keenly observed elemental details.   Some of his novels,
grandiose cosmic myths, show a higher ambition with ethical
preoccupations, in which he sometimes sacrifices form for force.
After an interruption Giono has come back to the literary scene
with novels more in the vein of reminiscences, *Mort d'un personnage* (1949).

24. *Les Rebendart*

La vraie grandeur de la famille Rebendart, celle qui justifiait
l'admiration de la Champagne, ce n'étaient d'ailleurs pas ses
hommes qui la lui valaient, c'étaient ses femmes. Les
Rebendart, parvenus au point culminant de leur carrière, ne
choisissaient pas leurs épouses, elles leur étaient imposées par
la province reconnaissante. Si la République leur donnait
Cornélie en bronze, Didon en porcelaine, la Champagne leur
offrait des jeunes filles champenoises. On oublie trop que
Domrémy est en Champagne. Le nom des Rebendart était
tellement identique aux mots de devoir, de constance, d'honneur, que tous les usiniers ou vignerons se mobilisaient de Vitry
à Lunéville, dès qu'un Rebendart manifestait le désir de se
marier, pour découvrir et offrir une femme capable de vivre
simplement avec d'aussi grands mots. Ce n'était pas toujours
la plus laide. Ce n'était pas toujours non plus la cohabitation
avec le Devoir, l'Honneur qui paraissait difficile à ces épouses;
elles savaient y trouver des réserves de tendresse, d'indulgence,
de lâcheté . . ., mais bien la vie avec un président au cœur
sec. C'était le mari qui était froid comme un symbole, muet
en famille comme le seraient les symboles, distant en affection
comme eux, et les symboles au contraire s'attendrissaient,
tenaient compagnie à l'épouse, devenaient près d'elles humains,
lui facilitaient le sommeil et la promenade dans les bois.
Pénible vie, qu'elles cherchaient pourtant à prendre sans
amertume. Elles étaient heureuses que leurs maris se décla-
rassent publiquement à la Chambre contre le vote des femmes,
ressentant cette injure comme le premier hommage rendu à
leur puissance domestique, comme le premier soupçon de
jalousie, comme la première caresse. Leur seule et involon-
taire vengeance était de mettre au jour, sur quatre fils, deux
Rebendart romanichels et révoltés. On leur enlevait à douze ans
les deux fils sages qu'elles avaient, elles-mêmes, en apprenant le

premier manuel ou la première grammaire, lancés sur le chemin du droit constitutionnel, et on leur laissait pour la vie les deux cancres. Elles allaient rarement à Paris. Les Rebendart douairières habitaient une maison isolée au bord du lac, les Rebendart veuves un pavillon de chasse, éloigné de deux cents mètres, entouré d'un ruisseau. Sur leur plateau, dans leur jardin de bégonias, les Rebendart au pouvoir abandonnaient à leurs mères les saules et les eaux, croyant les rendre ainsi à l'oubli et à la solitude, ne les rendant qu'à la tendresse.

Attiré par ces visages toujours souriants où la froideur des Rebendart avaient seulement agi comme un décolorant, par leurs silhouettes nerveuses et fières, je m'étais fait présenter par le curé sous un faux nom, et j'étais venu les voir souvent, toujours à la tombée de la nuit, de peur que l'un des fils ou des neveux ne me reconnût. Je pénétrais chez ces vieilles dames par la poutre de l'écluse, ou en franchissant des haies de jasmin, quand le soleil déclinait, comme un amant. Ou bien j'arrivais chez elles par le ruisseau, dans lequel j'avais pêché les écrevisses pieds nus, sans laisser de trace. Tout l'été, elles s'amusèrent à m'attendre ainsi le soir, me croyant un jeune peintre ennemi de la société, avec les égards et la gratitude qu'une femme sait témoigner à l'homme qui vient la voir au milieu des sangliers et en nageant. J'arrivais toujours à point, comme on arrive dans toute vie réelle. Je les trouvais occupées à placer un meuble ou un objet de famille chassé de la demeure déjà comble du ministre par l'arrivée d'un présent officiel. C'était un rouet libéré par une jardinière en verre filé offerte par le roi de Serbie, une console Empire libérée par un Centaure en porcelaine de Bilbao offert par Alfonse XIII. Parfois je devais attendre sur mon écluse ou dans mon ruisseau, car c'était l'angélus, et je restais là, découvert, comme le paysan de Millet, mais les pieds dans l'eau. Elles étaient pieuses, l'une avec un peu d'enfantillage, l'autre plus gravement, chacune vouée depuis l'enfance à un patron qui avait formé avec le mari le couple spirituel adoré d'elles, Rebendart le Légiste avec saint Antoine de Padoue, Rebendart le ministre du Commerce avec sainte Thérèse. Depuis la mort de leurs maris, elles goûtaient, sans se l'avouer, une paix profonde: c'est que la loi était morte avec ses avocats, c'est qu'aucun de leurs gestes, aucune des aventures de leur journée n'était plus réglée par la jurisprudence. Elle n'avaient plus de procès avec les chasseurs qui tiraient les poules d'eau, elles les menaçaient de leur canne. Quand un avion militaire se posait dans leur verger, elles n'avaient plus de procès avec l'autorité militaire, elles invitaient l'adjudant à dîner. Elles ne se doutaient pas qu'au terme du nombre légal d'années, conformément à ces lois faites par leurs maris morts, de veuves elles étaient devenues divorcées, divorcées de cœur et d'esprit. La preuve en est qu'elles aimaient maintenant tous les hommes. Elles aimaient les jardiniers, avec leurs mains qui prennent dans la terre, les écuyers de Sedan qui franchissaient les haies du parc avec leurs chevaux entiers. C'étaient les humains les plus polis avec les animaux, elles les aimaient. Elles aimaient les chemineaux avec leurs oreilles pointues, et ces plumes ou ces fétus dont sont pleines leurs vestes selon qu'ils viennent de coucher dans une étable ou dans une vraie chambre, les présidents des usines Wendel aux vestons toujours propres, toujours couchés dans la richesse . . ., et moi. Au début de ces nuits de Champagne si primitives, quand les cerfs brament dans le brouillard ou se taisent par la lune en se regardant au fond de l'étang, quand les fouines, les blaireaux, les renards avancent vers les poulaillers du pas différent de la mort, suivant, car je me guidais sur les saules, une ligne d'humidité qu'avait dédaignée le ruisseau et qui me faisait éternuer, je leur apportais tout ce que l'on peut apporter à des jeunes filles, des revues d'art, Francis Jammes, des cerises chocolatées. Elles m'accueillaient avec un regard sur mes poches, essuyaient sur moi le premier souffle de la rosée, me tiraient vers la cheminée, et faisaient flamber un feu de sarments qui allait évaporer de leur hôte des cartes postales de Vézelay, l'histoire d'Arthur Rimbaud, les mœurs des femmes de l'Île Fidji, et un peu d'amour. Puis, toutes pâles malgré la flamme, blanches comme des cœurs de salade trop comprimés, elles goûtaient, croyant que c'était la conséquence et la récompense de leur veuvage, de leur âge extrême, aux premiers

fruits de la jeunesse.   Je sus que Rebendart s'étonnait de voir
allumées si tard les lumières de sa tante et de sa belle-sœur.
C'est que le fils de ses ennemis arrivait chez elles, porteur de
Verlaine, et contaminait d'extase toute la section de la famille
Rebendart vouée à une mort prochaine.   Quand je repartis
pour Paris, je leur donnai, comme à des mannequins, mon
adresse poste restante avec de fausses initiales.   Elles me
répondent fidèlement, à peine inquiètes de ce que je n'aie
encore trouvé ni un appartement ni un nom.

     Un soir, elles m'attendaient.   C'était la fête de l'une d'elles.
J'étais en avance, et, mon bouquet à la main, je m'assis au
haut de la colline sur le banc de famille.   Je m'assis dans le
sens qu'aucun Rebendart n'avait pris.   J'avais la barre du
dossier contre mon ventre.   Je n'étais pas tourné vers l'Alle-
magne, vers le Rhin. . . .   Rebendart dans cette position, et
cela eût signifié qu'il n'y avait plus d'ennemi héréditaire. . . .
Le soleil déclinait.   Je suivais le soleil aussi loin vers l'Amérique
qu'on le pouvait de ce pays.   Je voyais le soleil affaibli se
réserver dans son agonie pour tout ce qui est brillant de nature,
les prunes violettes, le lac, comme un mourant réserve ses
regards pour la petite cuiller, la veilleuse . . . puis mourir.
Déjà la lumière du pavillon était éteinte, celle de la grande
maison s'avivait.   C'est que la veuve avait rejoint la grand'-
tante pour m'attendre et qu'on avait ouvert le lustre.   Une
lanterne contourna l'escalier.   C'est qu'elles allaient à la cave.
Car elles m'alléchaient comme de jeunes veuves savent
allécher un beau jeune homme, en me promettant du Tokay,
de la quiche.   Sans me laisser une heure même de répit, la lune
déjà m'attaquait du côté déjà vaincu par le soleil.   Le
ruisseau, décapé par places et tout obscur, brillait sous les
saules et se plaquait d'argent.   Les sapins que l'on plante ici
autour des maisons bourgeoises comme autour d'une tombe
bruissaient de ce langage également compréhensible aux
vivants et aux morts, aux fonctionnaires en retraite et aux
ombres.   Maintenant, dans la cave, les vieilles dames courbées
se penchaient sur les bouteilles, et, comme elles s'étaient
courbées dans tous les grands actes de leur vie, auprès des

berceaux, des lits de mort, des blessés, graves à cause de ce cœur ainsi suspendu, elles se croyaient graves à cause du Tokay. Je ne me lassais pas de suivre les allées et les venues de l'amitié, marquées dans cette nuit des feux obligatoires. Je pensais à mes vieilles amies avec tendresse. Je sentais sur moi tout l'âge, toute l'expérience dont je les avais déchargées. Ces feux-follets c'étaient deux belles âmes vivantes, encore vivantes. Tous ces enthousiasmes périmés pour moi depuis le lycée, ce n'était pas sur mon fils que j'allais pour la première fois les raviver, mais sur des existences périmées dont ce serait le jeu suprême. J'apportais ce soir Shakespeare, qu'elles ignoraient. J'allais lâcher ce soir ces démons qui réclament le champ de toute une vie, Desdémone, Hamlet, et les autres, qui réclament égoïstement des âmes jeunes pour les martyriser, dans un tout petit domaine bordé par la mort. La poésie, qu'elles rencontraient pour la première fois, les ravissait. Tous ces gens, qui au lieu de faire des procès aux voisins, aux braconniers, à l'intendance, faisaient des procès en vers à la mer, à la nature, à la fortune, les ravissaient. C'était là la vraie formule de la jurisprudence. Cette attitude intransigeante ou folle des poètes vis-à-vis de ce qu'elles n'avaient pas connu, la pauvreté, la faim, le froid, la souffrance, les ravissait. La poésie venait saluer à leur dernier lustre ces nourrices d'avocats et de lutteurs. Desdémone, Hamlet, venaient jouer autour d'un avenir qui était la mort, et le soir, frissonnantes, sous la forme atténuée de la chouette ou de la hulotte, mes vieilles amies sentaient aussi toute l'escorte du mal et des vampires m'accompagner jusqu'à leur âme pure.

Bella.

Editions Bernard Grasset, 1926.

p. 101. The Rebendart family is generally accepted as being a satirical portrayal of the family of the statesman Raymond Poincaré.

JEAN GIRAUDOUX

25. *Visage de la mort,*
ou les inquiétudes d'Amparo

Mais une pire inquiétude était réservée à Amparo. Il lui
sembla, à certains mots de sa maîtresse, que Madame s'approchait d'un spectacle qu'elle avait pu jusqu'ici lui éviter par
la plus grande des chances, qu'elle voulait voir un mort. Elle
ne voyait pas que la pensée de Maléna s'approchait pour la
première fois de la mort, de sa propre mort, d'une Maléna
étendue et exsangue. Le mois fut particulièrement menaçant.
Riesel Leum, l'ami hollandais, se suicida à Chartres et miss
Joan Bennett mourut de la typhoïde à l'hôpital américain.
Mais une grippe, savamment exagérée par Amparo qui lisait le
thermomètre en ajoutant un plein degré, empêcha Maléna
d'aller même à leurs enterrements. C'était toujours cela de
gagné. Le malheur voulut que José rentra un soir avec la
fièvre et s'alita en claquant des dents. Le médecin ne s'engagea
point. Au bout de huit jours il n'y avait plus à se le dissimuler.
Le combat que menait José, rapetissé et maigri, avec des sueurs
et des sauts de mouton, était un combat contre la mort. Un
soir vint où il n'y eut plus guère d'espoir, et où la place même
de troisième en éducation civique remportée par Baba sur ce
sujet: En quoi consiste l'autorité paternelle, n'amena aucune
détente dans la maison. — Le père, avait répondu Baba,
corrige les erreurs de la civilisation et joue un rôle de premier
ordre dans les déménagements. . . . Maintenant, aidée de sa
fille qui tentait vainement d'enfoncer une cuiller d'eau sucrée
entre les mâchoires soudées du correcteur de la civilisation,
Amparo essayait de s'habituer à ces deux pensées: José allait
mourir et José allait être le premier mort que vît Madame.
Le mettre aussitôt en bière, c'était s'obliger à commander la
bière d'avance, c'était insulter Dieu. Impossible aussi de dire
à Madame qu'il vivait encore jusqu'à la mise en bière. Le pis
était que le pauvre José menaçait de faire un mort plus piteux

encore qu'il ne l'avait été vivant. Avec sa barbe lamentable, — c'est ce que Baba avait le moins attendu d'une maladie, la barbe, — ses yeux sanglants, (les yeux du moins on ne les verrait pas), avec le bandeau autour de sa mâchoire qui donnait l'idée qu'il était mort d'un mal de dents et ce costume de paysan galicien où il était dans la vie même, — à ce que croyait Amparo, d'ailleurs à tort — emprunté et grotesque, il constituerait un spectacle infiniment plus lamentable que n'avaient dû l'être Joan Bennett et Riesel Leum. C'est évidemment chez Riesel Leum qu'elle aurait dû laisser Madame se précipiter. Le valet de chambre avait prétendu qu'il était plus photogénique encore dans la mort et qu'on s'était disputé pour le photographier. Le pauvre José avait bien des qualités, comme chauffeur surtout, mais il n'était pas désigné pour faire l'ange de la mort. On avait beau le peigner, ses cheveux revenaient en deux cornes. La souffrance d'Amparo croissait quand elle imaginait Maléna devant ce mort cornu. . . . Mais à l'aube elle eut une consolation. José embellissait. Il n'avait plus cet air contraint d'un humble qui se débat avec un supérieur. Il n'était plus contracté, mais souple, sa maigreur lui donnait l'aisance de sa nouvelle condition; au lieu de son français ridicule, il ne parlait plus qu'espagnol, et son silence éternel allait y gagner en noblesse; rien n'empêchait qu'on le revêtît, non plus du costume galicien, mais de son uniforme de service; les cornes disparaîtraient sous la casquette à visière; ses ongles étaient propres, ses dents blanches. Toute trace de nicotine, — il s'obstinait à fumer au-dessus de son moteur —, toute odeur d'essence avaient disparu de lui. C'était un chauffeur en apparence modèle qui allait quitter — pour ainsi parler — la terre. Amparo se demandait même si toute cette conscience, cette confiance qui émanaient maintenant de José ne valaient pas le trouble et l'incertitude que ne pouvait manquer d'exprimer miss Joan, toujours à la recherche, dans la vie, de son amant et de son mouchoir. . . . Mais, quand le médecin passa pour sa première visite, il révéla que José, loin de mourir, était sauvé. Amparo descendit annoncer la nouvelle à Madame: il faudrait pardonner à José, il ne savait plus le français. En disant ces

mots, elle s'évanouit, épuisée par quinze nuits de veille. Maléna
reçut dans ses bras un pauvre corps blanchâtre.

— Tu m'as fait peur, ma pauvre Amparo, je t'ai vue morte!

— Morte? murmura Amparo. Comment étais-je?

— Pas belle.

La vie est dure pour l'humble esprit familier qui essaye de
défendre Madame contre la contagion du monde, le chantage
de la nature, et la personne de la mort.

Combat avec l'ange.

Editions Bernard Grasset, 1934.

JEAN GIRAUDOUX (b. 1882, d. 1944). Novelist, dramatist, and
essayist who is one of the most individualist writers of the period.
'Giraudoux was the type of man who is convinced that the
desirable must be an illusion and that reality must always be
disagreeable. . . . [He] was typically French in that his intelligence
was always at war with his imagination. He would curb his own
sentimentality, either by laughing at it or else by describing it in
the crudest terms. His passion for the incongruous was sur-
realistic' (Harold Nicolson). It is the combination of phantasy
and satire which give his plays and novels their distinctive cachet
of being a transposition of life, offering us a reflection of the world
more versatile and more refined than reality; to this he brings a
style which seeks its images in the unexpected, the incongruous,
and occasionally the recondite and precious.

JULIEN GRACQ

26. *Le sanctuaire*

Ils pénétrèrent dans le sanctuaire par une porte basse. Un
air lourd et compact, une obscurité odorante et presque
complète, peuplaient cet asile de la prière, au milieu duquel une

lampe brillant au sommet de la voûte dans un verre rouge prolongeait le fragile prodige de sa flamme, tour à tour inclinée et redressée comme par le battement d'invisibles ailes. De larges brèches s'ouvraient dans le toit, par lesquelles se glissèrent pêle-mêle, comme dans un profond abîme, et sans que l'âme qu'ils atteignaient au fond d'elle-même comme la pointe aiguë d'une lance pût distinguer le son de la lumière — le cri jaune et vibrant du soleil, — les flèches éclatantes de la gorge en feu d'un oiseau. Et la chapelle entière, plongée dans la pénombre verte que diffusaient ses vitraux, contre lesquels les feuilles pressées, à la silhouette rendue indistincte par l'épaisseur et la saleté du verre, remuaient avec un mouvement plus doux et plus nonchalant que celui des algues, semblait *descendue* dans les gouffres de la forêt comme dans un abîme sous-marin qui pressait ses parois de verre et de pierre de toute la violence de ses paumes fraîches, et dans lequel semblait seulement la soutenir au-dessus de profondeurs vertigineuses le câble merveilleux du soleil.

Leur œil accoutumé enfin à l'obscurité soudaine distingua, dans un des angles de l'étroit espace, une large dalle qui paraissait la pierre — lourde comme le sommeil — d'un tombeau séculaire, et s'attarda alors quelques moments à parcourir des formules d'*ex voto*, d'une langue ancienne et difficilement déchiffrable, qui paraissaient accompagner l'offrande d'un casque et d'une lance de fer que l'on pouvait voir suspendus au côté le plus sombre de l'autel désert, et dont les surfaces polies et la pointe aiguë conservaient malgré l'humidité persistante des parois un surprenant éclat. Et maintenant, un grandissant malaise s'empara de l'esprit d'Albert, profondément altéré depuis quelques instants par la réunion de ces objects dont le caractère paraissait si exclusivement *emblématique*. Il lui sembla qu'entre l'horloge de fer, la lampe, le tombeau, le casque et la lance dût s'être tissé, peut-être par l'effet de quelque conjuration ancienne, mais sans doute plutôt par suite de leur intime et dangereux rapprochement, dont le salpêtre luisant des voûtes disait l'effrayante antiquité, un lien en tout état de cause difficile à découvrir, mais dont l'existence certaine enfermait les atteintes de l'imagination comme en un cercle parfait, et dessinait en un espace à dessein clos le lieu géométrique même de l'Enigme, dont les nœuds étouffants l'entouraient depuis le matin d'une étreinte à chaque instant plus convaincante — de sorte qu'au milieu de sa marche vers l'autel, il s'arrêta en proie à la terreur subite que ses pas enchantés, s'ils se prolongeaient encore, ne le missent en présence de son visage même, désorientant et irrécusable. De bizarres rapprochements, et moins ceux de la ressemblance que ceux à tous égards plus singuliers de l'Analogie, tendant tous à impliquer que cette visite très précisément déroutante n'eût pas été en réalité dirigée vers une chapelle perdue dans la forêt, mais exactement vers quelque château enchanté par la menace des armes louches du roi Pêcheur, se frayèrent dans son cerveau une route rapide et ineffaçable. Les rayons du soleil descendant au milieu de l'autel vide et désolé, le son des lourdes gouttes d'eau sur les dalles, l'obscurité humide du lieu, le chant de l'oiseau par la brèche de la voûte, plus perçant que s'il eût éclaté dans l'oreille même, et comme empreint d'une espérance inexplicable et délirante, le battement régulier de l'horloge de fer emplissaient son âme de visions glorieuses et mélancoliques, l'épuisaient d'une attente impérieuse qui le consumait tout entier, et, s'élevant peu à peu avec les trilles de l'oiseau jusqu'à une pointe aiguë où le son rejoignait la dévorante ardeur du feu, dans sa vigoureuse plénitude arrachait des larmes à l'égal du son des plus riches instruments de cuivre. Et peut-être ne lui fut-il pas perceptible, au milieu de son tumultueux émoi, combien plus haut que toutes les voix de la nature résonnait ici avec un fracas dissonant l'éclatante *désappropriation* de toutes choses, de l'autel plus majestueux d'être déserté, de la lance inutile, du tombeau inquiétant comme un cénotaphe, de l'horloge *tournant à vide* au-delà du temps sur lequel ne mordaient pas plus ses engrenages que la roue d'un moulin sur un ruisseau desséché, de la lampe brûlant en plein jour et des fenêtres visiblement faites pour regarder *de dehors en dedans*, et auxquelles se collaient partout à la fois les verts tentacules de la forêt.

Alors, du fond de son inquiétude un son s'éleva, qui parut emplir en un instant la chapelle et ruisseler le long des murs luisants d'eau, et Albert, sans oser se retourner, tellement cet accord le confondait par son ampleur inouïe, devina alors qu'Herminien, pendant son exploration silencieuse, avait gravi les degrés de pierre d'un orgue qui s'élevait dans l'obscurité à gauche de la porte et occupait une partie considérable de la chapelle, mais de l'examen duquel avaient dû le distraire aussitôt les effets séduisants de l'éclairage. Le jeu d'Herminien était empreint d'une force singulière, et telle était sa puissance d'expression qu'Albert put deviner comme s'il avait lu au plus profond de son âme les thèmes qui se succédèrent dans cette sauvage improvisation. Il lui sembla d'abord qu'Herminien, par des touches dissonantes et incertaines, coupées de retours et de replis où le motif principal était repris dans un mode plus timide et comme interrogatif, ne fît autre chose que de prendre la mesure du volume même et de la capacité sonore de ce troublant édifice. Alors se déchaînèrent des ondes violentes comme la forêt et libres comme les vents de l'altitude, et l'*orage* qu'Albert avait contemplé avec un sentiment d'horreur du haut des terrasses du château éclata du fond de ces mystiques abîmes, au-dessus desquels des sons d'une pureté cristalline, égrenés en un surprenant et hésitant *decrescendo*, flottèrent comme une buée sonore traversée des éclats jaunes du soleil et rejoignirent curieusement le rythme des gouttes d'eau qui tombaient de la voûte. A ces jeux de la nature succédèrent les atteintes d'une passion sensuelle et aiguë, et l'artiste peignit avec vérité ses ardeurs sauvages: Heide flotta dans l'altitude à la façon d'un brouillard lumineux, s'éclipsa, puis revint, et établit enfin son empire sur des houles mélodiques d'une rare ampleur qui paraissaient emporter les sens vers une région inconnue et rendre à l'oreille les grâces du toucher et de la vue par l'entremise d'une incroyable perversion. Cependant, quoique l'artiste donnât déjà la pleine mesure d'une passion frémissante et incoercible, il paraissait dès lors à Albert sensible qu'il recherchât dans la plénitude même de son jeu, dont les arabesques bizarres conservèrent le caractère encore indécis d'une *tentative*, la clé d'une élévation encore supérieure, l'appui nécessaire à un dernier bond dont les conséquences entièrement décisives fussent à la fois et singulièrement pressenties et imprévisibles, et qu'il hésitât sur le bord même de cet abîme dont il décrivait les approches glorieuses, avec des grâces enveloppantes et insensées.   Visiblement maintenant — et la conscience s'en faisait à chaque instant plus claire pour Albert — il cherchait *l'angle d'incidence* unique sous lequel le tympan, dépourvu de sa puissance d'arrêt et de diffusion, se ferait perméable comme le pur cristal et convertirait le corps de chair et de sang en une sorte de *prisme à réflexion totale* où le son s'accumulât au lieu de le traverser et irriguât le cœur avec la même liberté que le milieu sanguin, rendant ainsi au mot profané d'*extase* sa véritable signification.   Une vibration sonore de plus en plus concentrée paraissait le signe extérieur de la sombre ardeur de cette recherche, et se posait sur toute chose en *foisonnant* à profusion comme un essaim soudain disloqué.   Enfin une note tenue avec une constance merveilleuse éclata dans une inouïe splendeur et, prenant appui sur elle comme sur une plage sonore, s'éleva une phrase d'une indicible beauté.   Et, plus haut que tout, dans une lumière jaune et douce qui parut accompagner dans la chapelle la descente d'une grâce sublime accordée à la prière, résonna sous les doigts d'Herminien, comme parcourus d'une chaleur légère et dévorante, le *chant de la fraternité virile*.   Et la fin du souffle qui se retirait de la poitrine à mesure qu'il s'élevait vers des hauteurs incroyables laissa derrière lui monter dans le corps entièrement vacant le flux salubre d'une mer libre et légère comme la nuit.

Au Château d'Argol.
Librairie José Corti, 1937.

JULIEN GRACQ (*b.* 1910). One of the younger generation of writers, he has so far written two novels and one play.   His first novel, *Au Château d'Argol* (1938) was considered by André Breton to be the most outstanding novel which surrealism had produced (although Gracq has never belonged formally to the surrealist group).   The influence of the *roman noir* and the dramatic use of romantic myth and legend are further displayed in *Un beau Ténébreux* (1945), and *Le Roi Pêcheur*, a play published and produced in 1949. He has also written essays on Lautréamont and Breton.

JULIEN GREEN

27. *Le lieu du crime*

Toute la journée le vent avait soufflé, promenant les feuilles mortes d'un côté à l'autre de la grand'route ou les éparpillant à la surface immobile de la Sommeillante. Au bord du fleuve, l'herbe épaisse brillait dans le soleil et se couchait à plat comme si des corps exténués s'y étaient étendus pour boire la fraîcheur qui montait de la terre et de l'eau. Le ciel répandait une lumière égale et il n'y avait pas une branche qui ne projetât sur le sol sa ligne nette et changeante que le vent n'arrivait point à effacer. Rien n'est plus délicieux que ces premières journées d'automne où l'air agité de puissants remous semble une mer invisible dont les vagues se brisent dans les arbres, tandis que le soleil, dominant cette fureur et ce tumulte, accorde à la moindre fleur l'ombre qu'elle fera tourner à son pied jusqu'au soir. De ce calme et de cette frénésie résulte une impression où la force se mêle à une douceur que le langage humain ne peut rendre. C'est un repos sans langueur, une excitation que ne suit aucune lassitude; le sang coule plus joyeux et plus libre, le cœur se passionne pour cette vie qui le fait battre. A ceux qui ne connaissent pas le bonheur, la nature dans ces moments généreux leur en apporte avec les odeurs des bois et les cris des oiseaux, avec les chants du feuillage et toutes ces choses où palpite l'enfance.

Toute la journée il avait marché le long de la rivière et à travers le pays. Des gens l'avaient observé, suivi du regard et il avait pris peur, allant plus vite, mais retrouvant toujours d'autres visages qui se tournaient lentement vers lui, et des yeux qui détaillaient avec le même soin et la même surprise le désordre de ses vêtements. Vers le soir, il était revenu à l'endroit qu'il avait fui quelques heures plus tôt. Le calme qui était à présent dans son cœur démentait ce que sa mémoire lui disait; il n'avait plus d'inquiétude, de fatigue, il jouissait de l'air frais, de cette heure où la lumière défaillait. Pendant si longtemps il avait porté dans sa tête le souvenir de ces cris, de cette immobilité soudaine, que tout d'un coup il ne pouvait plus y croire. Cela ressemblait trop peu au reste de sa vie pour être vrai, et il ne se reconnaissait pas dans ces gestes qui passaient continuellement devant ses yeux. Si on lui avait raconté l'horrible lutte près de la rivière, il aurait ri, sans doute, et il suivait la berge de la Sommeillante pour constater qu'il n'y avait rien, il cherchait la place pour se prouver à lui-même qu'elle n'existait pas.

Il la trouva; ces branches cassées, il les avait vues dans son cauchemar. Se pouvait-il que dans sa folie il eût observé tant de petites choses, tant de fleurs, d'arbres, de reflets? Quelque chose en lui était demeuré éveillé alors que tout le reste de son être était plongé dans une sorte de rêverie effroyable où des actes s'accomplissaient qu'il n'avait pas crus possibles, des actes de meurtre et de désir. Il ne pouvait plus se tromper. Toute la réalité lui apparut; il avait tué cette femme et des gens étaient venus l'emporter, des gens s'étaient tenus autour d'elle, ils avaient considéré la morte et l'horreur de ce visage mutilé, puis ils avaient jeté un vêtement, un sac, n'importe quoi sur la tête de la malheureuse parce qu'elle les épouvantait. Et si elle n'était pas morte? Il ne pouvait plus se souvenir si elle respirait ou non, il se rappelait seulement que tout d'un coup, au bout de plusieurs minutes, il avait vu cette blessure qu'il lui avait faite à la figure et que, saisi d'effroi, il s'était enfui.

Il avait couru le long de la rivière, puis escaladant le talus il s'était retourné malgré lui pour la voir encore; elle était là, immobile, couchée en travers du sentier et les cheveux épars. Alors il s'était remis à courir pour se retourner un peu plus loin, mais de là il ne pouvait plus la voir. Ce fut à cet instant qu'il connut le plus grand soulagement de sa vie: rien n'était arrivé puisqu'il n'apercevait rien sur la berge, et il courut de nouveau, s'enfonçant dans le bois aussi vite que ses jambes pouvaient le porter, de peur que la tentation ne lui vînt de regagner le petit sentier et d'aller voir.

Et maintenant qu'il était encore une fois près du fleuve, à l'endroit où ces choses s'étaient passées, maintenant que le sentier était vide, tout lui paraissait aussi réel que s'il eût eu à ses pieds le corps de la jeune femme. Il fit quelques pas de droite et de gauche, ne sachant plus pourquoi il restait là au lieu de s'enfuir. Se tenir sur cette berge lui procurait une sorte de plaisir auquel il ne se sentait pas la force de renoncer tout de suite. S'il s'éloignait, il reviendrait aussitôt. Sa violence ne lui laissait pas de remords. Tout à l'heure, il était poursuivi par la peur de ce qu'il avait fait, et cependant il n'y croyait pas; à présent que sa conscience lui fournissait la preuve de son crime, il était calme. Il regardait cette herbe, il se penchait sur elle comme pour y retrouver la trace du corps qui l'avait froissée. Son cœur battait, non de crainte, mais d'une émotion nouvelle qu'il ne réprimait pas, une curiosité extraordinaire de tout ce qui donnait à cet endroit son caractère propre: l'odeur de la rivière, la fraîcheur qui montait du sol et cette agitation perpétuelle des branches au-dessus de sa tête. 'C'était là,' se répétait-il à mi-voix. Il ferma les yeux une ou deux fois, et respira profondément; puis il arracha une touffe d'herbe qu'il mit dans sa poche, et tout d'un coup, par un brusque élan, il se jeta sur la terre, il s'étendit là où il s'était étendu quelques heures plus tôt. Et de même que le matin, il entendit le clapotis de l'eau contre la berge et le murmure des feuilles. S'il ouvrait les yeux, il voyait la Sommeillante presque au-dessus de lui, mais il ne discernait pas son autre rive, il n'avait devant lui que les brins d'herbe où la lumière et l'ombre jouaient comme dans une forêt, puis la rivière, haute et droite ainsi qu'un mur.

Le visage sur le sol, il gardait une immobilité dans laquelle toutes ses forces se dispersaient peu à peu; il lui semblait qu'il perdait la conscience de son être et qu'un élément invisible prenait possession de lui, une émanation mystérieuse qui venait de toutes parts, de toute cette végétation dont la senteur le pénétrait. Dans sa tête devenue légère une espèce d'étourdissement brouillait ses pensées. Ses bras, ses jambes, son corps entier s'anéantissait, se mêlait à tout ce qui respirait et bruissait autour de lui. Sans pouvoir dormir, il tomba dans une sorte de stupeur où son âme oublia quelque temps qu'elle existait.

Le bruit d'une conversation le ramena à lui; des gens passaient sur la route et parlaient avec chaleur. Une ou deux fois ils s'arrêtèrent et parurent disputer s'il fallait revenir en arrière ou continuer leur chemin. Quoiqu'ils ne se fissent pas faute d'élever la voix, il ne parvint pas à comprendre ce qu'ils disaient. La seule parole qu'il put saisir fut: 'Plus loin,' et celle-là l'épouvanta. Ces hommes le cherchaient; pour le découvrir, ils n'avaient qu'à se pencher un peu au-dessus du talus qui le cachait à leurs yeux. Aussi l'idée de s'enfuir traversa-t-elle son esprit, mais fut écartée aussitôt. Le moindre bruit le trahirait. Mieux valait attendre et contenir la terreur qui faisait refluer tout son sang vers sa poitrine. S'ils s'en allaient, tant mieux; s'ils descendaient sur la berge, il se jetterait à l'eau.

Léviathan.

Editions Plon, 1929.

JULIEN GREEN (*b.* 1900). Born in Paris of American parents, Green is above all a visionary novelist. The titles of some of his novels are strikingly significant: *Le Voyageur sur la terre* (1927), *Léviathan* (1929), *Epaves* (1932), *Le Visionnaire* (1934). All his characters are strangers to this world, all in uncongenial surroundings where boredom prevails, all haunted by fear, solitude, and death. Green, with an unflinchingly cold objectivity, describes them as they lose their last grip on reality and become frenzied monsters. Unreality, enhanced by the improbability of the plots, is the dominating atmosphere.

His *Journal 1928–34*, published from 1938 on, reveals his own preoccupation with unreality and his own *phobie de la mort*.

28. L'Homme

Je ne me rappelle plus bien ce qui fut dit ce soir-là dans la maison; mais je sais que le lendemain, à peine levée, j'entendis l'homme qui, dans la grange, allait et venait, cherchant sans doute quelque travail à faire. C'etait curieux, ce plancher craquant sous ses pas. Je revois Claire, un doigt levé; je l'entends dire: 'Ecoute!' L'homme marchait là comme s'il avait été chez lui. Je ne veux pas dire qu'il ne se gênait pas: non, il savait comment marcher, comment faire avec toutes les choses, avec cette lame grinçante auprès du seuil, avec la porte, avec la clenche qui fermait mal. On aurait dit qu'il était là depuis toujours. Et n'importe où, comme on put le voir par la suite, il était là depuis toujours.

Les premiers temps, on essaya de l'appeler par son prénom. Mais il fallut y renoncer: son prénom était difficile. Les hommes de par-delà le Fleuve, bien qu'ils parlent la même langue que nous, ont des prénoms pourtant à eux, qui leur viennent des fonds du passé, et que nous ne pouvons pas vraiment dire. Les mots, ça n'est pas seulement une affaire d'habitude, c'est aussi une affaire de gosier, une affaire de dents et de lèvres, c'est affaire de l'homme tout entier. Lui, il riait quand nous nous essayions. Un jour il dit: 'Allons, appelez-moi l'Homme, ce sera aussi facile; et puis ce mot-là, c'est le seul mot de par ici qu'on dise comme au-delà du Fleuve.'

On aurait cru, d'abord, qu'il faisait tout pour se faire oublier, et même qu'il ne pensait qu'à ça. Je vous ai dit comment il marchait dans la maison, mais il parlait de même, juste en son temps, et pour dire tout juste ce qu'il fallait. Et il se levait, aux repas, un peu avant que ça ne fût nécessaire, pas trop avant. Et si le Père ou la Mère avaient quelque chose à raconter, qui n'était bon que pour nous quatre, il s'arrangeait pour être disparu. Pour être disparu et faire du bruit ailleurs, très loin, dans le bûcher, de façon que nous soyons tranquilles. Claire me disait — elle a toujours eu des mots à elle, des choses

qu'elle trouvait et que personne d'autre n'aurait inventées —
Claire me disait: 'Tu verras qu'un beau jour on ne l'entendra
même plus. Il sera devenu une chose de la maison. Oui, la
vieille table, ou bien la huche, ou bien l'horloge.' Et plus j'y
pense, plus je me rends compte, en effet, qu'il faisait tout pour
devenir une chose. En attendant, tout lui réussissait, même
les tâches les plus difficiles. Je le revois encore, les premiers
jours, fendant du bois. C'était vers les deux heures et en
octobre, dans le soleil. Il faisait bon. L'Homme s'était
installé près de la barrière, pas très loin de la niche du chien.
Il y avait là une bonne terre bien sèche. Et il était aux prises
avec une grosse bûche toute pleine de nœuds, et qui ne voulait
pas se laisser faire. Quand c'était comme ça avec le Père,
nous l'entendions jurer et gémir à grand bruit. Et la Mère
sortait sur le seuil et regardait. Et elle criait: 'Mais laisse-la
donc, le Père! Mais laisse-la donc! Elle est trop dure.'
'Trop dure!' disait le Père, sans relever la tête. 'Trop
dure! . . . Eh? tu n'as rien à faire, dans ta cuisine?' Et il se
remettait à ahaner durement, jusqu'à ce que la bûche volât en
éclats. Alors il s'appuyait sur la cognée, et il regardait le ciel,
longuement. Et il fallait qu'il appelât la Mère, pour lui faire
voir, mais surtout pour avoir l'occasion de lui parler tendre-
ment et de lui faire oublier les vilains mots de tout à l'heure.
L'homme, lui — je l'observais de la laverie — posa doucement
la bûche où il fallait, bien lentement, à la place exacte. Et il
souriait en faisant ça. Et il souleva la cognée d'un geste
pareillement paisible. Et elle tomba de son poids à elle, à
peine aidée par son effort à lui. Tout au moins, c'est ce qu'on
aurait cru. Mais la bûche ne se fendit pas. Il sourit un peu
plus encore, comme s'il y avait eu là quelque chose de plus
qu'amusant, comme de curieux, presque d'étrange. Et il
changea la bûche de place, la regardant d'abord, et puis la
retournant, et comme la flattant de sa grosse main. Et de
nouveau il saisit la cognée. Et de nouveau, la bûche lui
résista. Il était baissé encore, et tenait encore la cognée, et je
n'osais regarder son visage: je me rappelais le visage du Père,
cette grande souffrance, cette grande colère, et je redoutais que

le visage de l'Homme ne fût pareillement défait, ne fût pareillement méconnaissable. Je tenais au visage de l'Homme. Je regardai enfin, et il n'y avait sur la face de l'Homme qu'une grande lumière, qu'une grande lumière reconnaissante et belle. Et l'Homme prit bien sagement la bûche et la porta un peu à droite, où elle resta seule dans le soleil. Et il dit à Claire qui passait : 'Elle attendra ! Elle a besoin de s'attendrir.' Puis il continua. Il ne revint à elle qu'après une heure, quand ce fut son tour à elle. Et il la fendit d'un seul coup, sans marquer le moindre triomphe.

Des choses comme ça sont des choses à peine racontables. Mais il n'y eut chez nous, à partir du soir où l'Homme devint notre homme, pendant deux ans, que des choses comme ça, pas racontables. De ces choses pourtant qui changent tout. Par ailleurs, dans d'autres maisons, il y avait des hommes qui inventaient. Il y en eut un, à ce qu'on raconte, à dix lieues de nous, qui fit monter de l'eau du Fleuve jusqu'à sa ferme par une sorte de moulin à vent. Notre Homme à nous n'inventait pas. Il ne s'expliquait pas là-dessus, mais on sentait que, pour lui, le monde était bien comme ça, le monde des choses. Et que si quelque chose devait changer, c'était peut-être dans l'homme lui-même. Mais, là-dessus non plus, il ne faisait aucune leçon. Il semblait penser que changer, c'était une affaire seulement pour lui.

Pour le reste, il était semblable à nous. Tout ce que nous lui donnions à manger, il le mangeait, et d'un appétit toujours égal. Tout ce que le Père ou la Mère lui commandait, il le faisait, et avec une joie toujours égale. Une chose à lui encore tout de même, et que je n'ai pas dite, avec sa patience, c'est sa propreté, ce qu'on appelle dans nos villages la propreté. Le Père se rasait toutes les semaines. Il se rasait, lui, tous les jours. Il était grand, comme je crois bien vous l'avoir dit, il était brun, c'était un beau garçon, et il avait, à cette époque, peut-être un peu plus de vingt-cinq ans.

Passage de l'Homme.

Librairie Gallimard, 1943.

Marius Grout (*b.* 1903, *d.* 1946). Poet and novelist who lived and taught mostly in Normandy until he went to Paris, and was encouraged to write by Francis Jammes and Paul Claudel.

He was a Quaker, and his mystical preoccupations found their way into his novels, which all display an intense earnestness.

We may find a clue to *Passage de l'Homme*, to its blended realism and poetry, in his own words: 'Il apparaît de temps en temps sur la surface de la terre des hommes rares, exquis, qui brillent par leurs vertus et dont les qualités éminentes jettent un éclat prodigieux.'

PIERRE HAMP

29. *Un grand couturier présente sa collection*

Les nouvelles robes françaises allaient sourire sur le monde. Du premier modéliste aux petites mains des ateliers, tout le métier avait palpité pour cette gloire: non pas d'un travail de triste gagne-pain attendant que l'heure sonnât d'être libre, mais avec foi et amour; chacun y mettant son âme et voulant collaborer à de l'incomparable. Quelle maison de Paris créerait cette année les vêtements les plus attrayants? Les riches clientes voulaient l'inattendu et propager la contagion de leur élégance. Après la frénésie des ateliers à faire de la beauté nouvelle, venait la voracité des coquettes pour être les premières servies.

Jeanne Wavelet s'assit parmi de très belles femmes de Paris, émues par l'attente de la mode qui allait se révéler.

Les vendeuses distinguaient les acheteuses fermes des spectatrices pour qui le salon du couturier était un lieu d'agrément, surtout les jours de pluie. Mais ces passionnées de toilette étaient faciles à tenter; les habiles filles commerçantes savaient leur montrer l'occasion unique, le modèle soldé qui les déciderait à faire emplette.

Par les diableries de la persuasion et le vertige du spectacle beaucoup de femmes achetaient par tentation et non par volonté; cela retardait le règlement des factures. La maison en avait toujours pour un million et demi de francs à recouvrer en longs délais. Le crédit facile était un appât pour les clientes. Elles s'asseyaient nombreuses aujourd'hui dans les sièges dorés adossés au mur du salon rond dont le milieu restait vide comme une piste de cirque pour l'évolution des mannequins. Tant l'affluence augmentait que les commissionnaires ne pouvaient plus se placer que sur les marches du grand escalier à rampe de chêne conduisant aux chambres d'essayage.

Le couturier et les vendeuses faisaient du regard la police des gestes. La maison défendait que l'on prît note ou dessin des modèles. On avait naguère découvert des appareils photographiques aux mains des commissionnaires qui se cachaient derrière des dames complices. On ne pouvait rien contre la mémoire des dessinateurs. L'on en citait un qui en sortant d'une exposition de modèles en avait reproduit trente très exactement. Cette énergie du souvenir était rare.

Les vendeuses se rapprochaient des clientes. Elles étaient jalouses de garder chacune les siennes. Commander les ouvrières donnait à M. Dessard moins de souci que de concilier les vendeuses. Il pouvait renvoyer sans précaution les femmes des ateliers, mais non celles des magasins connues de la clientèle. Il devait dompter ces fauves à peau rose qui tenaient les acheteuses comme une proie et affirmaient qu'elles les emmèneraient avec elles. C'était souvent une illusion. La cliente tenait plus à l'essayeuse qui connaissait les défauts de son corps et les misères de sa santé, sachant où il fallait serrer l'étoffe et où l'élargir. Les femmes approchant de trente ans avaient l'horreur de grossir. On n'était belle que maigre.

Une vendeuse intelligente comme Mme Rémois ne devait pas se presser de faire compliment sur les bonnes mines. Elle disait à une dame revenue de la campagne:

— Cela vous a réussi. Votre ligne est superbe.

Les clientes, comme toutes femmes, aimaient être flattées.
Mme Rémois ne leur ménageait pas les douceurs et d'abord
l'amitié, surtout aux acariâtres:

— Tout le monde vous adore dans la maison, Madame.
Encore hier nous disions que depuis si longtemps on ne vous
avait vue.

Aux papoteuses elle murmurait:

— J'aime qu'on me raconte ses petites affaires.

Et elle en racontait elle-même de petites et de grosses sur les
femmes qui se faisaient habiller ailleurs:

— Elle est très mince, mais rassurez-vous, ça ne durera pas.
C'est un effet de sa maladie.

Aux clientes connues pour avoir des amants, elle était très
respectueuse et débinait leurs amies:

— Ce n'est jamais deux fois le même qui paie ses
robes.

Devant les femmes un peu passées, elle joignait les mains,
comme en extase et se fondait d'admiration:

— Oh, Madame!

A une corpulente espagnole qui revenait deux fois par an se
pâmer devant les mannequins en tire-bouchon, tortillant leur
gracilité:

— Oh! Yo veut ça! Mademoiselle!

Mme Rémois répondait:

— Je vous ferai une ligne juvénile.

Les deux premiers mannequins, belles filles, taille 44, un
mètre soixante-cinq de haut et cinquante-huit de tour de taille,
durent prier qu'on s'écartât pour les laisser passer; les hommes
debout occupaient tout le passage jusqu'à la sortie de la
chambre d'habillage. Une grande brune montra un manteau
en velours bleu Touareg ciselé dont le col de fourrure serrait
son menton comme si elle avait froid. Elle marchait en
pointant ses pieds chaussés de satin blanc. Les mannequins
de cette maison qui habillait les reines étaient stylées à supprimer l'ondulation des hanches, pratiquée chez les couturiers
communs. Les cheveux blonds de Mlle Olga, superbe femme
qui tenait la tête du mannequinage, firent une claire flamme sur

un vêtement de bure tissé aux brins de couleurs diverses où dominaient le vert et le roux.

Cette habileté de commencer le défilé des toilettes par les étoffes lourdes et les gros enveloppements amenait aux effets de papillon que Mlle Olga fit avec son manteau de bure. Elle l'ôta d'un geste leste et on vit flamboyer la doublure de soie feu. La robe apparut lamée d'or, bel article de Lyon.

Les femmes murmuraient leur approbation. Les vendeuses demandaient au mannequin le nom de sa toilette:

— Comment t'appelles-tu?

Le belle fille emmitoufflée de brun sur un corsage de soleil répondit:

— Passion cachée.

L'art des mannequins était de faire valoir une robe. Elles y mettaient une audace charmante et infatigable.

La blonde papillonne vêtue d'or sous la laine profonde tournait, montrant tous les aspects de son costume. Cette fille passionnée de toilette adorait son métier de paonne. Elle souriait de plaisir et distinguait bien les hommes dont les yeux ne la quittaient pas. Elle calculait sa marche avec une science de danseuse, marquait l'arrêt et reculait d'un pas, faisant des effets de fuite au lieu d'aller aux clientes droitement et de pivoter comme les mannequins qui n'ont pas d'idées. Son teint et la couleur de ses cheveux variaient avec la mode. Elle avait été brune à cheveux tirés pour présenter les robes du soir au temps des grands châles à broderies multicolores. De taille 46 qui correspond à un mètre soixante-dix de haut et à soixante et un de ceinture, elle n'avait que cinquante-huit de tour. Elle changeait son fard et nuançait sa peau selon la robe à lancer et cela plaisait beaucoup à M. Dellouche, son ami généreux. Elle avait des bijoux.

Les premières d'atelier habillaient les montreuses d'après leur teint et la couleur de leurs cheveux. Dans les deux cents modèles présentés, il fallait des types de femmes pour chaque genre et chaque coloris, des anguleuses et des dodues. La vendeuse devait trouver parmi les mannequins, celle dont le genre convenait le mieux à l'acheteuse à qui il fallait éviter le costume mal seyant, mais ce n'était pas facile car les grosses dames adoraient la minceur.

Une robe en drap amazone vert garnie de galons noirs commença les formes fines. Les effets de gracieux et de robuste alternaient, habilement amenés. Il ne suffisait pas que les toilettes fussent parfaites; leur présentation devait l'être aussi, graduée en impressions ascendantes qui commençaient par les gros vêtements et finissaient par les grandes robes du soir, sans une faute dans le calcul de la succession des couleurs. Jamais une toilette ne devait éteindre la suivante. Après les manteaux simples vinrent ceux enrichis de fourrures posées sur les beaux velours fabriqués à Lyon, Voiron, et Saint-Etienne. Des teintes d'aurore et de soleil mourant étaient sur les corps gracieux des femmes vêtues de soies illuminées.

La Peine des hommes: *Le Lin*.
Librairie Gallimard, 1925.

PIERRE HAMP (*b.* 1876). '"L'ouvrier n'aime plus son métier, et cela ébranle le monde"': parti de cette constatation Pierre Hamp a entrepris l'histoire de *La Peine des hommes*, épopée du travail au début du XXe siècle' (René Lalou). This form of documentary novel ranges over a considerable field of French industry and commerce, from the fishermen of Boulogne in *Marée fraîche* (1908) to the railwaymen of *Le Rail* (1912), and the trilogy on the wool trade and its ramifications (*La Laine*, *Mektoub*, *Dieu est le plus grand* (1931–2)).

PHILIPPE HÉRIAT

30. *Les Boussardel*

La porte s'ouvrit enfin, avec fracas. Ma tante Emma. Elle entrait à sa manière, précédant ma mère par grandes enjambées. En dépit de ses soixante-sept ans et malgré le tapis, ses talons plats sonnèrent. Le vieux salon se réveilla d'un coup.

— Bonsoir, mon chat! lança ma tante de sa voix de fanfare. Elle avait toujours l'air de triompher, de sortir victorieuse d'une dispute.

Comme un écho, une autre apostrophe doubla la sienne. Mais assourdie, et plus bonasse:

— Bonsoir, mon trésor. C'était ma mère, qui suivait.

Chacune dans son registre, chacune si dissemblable, avait prononcé cela avec la même indifférence, comme on dit 'Bonsoir, ma fille' à une bonne qu'on n'aime pas. Car pour ma tante qui m'appelait son chat, je ne représentais certes pas un gentil animal; encore moins, pour ma mère, un trésor.

Mais déjà le baiser Boussardel m'était administré. Par quatre fois, deux baisers chacune. Simulacre jeté à la volée, '*pfui* ... *pfui* ...,' repris avant d'être donné, oublié avant d'être reçu. Il revenait à moi du fond de ma lointaine enfance. Je reconnaissais aussi, au passage, l'odeur de tante Emma. Odeur de crêpe — elle en portait toujours — odeur de cendre froide et de terre pauvre. Depuis qu'elle souffrait du foie, cette odeur s'aggravait et devenait de moins en moins supportable.

— Alors? me dit doucement ma mère en remuant la tête comme on fait pour parler aux bébés.

Bonhomie trompeuse, et autrement redoutable que la sécheresse cassante de tante Emma. A celle-ci au moins, on ne faisait pas crédit.

— Alors, pas trop fatiguée?

— Ma bonne Marie, dit ma tante, à son âge ce serait malheureux! Quoique ...

Elle attrapa entre ses doigts durs la pointe de mon menton. Elle me fit présenter un profil, puis l'autre. Elle plissait la bouche et grimaçait à la façon des faux connaisseurs.

— Enlève-moi donc ce chapeau, que je te voie mieux. ... Ouais! Autre spécialité Boussardel, ce *ouais*. Quel âge as-tu donc, à propos?

— Vingt-six ans, tante Emma, tu le sais bien.

— Si je prends la peine de te le demander, c'est que je l'ai oublié. J'ai autre chose à quoi penser, Dieu merci! Tu n'imagines pas que tous les soirs, en guise de prière, je me répète ton *curriculum vitae*? J'aurais peur de m'y perdre!

— Ha! Ha! cette Emma! dit ma mère en riant.

Trop indirecte pour lancer franchement des pointes, ma mère excellait dans l'art de souligner à propos les malices des autres, et de les changer ainsi en perfidies.

— Vingt-six ans? reprit ma tante. Eh bien, mon chat, tu parais plus!

— C'est bien possible.

— Non, non! Ma parole!... Tu as... je ne sais quoi de moins jeune fille. Est-ce que je me trompe?

— Oh, tante Emma, dis-je en soutenant son regard, tu sais bien qu'on se juge mal soi-même. Je m'en remets à toi.

— Tu me fais de l'honneur!... Ce qui veut dire en bon français: Tante Emma, je reconnais que tu as raison!

— Non. Ce qui veut dire que cela m'est égal.

— De ne plus être jeune fille?

— De ne plus paraître jeune: je ne suis pas coquette.

— Là! dit ma tante. Toujours le dernier mot!

Je ne pus me retenir d'ajouter encore. — Tu vois donc bien que je n'ai pas changé.

Et voilà. Nous avions déjà repris nos rôles. Nous les possédions à fond. Nous ne voulions plus rien y changer.

Je m'en sentais à la fois amusée et mécontente. Il y eut un silence. Tante Emma et moi, nous nous mesurions du regard, mais en souriant, et pas du même sourire. Elle occupait sa place: debout, appuyée au dossier de sa mère. Si le besoin s'en faisait sentir, elle parlerait au nom de Bonne-Maman, restée le chef de la famille. Elle le ferait d'ailleurs sans la consulter, trop certaine de pérorer impunément.

Ma mère se tenait assise auprès. Elle n'était que la bru de Bonne-Maman, et la cadette de sa belle-sœur. Cela confirmait son rang. Elle savait s'en contenter. Cette position de subalterne la laissait dans une ombre propice. Elle y simulait

126

un effacement bénévole, dont elle jouait comme d'autres femmes jouent de leur éclat ou de leur autorité.

Je faisais face à mes trois parentes. Tante Emma me dit:
— En tout cas, tu as bonne mine.

A ce mot, brusquement, ma mère braqua sur moi son regard, ce regard fait pour un autre visage. Car la mollesse de ses traits, qu'un teint rouge et un gros sourire perpétuel achevaient de brouiller, se trouvait démentie par la mobilité, la finesse, la pénétration de certains coups d'œil. Elle semblait de la sorte porter un masque, le masque du bon vivant, derrière lequel une autre âme se fût trahie, par deux trous, à l'endroit des yeux.

Après m'avoir ainsi mise en joue, et m'y tenant encore, elle dit lentement: 'Oui. . . . Elle est superbe!' Alors, ce regard, je le vis descendre le long de mon corps. Il remonta. Il s'attarda sur mes jambes, sur ma taille, sur ma poitrine. Je le sentais qui me déshabillait. Il me gêna comme seul vous gêne un regard cynique.

Ma mère n'avait jamais été belle; ni seulement agréable. Encore moins, distinguée. Les albums de famille étaient là pour le dire. A vingt ans, elle avait pourtant refusé un officier qui lui plaisait, qu'elle avait peut-être aimé. Mais il manquait de fortune. Quel contretemps! Elle-même ne disposait pas d'un avoir considérable. Elle n'était issue que du second mariage de sa mère, sœur de Bon-Papa, mais restée veuve à trente-trois ans avec quatre enfants d'un premier mari. Un trop grand nombre de frères et de sœurs avait ainsi diminué la dot et les 'espérances' de la jeune fille. Elle touchait aux Boussardel sans porter leur nom ni partager leur opulence. Comment y remédier? Elle choisit son cousin germain. Elle l'épousa de son plein gré et en dépit d'une répugnance profonde. Elle ne le lui pardonna jamais.

A moi non plus elle ne le pardonnait pas. Elle m'en voulait de dédaigner ces mêmes contingences auxquelles elle avait sacrifié son bonheur de femme. Elle avait prétendu jadis, même sans amour et comme pour l'acquit de sa conscience, me former à son image. Je m'étais montrée réfractaire. Odieuse trahison! . . . Une fille rebelle, alors, et qui prétendait vivre? ... Ouais! Ma mère en ressentait de la rage, mais aussi la pire des impatiences. Elle aurait aimé me faire échec, me barrer la route. ...

Et par surcroît je n'étais pas laide. Certes, à mes propres yeux, ma silhouette manquait un peu de finesse et de modernisme. J'allais bientôt me voir forcée de lutter contre la lourdeur qui déjà menaçait mes hanches et mon menton, et où sans plaisir je reconnaissais un double héritage. On disait de moi que j'avais de l'allure; et le compliment s'arrêtait là. Mais pour Marie Boussardel, née au temps des tournures et mariée pendant l'Exposition Universelle, mon physique devait représenter l'idéal.

Beaucoup de mères, du jour où leur fille est nubile, ne voient plus en elle qu'une autre femme. Ah! que la mienne devait donc jalouser, et mal endurer, non seulement la révoltée mais la femme que j'étais! Elle n'avait jamais possédé ma santé; ni mes jambes aux muscles longs, mon ventre ferme, mes seins hauts; ni ma bouche, mes yeux, mes cheveux. ... Cela me faisait du bien de me le dire, d'y songer. Cela me permettait de la considérer sans colère.

Je la voyais pesamment remplir une jolie bergère Louis XVI, qui sous elle semblait manquer de proportions. Elle portait une robe chaudron. Toute sa vie elle avait aimé les toilettes de couleur tranchée. Elle croyait améliorer par là son apparence et signalait au contraire son embonpoint. Elle choisissait d'ailleurs les formes et les modèles les mieux faits pour lui nuire. Cette infaillibilité dans l'erreur m'étonnait. J'avais toujours vu ma mère faire preuve de compétence dans ses devoirs ménagers. Elle connaissait les traditions les plus sûres pour soigner les tapisseries, les vieilles soies, les dentelles. Sa chambre et son boudoir avaient un certain air. Elle dormait dans un lin fin et beau. Mais son bon goût s'écartait de sa personne. On aurait dit qu'elle se faisait habiller par sa pire ennemie. Et c'était elle qui s'habillait à sa guise et contre les conseils de chacun.

Ma tante Emma se montrait plus avisée. Elle professait que seules les maisons de deuil rapide savent couper une robe

correcte. Elle était ainsi depuis plus de trente-cinq ans l'unique
cliente régulière d'une de ces entreprises. Et depuis plus de
trente-cinq ans, elle portait, à peine retouchée suivant la mode,
la robe qu'on se fait faire en vingt-quatre heures pour un
service funèbre.

Elle avait pris cette livrée à la mort de Bon-Papa, en
déclarant 'qu'elle ne quitterait jamais le deuil de son père
qu'elle adorait.' Combien de fois le lui avais-je entendu
répéter, d'une voix rapide et sans accent? C'était son refrain.
Avait-elle souffert de cette mort? Avait-elle aimé son père,
elle qui n'aimait personne? Va-t'en voir! Je n'étais pas
née. . . . Et depuis, jamais je n'avais entendu tante Emma
rappeler la moindre parole, évoquer le moindre geste de mon
grand-père. Elle n'en faisait qu'une question de vêtement.
Il ne s'agissait pas d'une ombre chère, mais du *deuil-de-son-
père-qu'elle-adorait.* Sans doute elle se tenait quitte de tout
chagrin au prix de cette espèce d'abracadabra. Elle le
laissait désormais tomber sans y songer et souvent hors de
propos.

Tante Emma s'était attachée à ce deuil comme on s'attache
à une formule avantageuse. Cela servait ses desseins. Ils
avaient moins de noirceur qu'on n'aurait pu le croire à la voir
et à l'entendre. Au fond, en dépit des mots cruels qu'elle
réussissait souvent, c'était une personne peu subtile. Mal-
veillante par complexion, elle n'avait pourtant pas d'ambitions
mauvaises. Une seule idée la possédait: la famille. Non pas
l'amour de la famille, car ma tante ne chérissait individuelle-
ment aucun de ses parents, mais la Famille proprement dite,
tout ce qu'en elle et par elle on peut ressentir, projeter, et
accomplir. Cette âme ressemblait à celle de certains chefs,
qui aiment non pas leurs hommes mais les joies du commande-
ment.

Les Enfants gâtés.

Librairie Gallimard, 1939.

PHILIPPE HÉRIAT (*b.* 1898). A novelist and critic who found
his early training in the cinema. In his relatively small output

of novels he has allied a deep psychological sense and a sharp eye for dramatic value to a penetrating study of certain social problems. *Les Enfants gâtés* sets its scene in the inner intrigues and aspirations of one of the most wealthy and closed of Paris families, whose past history is portrayed in *Famille Boussardel* (1949).

MAX JACOB

31. Histoire de concierges

Ô cellule vivante d'une cité! ô immeuble! ô cellule anatomique de Paris! je te considère, 47 de l'avenue Kléber et, te considérant par la pensée je dis: Il y a deux manières de considérer un immeuble, la vie d'un immeuble: 1° la pensée prend l'escalier de service et voilà la vie intime des serviteurs; 2° elle peut prendre l'escalier à tapis et à baguettes dorées, et voilà la vie des maîtres. Il y a aussi une 3° manière, la pensée peut s'arrêter à l'amphibie: ni maître ni valet! la pensée peut s'arrêter aux concierges. Il y a deux sortes de concierges connues: la concierge rogue et aphasique et la concierge inclinée, bavarde et compatissante. Ne négligez pas l'étude de la concierge si vous procédez à l'étude d'un immeuble particulier: le pouls de la concierge est celui de la maison. Tels maîtres, tels valets, dit un proverbe et j'ajoute: tels valets, telle concierge. Quel dommage qu'on me mesure ici la place: j'argumenterais! je prouverais victorieusement que la concierge est le galvanomètre des courants sentimentaux dans la vie générale d'un immeuble. Mme Lelong n'avait pas de valet, pas de rapports avec les valets, je dirais volontiers qu'elle n'avait pas de concierge, tant celle-ci comptait peu dans son organisation. Il n'en fut pas de même pour son fils Maxime à l'âge de quatre ans. En effet, Mme Krauss-Cognon enseignait quelquefois les éléments de la lecture sur un banc de l'avenue Henri-Martin au pauvre Maxime. Elle ne les lui enseignait jamais ailleurs, de sorte que l'hiver Maxime n'avait pas de leçons. Le jeune Maxime n'avait pas encore pour la lecture ce goût qu'on lui a vu depuis. Un matin d'été, Maxime, passant devant la loge de la concierge, aperçut parmi les correspondances un petit cheval de plomb auquel il manquait une patte. Ceci décida de sa vocation pour l'escalier de service. Rien, pas même la patience de Mme Krauss-Cognon ne put le décider à sortir de l'extase où le jetait le cheval de plomb. Mme Krauss-Cognon, qui avait un rendez-vous avec Mme Chelles, place du Trocadéro, à onze heures, abandonna Maxime, et la concierge le fit entrer auprès du cheval à trois pattes. Cette concierge appartenait (voir plus haut) à l'espèce 'inclinée, bavarde et compatissante'; les cuisinières, cameristes et soubrettes étaient également inclinées, bavardes et compatissantes, et je ne sais où le jeune Maxime, âgé de quatre ans, eût traîné ses petites jambes et les heures des journées si ces dames n'avaient pas été ce qu'elles étaient. Rien au monde ne me fera oublier les enseignements de mon professeur de philosophie, et dans cet enseignement une phrase qui, toute ma vie, fut, est, sera mon guide, ma morale et mon préservatif: 'L'habitude commence avec le premier acte.' Oui, certes, c'est avec le premier acte que commence l'habitude, fussent l'acte et l'habitude d'un chien, d'un enfant, et cette habitude fût-elle de venir contempler un cheval de plomb à trois pattes. Les habitudes de notre existence commencent avec les premiers actes de notre éducation, et celle de fréquenter les femmes de chambre persiste encore chez Maxime Lelong, qui aura quarante-six ans le 4 mars de l'an prochain: 'C'est le petit du troisième!' disait la concierge aux cameristes, et les chuchotements allaient leur train; cela finissait par une tablette de chocolat, un fruit pris aux provisions qu'attendait la dame du premier, du second, du quatrième, du cinquième ou du sixième. La dame du troisième n'attendait ni bonne ni provisions. Hélas! la dame du troisième n'attendait même pas son fils: quand par hasard elle le rencontrait, elle se bornait à rectifier le nœud de sa cravate, à lui reprocher cette mèche, qui terminait en aigrette le sommet de l'occiput. 'Comme il parle facilement, n'est-ce pas? disait la concierge. On en fera un avocat!' Malheureusement, si à cinq ans le petit Maxime avait le don des relations utiles, il n'avait pas celui de les conserver: 'C'est un petit menteur, disait la cuisinière du premier, et moi je n'aime pas qu'on me mente.' 'Et tout le veau froid que je gardais pour moi! c'est un petit voleur! je n'en veux plus!' De l'office au salon, il n'y a qu'un corridor, beaucoup de très célèbres hommes l'ont suivi. Maxime était un 'petit rapporteur,' et dans tous les mondes, c'est un défaut que l'on redoute et pour cause: 'Tout de même! aller raconter sur les genoux de Mme Folmiche que Louise a dormi la tête à la table de cuisine et que la bouteille s'est cassée par terre du coup!...' Les genoux de Mme Folmiche! Maxime avait donc franchi le corridor-Rubicon!... Mme Lelong, qui n'avait jamais essayé de supporter son enfant, le déclara insupportable. Il avait huit ans, on l'enferma à Stanislas, et Lisette lui succéda dans les cuisines de l'immeuble.

L'Homme de chair et l'homme reflet.

Librairie Gallimard, 1924.

MAX JACOB (*b.* 1876, *d.* 1944). Born in Quimper, Jacob died in the concentration camp of Drancy, having been arrested by the Germans as a Jew, although he had been baptized into the Catholic Church as long ago as 1915 (Picasso was his godfather). From 1921 onwards, except for a short interval, he lived at Saint-Benoît-sur-Loire, leading a secluded life, and devoting himself to his work and to religious activities.

As a poet (and occasionally as a painter) he belongs to the group generally labelled cubist, whose aim was to 'rendre sensibles toutes les faces d'un objet à la fois' (Salmon). Following Apollinaire, he finally seems to find in the *poème en prose* the most suitable expression to parallel their new approach to poetry—*Le Cornet à dés* (1917).

As a novelist, he shows a very keen power of observation, as well as of satire, in *Le Terrain Bouchaballe* (1922), *Filibuth* (1922), and *L'Homme de chair et l'homme reflet* (1924), his masterpiece in realistic character-painting; but his mannerisms, his constant clowning, his caprices have sometimes made it difficult for him to be taken seriously.

p. 132. *Stanislas*, one of the best known of the Paris *collèges*.

32. *En palanquin ou le danseur insoupçonné*

M. Godeau avait fini par considérer le regard des autres comme sa prison particulière. Il préférait un pavé de n'importe quelle rue à l'un quelconque des visages qu'il y rencontrait à la dérobée. Il lui parlait au cœur, ce pavé; il l'attendrissait; il le portait comme des ailes d'ange. Au contraire le visage de la plupart des hommes et des femmes commençait toujours par ne lui rien dire d'agréable, par lui resserrer le cœur, et M. Godeau ne se serait même pas arrêté plus longtemps de peur de s'attrister devant ce qui était une des pierres véritables qui désiraient de l'enclore: Enfer attentif. Chaque être qu'il rencontrait lui donnait le goût de passer le mur. M. Godeau avait l'air perdu, quand il se retrouvait en présence d'un visage étroit et court, plat et aussi bas que celui d'un homme ordinaire; mais jamais il ne connaissait pire aventure que sur les places publiques: un pou dans une pelade ou une puce bien peignée qui rencontre un eczéma. M. Godeau ne savait quelle lassitude lui prenait. Ses genoux fléchissaient. Il entendait voler autour de lui des papillons de fer qui lui meurtrissaient le front. C'étaient les paroles inutilement dites; cependant le supplice de voir les visages des autres consolait un peu le supplice de les entendre parler, si bien que si M. Godeau remarquait le soir que, depuis le matin, il n'avait pas ouï une parole inoubliable, il repassait leurs visages comme des masques entre ses mains. N'eût-ce pas été assez pour eux de grimacer et pour lui, en les regardant, de grincer des dents et de sourire? Même quand la Place publique était vide, une sorte de vertige le saisissait à la traverser, et la respiration lui manquait. Il bruissait comme un fouet de plomb sur ses tempes: le souvenir des foules et cette mauvaise odeur. En même temps que lui des feuilles mortes y couraient-elles dans le soir, parfaitement légères et belles, d'un jaune pâle et lumineux, comme une fugue d'yeux de chats dans une nuit de sable sans lune, il lui semblait bien plus être une feuille dansante et légère qu'autre chose au monde. Mais déjà s'avançaient sur elles et sur lui pour les écraser les hommes dont certains ressemblaient à des procès de cour d'assises, ceux-là à des instruments de torture, le dernier à un échafaud. Il arriva qu'un grand brun pâle qui était pareil à un clair de lune dans une potence arrêta M. Godeau pour lui demander pourquoi on le voyait traverser le monde ainsi qu'un bolide, comme s'il eût eu peur de manquer une occasion: 'En effet, répondit M. Godeau, l'occasion d'être seul.' A une femme empressée qui lui reprochait de ne pas s'intéresser à ses propres affaires: 'Oh! Madame, je ne m'occupe même pas des affaires des autres.' Il avait laissé désormais les livres, les corps des autres, leur visage, leur âme pour entrer en lui-même d'où il admirait un être au port magnifique, l'air impassible qu'on insultait. On lui dit: 'C'est un sourd.' Celui-ci faisait des réflexions imprévues, par exemple: 'Je suis bien débarrassé, je n'entends plus rien' ou encore: 'Tout ressemble à une pantomime.'

M. Godeau était-il impressionné à l'approche d'un autre, il ne se laissait voir ni amusé, ni humble, ni contraint, ni insolent, ni fier: ce n'eût pas été de l'indifférence. Ses yeux étaient un petit lac tranquille et perfide, bien placé là pour arrêter les inutiles et noyer les indiscrets. Si l'on tentait de passer, les barques étaient à fond mobile et le pont basculait: précautions inutiles avec le vulgaire: Ame féodale toujours dans la cité commune, ici, en 'lui' qui n'était ni en deçà ni au delà de lui-même, que les autres vinssent réformer quelque chose! S'il admettait quelqu'un d'étranger, il le désarmait d'abord, puis redressait le pont-levis; que l'étranger ne pût plus sortir de 'lui.' Rencontrait-il quelqu'un d'inconnu? M. Godeau portait tout de suite son regard au fond de ses yeux. S'ils cédaient, il prenait garde. S'ils ne cédaient pas, il prenait garde encore. A cette épreuve la plupart restaient inattentifs. Alors il n'y avait pas en eux de volonté. D'autres se méprenaient sur le sens de cette épreuve; ils avaient mauvaise volonté. Les Rois: ceux qui venaient au-devant de M.

Godeau avec la puissance de le soumettre. A chaque détour
du chemin, M. Godeau était invité par quelqu'un à devenir son
esclave. La vie devait l'obliger à confesser de sa nature si elle
était servile ou royale. Qu'il lui semblait beau de se sentir tout
vibrant de colère intérieure et d'empêcher durant deux heures
un plus fort que lui de lever les yeux! S'il passait en quelque
endroit par un beau soleil, il n'oubliait pas qu'il était un
passant, différent des promeneurs, et que son chemin véritable
était le temps bien plus que l'espace. Il n'exagérait pas
l'importance du soleil: un ver luisant très pâle dans l'ombre de
ses pensées. Les promeneurs, comment les apercevoir? à ce
signe qu'ils cherchaient à s'accrocher, à se prendre à l'une de
ses pensées pour la faire mourir; ils commençaient par
attrister toutes les pensées. M. Godeau s'apprenait à soulever
le coin de la lèvre et à raidir tout le corps selon son axe bien
exactement vertical. C'était la gymnastique la plus utile,
celle qui multipliait la distance du premier venu à lui. Le
premier venu avait beau faire tout son effort pour le rejoindre.
La route marchait au rebours de son pas et il était toujours à
la même distance de M. Godeau. A l'approche de certains
êtres même, M. Godeau sentait grandir en lui une force de
répulsion effective, un il ne savait quel être invisible, différent
de lui, comme un ange qui se serait détaché de lui pour aller
au-devant d'eux et les décourager de le voir: ils allaient faire
un pas et reculaient avec peine. Ils désiraient de lui parler,
regrettaient de ne le pouvoir pas, quand rien ne les empêchait
que ce mystère. En pleine rue, M. Godeau se plaisait à se
considérer comme un rajah dans son palanquin. Sous le voile
impalpable de la moustiquaire il sommeillait et priait mille
chérubins de venir agiter une seule plume d'autruche autour
de son front, tandis que, s'il en surgissait, il effaçait les femmes
avec l'ongle sur sa courtine d'or. Une rue était un lit de repos,
fût-elle la plus fréquentée, où M. Godeau devait, avant de
s'assoupir avec délices, se souvenir qu'il était immobile et seul,
en dehors même du temps. M. Godeau aurait fait un grand
progrès quand il saurait descendre de son palanquin pour
marcher dans le soleil sur la Place publique, comme s'il était

seul au monde, avec une joie mesurément violente. Alors il danserait sur la Place Publique, autant qu'il était possible à un homme grave qui voudrait avoir l'air de se promener. On n'est jamais sûr d'être seul. Si Dieu . . ., on n'a jamais tout à fait le droit d'avoir l'air de soi-même. Il n'importait pas qu'on ne dansât pas toujours, pourvu qu'on eût toujours l'air de gravement se promener. Danser, se moquer des 'gens graves,' quand il était lui-même un homme grave, c'était par exemple sortir de sa poche une vieille édition des Epîtres de saint Paul et lire à l'ombre d'un rosier sauvage au beau milieu de la Place du marché: '*Caput mulieris vir, caput viri Christus, caput Christi Deus.*' La femme qui est sans doute la tête de la Bête, quoique par galanterie saint Paul l'eût tu, 'à l'église doit rester voilée, quand l'homme se découvre.' Alors sous les roses de la grande Place, M. Godeau se découvrait: '*Caput viri, Deus.*'

Monsieur Godeau intime.

Librairie Gallimard, 1926.

MARCEL JOUHANDEAU (*b.* 1888). This visionary and mystical writer produces novels and short stories with prolific regularity. His most striking characteristic is the strange juxtaposition of crude naturalism and visionary metaphysics, tinged with irony. He has created an imaginary city of his own, 'Chaminadour-la-Bienheureuse,' in which the central character of his works, Monsieur Godeau, displays 'son talent d'apologiste et de panégyriste de lui-même.'

Jouhandeau's chief interest is philosophical and moral, and centres round one problem: 'Il est bien plus extraordinaire que nous qui sommes imparfaits soyons, qu'il ne l'est que Dieu qui est parfait soit.' In his acute sense of human imperfection, in his attempt at solving the mystery of damnation and salvation, Jouhandeau turns evil into good and is led to an apology of evil and hell.

JACQUES DE LACRETELLE

33. *Les yeux fermés*

Les quatre coins du compartiment étaient occupés, mais les voyageurs avaient commencé leur nuit et n'étaient plus que des formes immobiles, à peine distinctes à la lueur voilée du lumignon.

Le train avait quitté Paris depuis deux heures. Alexis avait feint de dormir presque tout de suite; cependant, la tête dirigée vers le carreau, il entr'ouvrait suffisamment les paupières pour regarder le paysage nocturne.

Il était déçu. Il avait espéré revoir cette contrée fantastique, toute luisante, avec des cratères et des monuments abandonnés, qu'il avait traversée par une nuit de pleine lune; visions étonnantes, qui se succédaient presque trop vite pour les histoires qu'il imaginait. Mais, ce soir, bien que le ciel fût pur, rien n'apparaissait. Il avait cru, un instant, que le rideau se levait; c'était un étang que le scintillement des étoiles forçait à se montrer, et qui s'était rapidement fondu dans le noir.

Pourtant, loin de se détourner du carreau, Alexis s'élance dans ce noir où l'on ne distingue rien, et les histoires se font quand même les unes après les autres. . . . Il récapitule sa journée; il se rappelle ce que M. de Saint-Juire a dit le matin à sa mère: 'Quelque chose l'empêche de se fixer à ce que je lui montre.' Comment une grande personne a-t-elle pu deviner cela? Seulement ce n'est pas 'quelque chose,' c'est tout ce qu'il est, tout ce qui fait qu'il existe. . . . Quand il presse ses paupières et que des taches, des soleils, se forment devant ses yeux et emplissent sa tête, est-ce qu'il peut songer à ses paupières? . . .

Le long de la voie, il aperçoit deux, trois lambeaux de fumée blanche qui escaladent le talus et s'en vont verticalement au ras de l'herbe. On dirait des croisés sous leur vêtement blanc. Il a vu ce costume dans un livre, une *Histoire des Croisades*, que sa mère lui avait donné à lire en lui avouant qu'elle l'avait trouvé un peu ennuyeux autrefois. Alexis l'a lu d'un bout à l'autre. Comment peut-on s'ennuyer quand rien ne vous gêne, quand personne ne vous parle?

Maintenant que sa mère est endormie, il ne prend plus de précautions et ouvre les yeux tout grands. Cet après-midi, il a fait des découvertes amusantes. Il a vu qu'elle connaissait Paris moins bien que lui et ne voulait pas le montrer. Et ce mouvement des sourcils, ce geste inquiet de la main, qu'il a remarqués lorsqu'elle voyait venir un tramway ou une bicyclette, elle les fait bien souvent. Elle a donc peur par moments, c'est certain, peur autant que lui, et elle ne l'avoue pas. Il essaie de voir cette main qui s'est trahie, mais elle est cachée sous les plis du manteau. Oh! pourvu qu'on ne devine jamais ses secrets comme il devine ceux des autres. Une crainte défiante s'empare de lui. Mais non: ses secrets, les autres n'en voudraient pas. Est-ce qu'ils parlent jamais des soleils, des grands feux qui s'embrasent et s'éclipsent à volonté lorsqu'on appuie sur les paupières? Cela ne compte pour personne, on se tait là-dessus comme sur toutes les choses qui l'attirent vraiment. Les endroits qu'il aime, n'y est-il pas toujours seul? A l'école, quand on lui a confisqué la roulette et qu'il a découvert le bassin, on s'est moqué de lui parce qu'il passait là tout le temps de ses récréations. Et ce globe, à l'entrée du jardin, qu'il ne pouvait regarder sans avoir comme la sensation d'être aspiré, qui d'autre que lui le connaît? . . .

Le globe, le bassin, il ne les reverra peut-être jamais, puisqu'il ne rentrera pas à l'école en octobre. Mais tant pis! il les abandonne. Autrefois, l'idée de perdre une de ces choses qu'il aimait le jetait dans l'angoisse. Quand il est arrivé à Paris, l'an dernier, et que devant les hautes façades des maisons, il a repensé aux troncs des arbres et aux mystérieux dessins de leur écorce, ou aux îlots, grands comme la main, qui se forment au milieu des ruisseaux, quand il a repensé à tous ces mondes que, là-bas, dans la campagne, il gouvernait comme Dieu . . . oh! il a fermé les yeux, il a cru que sa respiration s'arrêtait. . . . Tout en suppliant sa mère de le ramener avec elle, il se disait:

'Si elle ne veut pas, je me tue.' Mais il ignorait que d'autres mondes devaient venir, le monde du globe, du bassin, des fenêtres peintes par un reflet, le monde qui naît avec les cris de la rue, le monde jaune et oppressant qui se forme dans la lumière du gaz à l'étude du soir. Maintenant il sait que ces choses précieuses ne dépendent de personne; nul ne peut les lui ôter, et, où qu'il soit, elles sont inépuisables.

Il se répète la phrase de M. de Saint-Juire: 'Quelque chose l'empêche . . .' Oui, c'est vrai, mais ce qui l'embarrasse, ce n'est pas seulement ce que les autres veulent lui imposer, c'est aussi ce qu'il possède vraiment. Il lui semble que la mine merveilleuse est appauvrie d'autant.

Il regarde sa valise posée dans le filet devant lui, il énumère ce qu'elle contient sous le linge et les vêtements bien pliés: des livres, un jeu de jonchets, un presse-papier en bois de Palestine, un sous-main en cuir de Russie, d'autres menus objets. 'C'est tout ce que tu as?' lui a demandé hier un camarade avec un air de mépris. Eh bien! c'est encore moins que tu ne crois, lui réplique Alexis ce soir. Il imagine qu'il monte sur la banquette sans éveiller sa mère, qu'il prend doucement la valise et, ouvrant le carreau, qu'il la jette là, dans le noir. . . . Qu'éprouverait-il ensuite? . . . Rien, aucun regret, sauf pour son grand aimant en fer à cheval. La chose faite, il se rasseoirait tranquillement. Il ne posséderait plus rien; mais il lui resterait les globes, les anneaux de feu, il lui resterait le bruit rythmé des roues en marche, ce bruit violent qui, depuis le départ, lui sert à dicter les ordres ou à y obéir. . . . Tout d'un coup, Alexis referme les paupières. Sa mère a bougé et elle a regardé de son côté. Puis elle se lève et couvre de son manteau cet être qui lui appartient.

Les Hauts Ponts, III: *Années d'espérance.*

Librairie Gallimard, 1935.

JACQUES DE LACRETELLE (*b.* 1888). The most significant part of his output is contained in the four volumes of *Les Hauts Ponts*, a study in the decline of a single family, spread over three generations, and more particularly of the resulting conflicts between the principal members.   Lacretelle's main preoccupation is avowedly psychological ('tous les hommes sont malades de la tête'), and he investigates and exploits the role of the imagination to a very considerable extent.

VALERY LARBAUD

34. *Chelsea*

Du lierre et du verre, et partout le teint rose et délicat des briques sous le hâle noir lentement accumulé par l'air chargé de vapeurs, de fumées et de couchants rouges. . . .   Des rues calmes, et qui restent calmes malgré leurs passants: comme les quais du fleuve; comme la rue de l'Eglise, qui fut au siècle dernier la Grand-Rue d'un village de banlieue, dont les arbres et les verts terrains vagues descendaient jusqu'à la rive.

Mais l'immense ville a rejoint le village et se l'est incorporé, et maintenant la rue de l'Eglise et l'église demeurent, dans ce quartier, comme de précieux restes du passé, soigneusement laissés à leur place, et respectés: la rue avec ses détours, et la petite église avec un fragment de son cimetière.   Et il y a d'autres souvenirs, plus récents: la maison où vécut le prophète tonnant et grondant du culte des Héros.   (Une malédiction est tombée sur elle: on en a fait un musée.)   Mais toutes les autres maisons vivent, autour de celle-là: même celle qu'habita — une inscription le dit — ce charmant poète qu'on ne retrouve que par échappées dans son œuvre et qui, père besogneux d'une nombreuse famille, porta en lui pendant toute sa vie, qui fut une longue enfance, le souvenir des Antilles où il était né et l'image d'une jeune fille de quatorze ans qu'il avait aperçue un jour et n'avait jamais revue.

Elles vivent, mais il y a chez elles une telle volonté de calme et de paix que, dans ce coin de la ville, on dirait que des abîmes de silence séparent tous les objets, même les plus proches les uns des autres. Au XVIIIᵉ siècle on fabriquait ici de la poterie; mais à présent, on y cultive, avec des soins infinis, le précieux silence. Ici, chaque chose est à part de toutes les autres: les jardins, les arbres citadins sous leur revêtement de suie humide, les chapelles, les hôpitaux, la station des taxis, toutes ces choses existent sans bruit, sans rien qui laisse voir au passant leur activité. Tout est solitaire et discret; les couleurs même se taisent et demandent à être regardées plus attentivement qu'ailleurs, et ce n'est que de tout près, et les jours de soleil, qu'on s'aperçoit que le pont tendu sur ses hauts piliers comme une double guirlande d'une rive à l'autre, a son armature peinte en vert. Et le fleuve ne se distingue de la brume que par une sourde lueur d'argent, ou de cuivre, selon les heures. . . . A l'horizon rempli d'usines, un groupe de hautes tours, une famille de noires Babels, marque les limites de la ville, — si elle a des limites, — du côté de l'Occident.

Etendu sur un divan, près de la fenêtre en saillie, au rez-de-chaussée, Marc Fournier goûtait le silence de son quartier et cherchait à se l'expliquer. Comment se faisait-il que toutes choses fussent à ce point isolées, sans rayonnement, sans accointance, sans faire entendre leurs voix? Et sa pensée suivit la rue où étaient la maison de Carlyle et celle de Leigh Hunt, jusqu'à son confluent, après un tournant brusque, avec une rue plus large, — et là, au coin, à gauche, il y avait, derrière une palissade noire, une villa inhabitée qui dormait au fond de son jardin dont les allées s'effaçaient, transparaissant encore sous les herbes et les fleurs comme les événements d'un songe sous les premières sensations du réveil. C'était là qu'avec la complicité de tout le quartier, à la faveur de ce silence tendu, voulu par tous les habitants, la nature se réparait, reprenait toutes ses habitudes, mêlait toutes ces croissances, oblitérait avec patience et entêtement un passé humain, une histoire humaine, dont les empreintes se voyaient peut-être encore sur le sable recouvert de feuilles et de tendres tiges, — et lourde-ment, régulièrement, comme une pulsation, les trois notes sauvages et passionnées d'un oiseau invisible tombaient dans le silence d'ombre et d'or. Et c'était là, sans doute, que s'étaient réfugiées les anciennes petites divinités proscrites, celles de la rive, celles qui protégeaient les potiers, celles de la forge et du pré communal, — toutes les nymphes et les fées de Chelsea! Et cela était beaucoup plus important que le souvenir morose des grands hommes qui jadis avaient habité là. Cela faisait de ce quartier un pays féerique: on le sentait bien à ce silence de rêve, à cette lumière adoucie par l'eau et la verdure, fondue dans la brume subtile où toutes les formes apparaissaient et disparaissaient soudainement avec quelque chose comme ce geste: le doigt sur les lèvres.

'Oui,' songeait Marc, 'autrefois le quartier des gens de lettres, et maintenant celui des peintres: ce qui explique la rencontre, çà et là, d'un groupe de modèles: des enfants brunes à grandes boucles d'oreilles rondes sous la coiffe blanche ouverte comme un livre. . . . Mais qu'est-ce qui peut expliquer ce silence, et ces douces présences invisibles, et cette calme pantomime des rues qui font semblant d'être désertes, sinon . . .'

A ce moment, les Fées parurent. Il y eut un faible bruit de grelots, de rires et de tambourins, et deux chars pleins de petits personnages costumés s'arrêtèrent devant une porte, de l'autre côté de la rue, en face du quai.

Beauté, mon beau souci.

Librairie Gallimard, 1921.

VALERY LARBAUD (*b.* 1881). Larbaud's influence has been double, that of the novelist and that of the translator, especially from English. His most important novel, *Barnabooth* (1913), was a landmark in the literature of travel and adventure. His translations include much of Samuel Butler and a remarkably fine translation of James Joyce's *Ulysses*. He is also the author of two books of essays on French and English literature.

His more recent novels still display the same colourful charm, the same erudition, as he leads his characters over the world, which he continues to regard through essentially French eyes.

This description of Old Chelsea may reveal a few unfamiliar features to those who have known London only after the visitations of the Luftwaffe.

35. *Roger de Tainchebraye*

Tout le 'pays' donc grimpait vers Tainchebraye; au carrefour, quand il fallait quitter la route royale, une queue
interminable de voitures attendait dans les deux sens, et les
gardes faisaient passer un *nord*, un *sud*, toutes préséances
abolies.   Pas un paysan qui ne fût sur la route, prêt à aider, à
pousser le coup de main.   Ils prenaient leur part, sachant
qu'eux aussi auraient leur fête.   Usage qui dura longtemps:
on donnait aux pauvres exactement la somme dépensée
en réceptions . . . longtemps, puisqu'en 1900 la Comtesse
Alexandre de Boisgelin, à Beaumont, exigeait de son mari les
comptes de l'équipage, piqueux, chiens, déplacements, pour
apporter la même somme au bureau de Bienfaisance.

Tous les chevaux du haras avaient été mis aux fermes;
Tainchebraye logeait deux escadrons dont les flocons d'écume
blanchissaient les pavés.

Les gens arrivaient dans un excellent état d'esprit, contents
de savoir qu'ils étaient conviés à un *grand tralala*, que *tout
serait par les écuelles* et à *tout casser*; comme l'écrivait le baron
de Vieilles: '*Même un cul-de-jatte, avec une faim pareille, nous
lui eussions admiré les mollets!*'

Normalement Roger aurait dû être à la porte pour accueillir
et aider les pères 'au paletot' mais le rôle fut tenu par un sien
cousin; l'on comprit qu'il voulait arriver au milieu de la fête,
se jeter d'un coup à la figure des gens.   Et on l'excusa
immédiatement.   Seulement tous subissaient une contrainte
difficile à dominer.   Simone de Tainchebraye, ayant mis de
côté son esprit pour quelque temps, souriait avec mollesse,
comme si rien n'était que sa joie de recevoir tant d'amis fidèles.
A la moindre augmentation du bruit, les têtes se tournaient
malgré elles, s'interrogeaient.

L'énervement allait-il donc gagner ces gens si peu nerveux?

Cependant, quand les ducs furent installés, on trouva malgré

tout que cela se prolongeait trop. La fête Tainchebraye
serait manquée! les traits s'allongèrent, il y eut de l'humeur. . . .
Oui ou non? enfin . . . qu'on sache. . . . Mais . . .

Mais s'entendit une sorte de frisson léger qui courut; une
houle humaine très courte suivit; les parleurs s'arrêtèrent net
et les vieux du whist se levèrent. . . . Ce fut fait.

La porte du petit salon s'était ouverte et encadrait une
haute carrure claire. Il devait parler à quelqu'un derrière lui,
tournait le dos. . . .

Ces personnages étaient de la plus sûre éducation, dressés à
la politesse la plus déliée, aux nuances infinies, avaient peut-
être sur eux-mêmes ('Pardon! . . . monsieur le Bourreau') une
maîtrise courtoise comme jamais n'en connut le monde. Plus
encore: ils venaient pour ce choc, arrivaient prémunis contre
son ébranlement, et il y en eut dans les fonds qui s'exclamèrent,
et deux — d'ailleurs plus tard montrés au doigt — qui grimpèrent
sur les chaises. Puis un silence . . . qui aurait pu être terrible.

On entendit alors une montée de rires étincelants. . . .

— Mais n'ayez pas peur . . . n'ayez donc pas peur! criait
Tainchebraye, qui apparut en plein, dans la lumière de cinq
fenêtres, tout droit, svelte, éblouissant de diamants et d'étoffes
claires. Il brandissait sa fière petite tête, avec sur sa blessure,
un masque de velours blanc, neigeux.

L'accueil fut triomphal! immédiat! Sans se concerter,
entraînés irrésistiblement, ils l'applaudirent, comme un ténor
qui fait sa réapparition sur la scène et qui la réussit en
splendeur; ils éclatèrent en applaudissements unanimes,
frénétiques; l'acclamèrent. . . .

On courut vers lui, ses jeunes amis, ses parents. . . . Cependant, toujours maître de soi, il écartait toutes ces mains
tendues, semblant ne reconnaître personne avant d'avoir, selon
l'usage, salué les duchesses; il avançait doucement, non-
chalamment. Le duc de Laval-Montmorency, se portant en
avant, le prit aux épaules et voulut l'embrasser, le baiser sur
les joues (non 'à la prêtre,' oreille contre oreille). Or, il y eut
une hésitation, le masque empiétait trop; le duc, maladroit,

frappa un peu le profil qui sonna creux — et Laval s'en recula d'horreur.

— Mais mon nez est solide, Monsieur le Duc, et d'ailleurs j'en ai déjà trois autres! — et de rire encore de toutes ses jolies dents.

Le duc le baisa au front tandis qu'autour la joie, la détente, atteignaient un peu de folie.   Il les délivrait même de l'attendrissement, les soustrayait à la pitié. . . . Les duchesses se levèrent, elles aussi, et le baisèrent sur le front . . . et de proche en proche tout le monde l'embrassa, vieux, jeunes, vieilles dames, jeunes femmes. . . . Tout le monde, sauf les jeunes filles car . . . pour les jeunes filles, ce fut lui.

Il portait un habit de velours gris extrêmement clair, très long, moins toutefois qu'à 'l'incoïable' alors de mode, avec deux rangs de boutons qui étaient des gouaches sur fond bleu-nuit entourées de diamants.   Gilet dépassant la coupure, en faille blanche brodée, et culotte fine comme ses bas de soie. Souliers vernis avec boucle de diamants et boucles de culotte aussi en bijoux.

Sa tête haut perchée sortait d'un flot d'*Alençon*; les seules notes noires étaient l'astrakan luisant de ses cheveux et ses prunelles sombres; la seule cruauté, ce ruban de la Légion d'honneur qui saignait, gros comme le pouce, à sa boutonnière, et qui faisait pâlir les femmes ainsi qu'une plaie.

Il avançait, cambré comme un violon, et, sous son masque blanc, semblait un funambule aristocratique, un royal pierrot! Même sa bouche et ses yeux prenaient du masque plus de vivacité, on eût dit, ce masque ovalisé et distendu, une blanche main féminine courbée sur son visage pour retarder, oh, un instant, par jeu, sa victoire.

Tainchebraye s'inclinait, s'insinuait, se relevait. . . . De le voir ainsi rétabli, une sorte de confiance, d'optimisme certain, les prenait tous; il était un emblème de leur vie, le signe de leur force profonde, à ces Normands, leur puissance de renouvellement.   Eux aussi sortiraient victorieux et magnifiques de tant de deuils et de tant de souffrances. . . . Et tandis que sa mère osait dire aux félicitations que cette blessure avait été bien exagérée, restait si peu de chose . . . il ouvrit le bal avec la dernière mariée de l'année . . . commençait de les entraîner dans son mouvement personnel, de les étourdir, de les griser, au cœur de cette ronde qu'il fit durer quinze ans.

Nez-de-Cuir.

Librairie Plon, 1937.

JEAN-BALTHAZAR-MARIE MALLARD, VICOMTE DE LA VARENDE (*b.* 1887). His writings, most of them in the novel form, are concerned with the Pays d'Ouche, that part of Lower Normandy lying in the south-west corner of the Eure department bordering on the Perche, an area particularly rich in historical associations and in connections with many of the oldest and most distinguished families of the hereditary nobility. He treats his subjects, syntax, and vocabulary with a grandiose but unaffected familiarity which distinguishes the aristocrat from the mere intellectual.

In *Nez-de-Cuir*, against the brilliantly animated noble society of Normandy in the period of the Restauration, La Varende depicts the magnificent and historical figure of Roger de Tainchebraye, the impenitent and flamboyant Don Juan, appallingly disfigured by Cossack lances in the *campagne de France*. The present extract describes Roger's first reappearance in public, the public, that is, of his own society.

p. 145. *incoïable*, deformation of *incroyable*, due to the affected speech of a royalist faction, who not only suppressed the pronunciation of *r*, but also indulged unduly in the use of the expression *c'est incoïable*, thereby acquiring the word as a nickname; the allusion is to the very ornate, almost effeminate attire which they also affected.

p. 145. *Alençon*, town in Normandy which has given its name to the most delicate and costly of French lace.

36. *Jacques et moi*

Il n'y avait plus dans Paris vide que Jacques et moi. Le plaisir épouvantable que j'avais pris en réduisant à une envie sans noblesse la jalousie dont je souffrais, avait transformé cette souffrance en quelque chose de constamment aigu qui ne me laissait pas de répit. Dès le réveil, au sortir de rêves souvent agréables et que je tentais en vain de retenir, je me mettais à souffrir. Je pensais tout de suite à Jacques, et au matin qu'il était sans doute en train de connaître, au matin qu'il m'était interdit de connaître. C'était le premier coup de poing d'une volée que le sommeil seul suspendait.

J'avais l'idée fixe de Jacques, et je menais avec lui, des premières heures du jour jusqu'au moment où le sommeil voulait bien de moi, une conversation à voix basse pleine d'une impudeur extraordinaire. Les propos que nous échangions réellement au cours de la journée ne pouvaient interrompre le murmure étouffant de ce dialogue muet.

Puis un jour, je découvris, — à quels signes? — que Jacques était malheureux. J'hésitais à croire que ce que j'avais si longtemps et si violemment désiré — jamais espéré — m'était enfin donné. J'observais Jacques avec une attention accrue, et je notais tout ce qui pouvait donner du poids à ma neuve espérance.

Ses mouvements et son sourire perdaient de leur naturel. Sa voix devenait sourde, et sa parole brève. Il faisait preuve d'exactitude dans ses rapports avec l'administration. On entend bien que ces signes, tout extérieurs, ne me satisfaisaient pas. Ce qu'il me fallait c'était entendre Jacques me dire qu'il souffrait à son tour, qu'il s'était, enfin, écorché et que ses blessures lui faisaient mal. J'aspirais à cet aveu comme à ma guérison. Un mot de Jacques pouvait en un instant me délivrer du poids énorme d'une souffrance désormais connue et dont je ne pouvais plus espérer d'enrichissement. Un mot, et je sortais de prison, je retrouvais le brillant des choses et leur douceur. Je retrouvais les gens et leurs richesses offertes. On comprend avec quelle ardeur j'attendais ce mot.

Jacques me donna bien du mal. Il déjeunait presque chaque jour avec moi, et s'intéressait exclusivement aux tendances de la poésie contemporaine : il cherchait à m'égarer.

Un soir, il vint chez moi. Il s'excusa, avec un air d'humilité effarée que je ne lui avais jamais vu, de me déranger, de m'empêcher de travailler. Mais, disait-il, il ne pouvait plus supporter sa chambre. Je m'aperçus bientôt qu'il avait beaucoup bu. Il resta d'ailleurs assez peu de temps, et me quitta avec brusquerie. Ce fut pourtant le premier soir où je pus respirer un peu librement.

Pas un mot ne lui échappa, bien entendu, sur les raisons qui pouvaient lui rendre sa chambre odieuse. Mais pouvais-je me tromper à sa figure d'homme en fuite ? A l'impatience qu'il montra, à peine arrivé, de trouver un prétexte décent pour s'enfuir de nouveau ? Nous parlions de choses qui nous étaient, provisoirement, indifférentes, et nous en parlions avec une animation affectée. Et tandis que j'écoutais parler Jacques, — il était excité, enclin à l'ironie, au méphistophélisme, aux formules ambiguës, — je continuais, mais sur un ton nouveau, à m'adresser à lui en secret : 'Tu as bu ce soir au moins un litre de vin dans ta chambre, et en mangeant très peu de choses. Peut-être deux litres de vin (il s'était mis à échanger son pain, son sucre, contre du vin : et ce détail n'avait pas peu contribué à me donner de l'espoir) et tu comptais trouver le lourd sommeil de la demi-ivresse solitaire. Mais tout ce vin, qui te fait parler maintenant avec humour, et te donne de la vivacité et de l'esprit, a d'abord engendré de telles images, si perfidement cruelles, que tu as dû fuir ta chambre, encombrée soudain d'estampes japonaises riches en détails géniaux. Si tu souffres de la façon que j'imagine, il t'est vite apparu qu'il est absolument impossible de passer plus d'une heure, seul et ivre, dans une chambre d'hôtel, — pas assez ivre pour dormir (je t'imagine regardant, de quel œil, ta bouteille vide), trop ivre déjà pour te ressaisir, pour choisir au moins tes images, obligé de les recevoir toutes, et humilié jusqu'à la moelle par la honte qu'elles te proposent — parce que tu ne sais pas jouir aussi de ces choses. Un autre jour, à une autre heure, je rêverai à loisir sur tes soirées dans ta chambre d'hôtel. J'irai t'y surprendre. Mais maintenant je te vois mettant le pied dans la rue. Tu ne sais où aller. Il y a bien, autour de toi, une ville aux maisons pleines d'êtres inédits, aux rues où coulent toutes les formes de l'oubli, et où t'attendent ces aventures folles, ces drames sales où il est délicieux de se mêler quand on a quelque chose à tuer de pur, et d'un peu grand, qui fait mal. Mais les maisons te sont fermées, les rues te sont barrées. La ville pour toi s'est dépeuplée, — comme se sont scellés tous les livres, comme s'est tarie en toi toute curiosité, toute amitié pour les choses et les gens. Peut-être as-tu pensé un instant à aller rôder autour d'une maison, à flairer une porte, à lever les yeux vers des fenêtres pour voir si elles brillent. Je sais quels sentiments t'ont retenu, malgré l'ivresse. C'est le besoin de dignité, et la manie de ne pas prier, fût-ce dans l'ombre. Je comprends. Mais c'est aussi l'indifférence à l'égard des visages d'une souffrance que tu acceptes, l'incuriosité envers toi-même. Je ne comprends plus, et, du coup, je te méprise, — avec quelle joie! Cet appel à l'ivresse est méprisable. Il fait partie de ce besoin de se cacher de Dieu que connut Adam après sa faute. J'aimerais savoir par quelles rues tu es passé pour venir jusqu'à moi, et à combien de tes ombres tu t'es heurté malgré ton grand désir de les éviter. Tu as fait l'expérience d'une ville soudain vidée où ne circulent plus que les ombres que tu voudrais fuir. Belle angoisse devant tel restaurant, tel libraire, telle boutique de fleuriste. Je les imagine; et tes piétinements aux carrefours vides, tes trébuchements aux trottoirs déserts, tes heurts contre tout ce qui est dur et invisible dans cette ville noire, et ta démarche hésitante d'homme ivre—mais de combien d'ivresses? —t'achoppant à des angles de murs et aux bruits de la nuit. Tu ne devais pas être bien loin de la Sorbonne quand neuf heures ont sonné, te faisant mal, par chaque coup, à tant de choses que j'aimerais connaître, que je finirai bien par connaître. Et j'aimerais aussi savoir avec certitude pourquoi c'est vers moi que tu es venu. Quelles odeurs voulais-tu renifler? Quel témoin demandait ta détresse? Si tu voulais, mon ami, renifler une ancienne victoire, tu vois maintenant quelle fut ton erreur. Je suis bien plus vainqueur que tu ne le fus jamais. J'ai pu attendre, soutenu par une obscure foi, et j'ai gagné. Tu te rends. Tu es rendu, Jacques. Et maintenant tu t'agites dans ton fauteuil, tu voudrais repartir. Ta chambre te semble le seul endroit du monde où tu puisses vivre. Tant de rues t'en séparent, qu'il te va falloir suivre, avec quelle infinie prudence!... Mais qui sait? Il y a peut-être pour toi, là-bas, un coup de téléphone, ou un pneu, qui va magiquement dissoudre le nuage plein de poisons où tu te débats. Il n'y a rien, Jacques; je connais bien les pneus et les coups de téléphone, et je sais ce qu'ils apportent. Il y a peut-être quelqu'un qui t'attend dans ta chambre? Quelqu'un qu'il ne faut pas faire attendre, et dont le parfum a dissipé pour jamais les images horribles, et rendu la vie à ces souvenirs morts dont l'odeur était insupportable? Personne ne t'attend, Jacques, tu le sais bien. Tu veux seulement partir pour être ailleurs. Pas encore, Jacques. Encore un peu d'air pour moi.'

'Il va falloir que je me sauve, disait Jacques.

— Mais non, mon vieux, vous avez bien un moment, que diable! A moins qu'une belle vous attende? On va nous apporter des grogs. On les prépare.'

Il continuait à parler, et je regardais son visage et ses mains. Ses lèvres et ses mains étaient devenues inoffensives. On nous apporta les grogs et je regardais Jacques boire: c'étaient ses mains à lui qui tremblaient, et ses yeux qui commençaient à voir ce qui allait enfin s'estomper et disparaître aux miens. Je lui transmettais tout le mal qui me quittait.

Quand il se leva, je le raccompagnai jusqu'à ma porte. Je le confiai à la nuit en toute sécurité. Elle allait me le garder, tout seul, pendant toutes ces heures qui nous séparaient encore du matin, du premier matin où je pourrais m'éveiller avec innocence.

Il disparut tout de suite. Le noir était profond et la nuit

douce. Je tendis l'oreille pour entendre le plus longtemps possible ses pas un peu hésitants sur le pavé: j'avais encore dans la tête le bruit d'un pas boiteux que je voulais compenser.

Geneviève.

Librairie Gallimard, 1944.

JACQUES LEMARCHAND (*b.* 1908). Although more widely known as a literary and, more especially, dramatic critic, Lemarchand has written a number of novels, of which the best-known, *Geneviève,* is acknowledged as an outstanding piece of writing, of unusually acute psychological penetration.

ANDRÉ MALRAUX

37. *Insurrection à Shanghaï*

Midi. — L'auto s'arrêta. Le silence — la foule chinoise est d'ordinaire une des plus bruyantes — annonçait une fin du monde. Un coup de canon. L'armée révolutionnaire, si près? Non: c'était le canon de midi. La foule s'écarta; l'auto ne démarra pas. Ferral saisit le tube acoustique. Pas de réponse: il n'avait plus de chauffeur, plus de valet.

Il restait immobile, stupéfait, dans cette auto immobile que la foule contournait pesamment. Le boutiquier le plus proche sortit, portant sur l'épaule un énorme volet; il se retourna, faillit briser la vitre de l'auto; il fermait son magasin. A droite, à gauche, en face, d'autres boutiquiers, d'autres artisans sortirent, volet couvert de caractères sur l'épaule: la grève générale commençait.

Ce n'était plus la grève de Hong-Kong, déclenchée lente-ment, épique et morne: c'était une manœuvre d'armée. Aussi loin qu'il pût voir, plus un magasin n'était ouvert. Il fallait partir au plus tôt; il descendit, appela un pousse: le coolie ne lui répondit pas : il courait à grandes enjambées vers sa remise, presque seul maintenant sur la chaussée avec l'auto abandonnée : la foule venait de refluer vers les trottoirs. 'Ils craignent des mitrailleuses,' pensa Ferral. Les enfants, cessant de jouer, filaient entre les jambes, à travers l'activité pullulante des trottoirs. Silence plein de vies à la fois lointaines et très proches, comme celui d'une forêt saturée d'insectes ; l'appel d'un croiseur monta puis se perdit. Ferral marchait vers sa maison aussi vite qu'il le pouvait, mains dans les poches, épaules et menton en avant. Deux sirènes reprirent ensemble, une octave plus haut, le cri de celle qui venait de s'éteindre, comme si quelque animal énorme enveloppé dans ce silence eût annoncé ainsi son approche. La ville entière était à l'affût.

1 heure après-midi. — Moins cinq, dit Tchen.

Les hommes de son groupe attendaient. C'étaient tous des ouvriers des filatures, vêtus de toile bleue ; il portait leur costume. Tous rasés, tous maigres, — tous vigoureux : avant Tchen, la mort avait fait sa sélection. Deux tenaient des fusils sous le bras, le canon vers la terre. Sept portaient des revolvers du *Shan-Tung* ; un, une grenade ; quelques autres en cachaient dans leurs poches. Une trentaine tenaient des couteaux, des casse-tête, des baïonnettes ; huit ou dix, sans aucune arme, restaient accroupis près de tas de chiffons, de touques à pétrole, de rouleaux de fil de fer. Un adolescent examinait comme des graines, de gros clous à tête large qu'il tirait d'un sac : 'Sûrement plus hauts que les fers des chevaux.' . . . La cour des Miracles, mais sous l'uniforme de la haine et de la décision.

Il n'était pas des leurs. Malgré le meurtre, malgré sa présence. S'il mourait aujourd'hui, il mourrait seul. Pour eux, tout était simple : ils allaient à la conquête de leur pain et de leur dignité. Pour lui . . . sauf de leur douleur et de leur combat commun, il ne savait pas même leur parler. Du moins savait-il que le plus fort des liens est le combat. Et le combat était là.

Ils se levèrent, sacs sur le dos, touques à la main, fils de fer sous le bras. Il ne pleuvait pas encore ; la tristesse de cette rue vide qu'un chien traversa en deux bonds, comme si quelque instinct l'eût prévenu de ce qui se préparait, était aussi profonde que le silence. Cinq coups de fusils partirent, dans une rue proche: trois ensemble, un autre, un autre encore. 'Ça commence,' dit Tchen. Le silence revint, mais il semblait qu'il ne fût plus le même. Un bruit de sabots de chevaux l'emplit, précipité, de plus en plus proche. Et, comme après un tonnerre prolongé le déchirement vertical de la foudre, toujours sans qu'ils vissent rien, un tumulte emplit d'un coup la rue, fait de cris emmêlés, de coups de fusils, de hennissements furieux, de chutes; puis, pendant que les clameurs retombées s'étouffaient lourdement sous l'indestructible silence, monta un cri de chien qui hurle à la mort, coupé net: un homme égorgé.

Au pas de course, ils gagnèrent en quelques minutes une rue plus importante. Tous les magasins étaient clos. A terre, trois corps; au-dessus, criblé de fils télégraphiques, le ciel inquiet que traversaient des fumées noires; à l'extrémité de la rue, une vingtaine de cavaliers (il y avait très peu de cavalerie à Shanghaï) tournaient en hésitant sans voir les insurgés collés au mur avec leurs instruments, le regard fixé sur le manège hésitant des chevaux. Tchen ne pouvait songer à les attaquer: ses hommes étaient trop mal armés. Les cavaliers tournèrent à droite, atteignirent enfin le poste; les sentinelles pénétrèrent tranquillement derrière Tchen.

Les agents jouaient aux cartes, fusils et Mausers au râtelier. Le sous-officier qui les commandait ouvrit une fenêtre, cria dans une cour très sombre:

— Vous tous qui m'écoutez, vous êtes témoins de la violence qui nous est faite. Vous voyez que nous sommes injustement contraints de céder à la force!

Il allait refermer la fenêtre; Tchen la maintint ouverte, regarda: personne dans la cour. Mais la face était sauve, et la citation de théâtre avait été faite au bon moment. Tchen connaissait ses compatriotes: puisque celui-là 'prenait le rôle,' il n'agirait pas. Il distribua les armes. Les émeutiers partirent, tous armés cette fois: inutile d'occuper les petits postes

153

de police désarmés. Les policiers hésitèrent. Trois se levèrent et voulurent les suivre. (Peut-être pillerait-on. . . .) Tchen eut peine à s'en débarrasser. Les autres ramassèrent les cartes et recommencèrent à jouer.

— S'ils sont vainqueurs, dit l'un, peut-être serons-nous payés ce mois-ci?

— Peut-être . . . répondit le sous-officier. Il distribua les cartes.

— Mais s'ils sont battus, peut-être dira-t-on que nous avons trahi?

— Qu'aurions-nous pu faire? Nous avons cédé à la force. Nous sommes tous témoins que nous n'avons pas trahi.

Ils réfléchissaient, le cou rentré, cormorans écrasés par la pensée.

— Nous ne sommes pas responsables, dit l'un.

Tous approuvèrent. Ils se levèrent pourtant et allèrent poursuivre leur jeu dans une boutique voisine, dont le propriétaire n'osa pas les chasser. Un tas d'uniformes resta seul au milieu du poste.

La Condition humaine.

Librairie Gallimard, 1933.

ANDRÉ MALRAUX (*b.* 1901). 'M. Malraux a vécu l'anarchie.' The attitude which Malraux reflects in his writings can best be summarized in the words of one of his characters: 'Ce qui me lie au Kuomintang, c'est surtout le besoin d'une victoire commune.' An ardent and militant revolutionary whose attachment to the idea of revolution and anarchy far transcends mere party discipline, he has brought his personal experiences and participation as a basis for his novels written round the 1925 Communist-organized general strike at Canton (*Les Conquérants*), the 1931 Communist rising in Shanghai (*La Condition humaine*), and the Spanish civil war (*L'Espoir*). It is neither surprising nor inappropriate to find Malraux in the resistance movement during the occupation of France; he has subsequently become a leading figure in General de Gaulle's political movement. He might be defined, in a formula adapted from elsewhere, as a 'révolutionnaire conscient et organisé.'

p. 152. *touques à petrole:* petrol-tins.

38. La lettre de Jacques

Depuis ce jour de l'année précédente où Antoine avait ramené les deux écoliers fugitifs, il n'était jamais retourné chez Mme de Fontanin; mais la femme de chambre le reconnut, et, bien qu'il fût neuf heures du soir, l'introduisit sans façons.

Mme de Fontanin se tenait dans sa chambre, et ses deux enfants auprès d'elle. Assise devant la cheminée, le buste droit, sous la lampe, elle lisait un livre à haute voix; Jenny, tapie au fond d'une bergère, tortillait sa natte, et, les yeux fixés sur le feu, écoutait; Daniel, à l'écart, les jambes croisées, un carton sur le genou, achevait un croquis de sa mère, au fusain. Sur le seuil, Antoine, une seconde arrêté dans l'ombre, sentit combien sa venue était intempestive; mais il n'était plus temps de reculer.

L'accueil de Mme de Fontanin fut un peu froid. Elle semblait surtout étonnée. Laissant là les enfants, elle con- duisit Antoine dans le salon; et dès qu'elle eut compris ce qui l'amenait, elle se leva pour chercher son fils.

Daniel paraissait maintenant avoir dix-sept ans, bien qu'il en eût quinze: une ombre de moustache accusait la ligne de la bouche. Antoine, intimidé, regardait le jeune homme bien en face, de son air un peu provocant, qui semblait dire: 'Moi, vous savez, je vais au but sans détours.' Et, comme autrefois, un secret instinct lui faisait exagérer un peu cette allure de franchise dès qu'il se trouvait en présence de Mme de Fontanin.

— Voici, fit-il. C'est pour vous que je viens. Notre rencontre, hier, m'a fait réfléchir.

Daniel parut surpris.

— Oui, reprit Antoine, nous avons à peine échangé quelques mots, vous étiez pressé, moi aussi; mais il m'a semblé . . . je ne sais comment dire . . . et puis, vous ne m'avez demandé aucune nouvelle de Jacques: j'en ai conclu qu'il vous écrivait, n'est-ce pas? Je soupçonne même qu'il vous écrit des choses, des choses que, moi, je ne sais pas, et que j'ai besoin de savoir. Non, attendez, écoutez-moi. Jacques a quitté Paris depuis juin dernier; nous allons être en avril; cela fait bientôt neuf mois qu'il est là-bas. Je ne l'ai pas revu, il ne m'a pas écrit; mais mon père le voit souvent: il me dit que Jacques se porte bien, travaille; que l'éloignement, la discipline, ont déjà d'excellents effets. Se trompe-t-il? Le trompe-t-on? Depuis notre rencontre d'hier, je suis inquiet tout-à-coup. L'idée m'est venue qu'il est peut-être malheureux, là où il est, et que, n'en sachant rien, je ne puis lui venir en aide; cette idée m'est intolérable. Alors j'ai pensé à venir vous trouver, franche-ment. Je fais appel à votre affection pour lui. Il ne s'agit pas de trahir ses confidences. Mais, à vous, il doit écrire ce qui se passe là-bas. Vous êtes le seul qui puissiez me rassurer — ou me faire intervenir.

Daniel écoutait, impassible. Son premier mouvement avait été de se refuser à cet entretien. Il tenait la tête levée et fixait sur Antoine son regard que le trouble durcissait. Puis, embarrassé, il se tourna vers sa mère. Elle le considérait, curieuse de ce qu'il allait faire. L'attente se prolongeait. Elle sourit enfin:

— Dis la vérité, mon grand, fit-elle, avec un geste aventureux de la main. On ne se repent jamais de ne pas mentir.

Alors Daniel, avec le même geste, avait pris le parti de parler. Oui, il avait reçu de temps à autre des lettres de Thibault; lettres de plus en plus courtes, de moins en moins explicatives. Daniel savait bien que son camarade était pensionnaire chez un brave professeur de province, mais où? Ses enveloppes étaient timbrées d'un wagon postal, sur le réseau du Nord. Une sorte de four-à-bachot, peut-être?

Antoine s'efforçait de ne pas laisser paraître sa stupéfaction. Avec quel souci Jacques dissimulait la vérité à son plus intime ami! Pourquoi? Par honte? Le même, sans doute, qui poussait M. Thibault à maquiller aux yeux du monde la colonie pénitentiaire de Crouy, où il avait incarcéré son fils, en une 'institution religieuse au bord de l'Oise'? Le soupçon que peut-être ces lettres étaient dictées à son frère traversa soudain l'esprit d'Antoine.   On le terrorisait peut-être, ce petit?   Il se souvint d'une campagne entreprise par un journal de Beauvais, et des terribles accusations portées contre l'Œuvre de Préservation sociale: mensonges dont M. Thibault avait fait justice, au cours d'un procès en diffamation qu'il avait gagné sur toute la ligne; mais enfin?

Antoine ne s'en rapportait vraiment qu'à lui-même.

— Vous ne voulez pas me montrer une de ses lettres? demanda-t-il.   Et voyant Daniel rougir, il s'excusa par un sourire tardif.

— Une seule, pour voir?   N'importe laquelle. . . .

Sans répondre, sans consulter sa mère des yeux, Daniel se leva et sortit de la pièce.

Resté seul avec Mme de Fontanin, Antoine retrouva des impressions qu'il avait éprouvées jadis: dépaysement, curiosité, attirance.   Elle regardait devant elle et semblait ne penser à rien.   Mais on eût dit que sa présence suffisait à activer la vie intérieure d'Antoine, sa perspicacité.   Autour de cette femme l'air possédait une conductibilité particulière.   En ce moment, sans pouvoir s'y méprendre, Antoine y sentait flotter une désapprobation.   Il ne se trompait guère.   Sans blâmer précisément Antoine, ni M. Thibault, puisqu'elle ignorait le sort de Jacques, mais se souvenant de son unique visite rue de l'Université, elle avait l'impression que, souvent, ce qui se faisait là n'était pas bien.   Antoine la devinait, l'approuvait presque..   Certes, si quelqu'un se fût permis de critiquer la conduite de son père, il se fût récrié; mais, à cet instant et dans le fond de lui-même, il était, avec Mme de Fontanin, contre M. Thibault.   L'an dernier déjà — et il ne l'avait pas oublié — lorsqu'il avait pour la première fois traversé cette atmosphère où baignaient les Fontanin, l'air familial, au retour, lui avait été plusieurs jours irrespirable.

Daniel revint.   Il tendit à Antoine une enveloppe d'aspect misérable.

— C'est la première.   C'est la plus longue, dit-il; et il fut s'asseoir.

'Mon cher Fontanin,

'Je t'écris de ma nouvelle maison. Toi, ne cherche pas à m'écrire, c'est absolument défendu ici. A part cela, tout est très bien. Mon professeur est bien, il est gentil pour moi et je travaille beaucoup. J'ai un tas de camarades très gentils aussi. D'ailleurs mon père et mon frère viennent me voir le dimanche. Tu vois donc que je suis très bien. Je t'en prie, mon cher Daniel, au nom de notre amitié, ne juge pas sévèrement mon père, tu ne peux pas tout comprendre. Moi, je sais qu'il est très bon, et il a bien fait de m'éloigner de Paris où je perdais mon temps au lycée, j'en conviens moi-même maintenant, et je suis content. Je ne te donne pas mon adresse, pour être sûr que tu ne m'écriras pas, car ici ce serait terrible pour moi.

'Je t'écrirai quand je pourrai, mon cher Daniel.

'Jacques.'

Antoine relut deux fois ce billet. S'il n'eût reconnu à certains signes l'écriture de son frère, il eût douté que la lettre fût de Jacques. L'adresse de l'enveloppe était d'une autre main: une écriture de paysan, lâche, hésitante, malpropre. Forme et fond le déconcertaient également. Pourquoi ces mensonges? *Mes camarades!* Jacques vivait en cellule, dans ce fameux 'pavillon spécial' que M. Thibault avait créé au pénitencier de Crouy pour les enfants de bonne famille, et qui était toujours vide; il ne parlait à aucun être vivant, si ce n'est au domestique chargé de lui porter ses repas ou de le conduire en promenade, et au professeur, qui venait de Compiègne lui donner deux ou trois leçons par semaine. *Mon père et mon frère viennent me voir!* M. Thibault se rendait officiellement à Crouy le premier lundi de chaque mois pour y présider le Conseil de Direction, et, ce jour-là en effet, avant de repartir, il faisait comparaître quelques instants son fils au parloir. Quant à Antoine, il avait bien manifesté le désir d'aller faire une visite à son frère à l'époque des grandes vacances, mais M. Thibault s'y était opposé: 'Dans le régime de ton frère, disait-il, l'important c'est la régularité de l'isolement.'

158

Les coudes sur les genoux, il tournait le papier entre ses doigts. Il avait pour longtemps perdu le repos. Il se sentit tout à coup si désemparé, si seul, qu'il fut sur le point de tout confier à cette femme éclairée qu'un bon hasard mettait sur sa route. Il leva les yeux vers elle : les mains sur sa jupe, la figure pensive, elle semblait attendre. Son regard était pénétrant :

— Si nous pouvions vous aider à quelque chose ? murmura-t-elle en souriant à demi. La blancheur de ses cheveux légers faisait plus jeunes encore ce sourire et tout son visage.

Cependant, au moment de s'abandonner, il hésita. Daniel le contemplait de son air juste. Antoine craignit de paraître irrésolu, et plus encore de donner à Mme de Fontanin une fausse image de l'homme énergique qu'il était. Mais il se donna une meilleure raison : ne pas divulguer le secret que Jacques prenait tant de soin à cacher. Et, sans tergiverser davantage, se méfiant de lui-même, il se leva pour partir, la main tendue, avec ce masque fatal qu'il prenait volontiers et qui semblait dire à tous : ' Ne m'interrogez pas. Vous me devinez. Nous nous comprenons. Adieu.'

Les Thibault, ii : *Le Pénitencier*.

Librairie Gallimard, 1922.

ROGER MARTIN DU GARD (*b.* 1881). Replying to the Swedish Academy on the occasion of being presented with the Nobel prize in 1937, Martin du Gard defined himself as a writer 'qui a échappé à la fascination des idéologies partisanes, un enquêteur aussi objectif qu'il est humainement possible de l'être, en même temps qu'un romancier attaché à exprimer le tragique de la vie indivi-duelle et les destinées qui sont en voie d'accomplissement.' This attitude, which conforms to the author's early training as an archivist at the Paris Ecole des Chartes, dominates the eight volumes of *Les Thibault*, which sets its action against the back-cloth of two bourgeois Paris families, one Catholic, the other Protestant, from the beginning of the century to the First World War, and which constitutes one of the most notable examples of *roman-fleuve.*

FRANÇOIS MAURIAC

39. *Le silence de Thérèse Desqueyroux*

Thérèse, à ce moment de sa vie, se sentait détachée de sa fille comme de tout le reste. Elle apercevait les êtres et les choses et son propre corps et son esprit même, ainsi qu'un mirage, une vapeur suspendue en dehors d'elle. Seul, dans ce néant, Bernard prenait une réalité affreuse : sa corpulence, sa voix de nez, et ce ton péremptoire, cette satisfaction. Sortir du monde.... Mais comment ? Et où aller ? Les premières chaleurs accablaient Thérèse. Rien ne l'avertissait de ce qu'elle était au moment de commettre. Que se passa-t-il cette année-là ? Elle ne se souvient d'aucun incident, d'aucune dispute : elle se rappelle avoir exécré son mari plus que de coutume, le jour de la Fête-Dieu, alors qu'entre les volets mi-clos, elle guettait la procession. Bernard était presque le seul homme derrière le dais. Le village, en quelques instants, était devenu désert, comme si ç'eût été un lion, et non un agneau, qu'on avait lâché dans les rues.... Les gens se terraient pour n'être pas obligés de se découvrir ou de se mettre à genoux. Une fois le péril passé, les portes se rouvraient une à une. Thérèse dévisagea le curé, qui avançait les yeux presque fermés, portant des deux mains cette chose étrange. Ses lèvres remuaient : à qui parlait-il avec cet air de douleur ? Et tout de suite, derrière lui, Bernard, 'qui accomplissait son devoir.'

Des semaines se succédèrent sans que tombât une goutte d'eau. Bernard vivait dans la terreur de l'incendie, et de nouveau souffrait de son cœur. Cinq cents hectares avaient brûlé du côté de Louchats : 'Si le vent avait soufflé du nord, mes pins de Balisac étaient perdus.' Thérèse attendait elle ne savait quoi de ce ciel inaltérable. Il ne pleuvrait jamais plus.... Un jour, toute la forêt crépiterait à l'entour, et le bourg même ne serait pas épargné. Pourquoi les villages des Landes ne brûlent-ils jamais ? Elle trouvait injuste que les flammes choisissent toujours les pins, jamais les hommes. En famille, on discutait indéfiniment sur les causes du sinistre : une cigarette jetée ? la malveillance ? Thérèse rêvait qu'une nuit elle se levait, sortait de la maison, gagnait la forêt la plus envahie de brandes, jetait sa cigarette jusqu'à ce qu'une immense flambée ternît le ciel de l'aube. . . . Mais elle chassait cette pensée, ayant l'amour des pins dans le sang ; ce n'était pas aux arbres qu'allait sa haine.

La voici au moment de regarder en face l'acte qu'elle a commis. Quelle explication fournir à Bernard ? Rien à faire que de lui rappeler point par point comment la chose arriva. C'était ce jour du grand incendie de Mano. Des hommes entraient dans la salle à manger où la famille déjeunait en hâte. Les uns assuraient que le feu paraissait très éloigné de Saint-Clair ; d'autres insistaient pour que sonnât le tocsin. Le parfum de la résine brûlée imprégnait ce jour torride et le soleil était comme sali. Thérèse revoit Bernard, la tête tournée, écoutant le rapport de Balion, tandis que sa forte main velue s'oublie au-dessus du verre et que les gouttes de Fowler tombent dans l'eau. Il avale d'un coup le remède sans qu'abrutie de chaleur, Thérèse ait songé à l'avertir qu'il a doublé sa dose habituelle. Tout le monde a quitté la table, —sauf elle qui ouvre des amandes fraîches, indifférente, étrangère à cette agitation, désintéressée de ce drame, comme de tout drame autre que le sien. Le tocsin ne sonne pas. Bernard rentre enfin : 'Pour une fois, tu as raison de ne pas t'agiter : c'est du côté de Mano que ça brûle. . . .' Il demande : 'Est-ce que j'ai pris mes gouttes ?' et, sans attendre la réponse, de nouveau il en fait tomber dans son verre. Elle s'est tue par paresse, sans doute, par fatigue. Qu'espère-t-elle à cette minute ? 'Impossible que j'aie prémédité de me taire.'

Pourtant, cette nuit-là, lorsqu'au chevet de Bernard vomissant et pleurant, le docteur Pédemay l'interrogea sur les incidents de la journée, elle ne dit rien de ce qu'elle avait vu à table. Il eût pourtant été facile, sans se compromettre, d'attirer l'attention du docteur sur l'arsenic que prenait Bernard. Elle aurait pu trouver une phrase comme celle-ci :

'Je ne m'en suis pas rendu compte au moment même. . . .
Nous étions tous affolés par cet incendie . . . mais je jurerais,
maintenant, qu'il a pris une double dose. . . .' Elle demeura
muette; éprouva-t-elle seulement la tentation de parler?
L'acte qui, durant le déjeuner, était déjà en elle à son insu,
commença alors d'émerger du fond de son être — informe encore,
mais à demi baigné de conscience.

Après le départ du docteur, elle avait regardé Bernard
endormi enfin; elle songeait : 'Rien ne prouve que ce soit *cela*;
ce peut être une crise d'appendicite, bien qu'il n'y ait aucun
autre symptôme . . . ou un cas de grippe infectieuse.' Mais
Bernard, le surlendemain, était sur pieds. 'Il y avait des
chances pour que ce fût *cela*.' Thérèse ne l'aurait pas juré;
elle aurait aimé à en être sûre. 'Oui, je n'avais pas du tout le
sentiment d'être la proie d'une tentation horrible; il s'agissait
d'une curiosité un peu dangereuse à satisfaire. Le premier
jour où, avant que Bernard entrât dans la salle, je fis tomber
des gouttes de Fowler dans son verre, je me souviens d'avoir
répété : 'Une seule fois, pour en avoir le cœur net . . ., je saurai
si c'est cela qui l'a rendu malade. Une seule fois, et ce sera
fini.'

Thérèse Desqueyroux.

Editions Bernard Grasset, 1927.

FRANÇOIS MAURIAC (*b.* 1885). One of the most intensely
Catholic of contemporary French authors, whose writings centre
round the problem of good and evil, and of the uncertain delimita-
tion between them: 'A travers la conscience de Thérèse, Mauriac
considère l'humanité, et il ose dire à voix basse, de toutes les âmes
qui approchent un homme au cours de sa vie, il n'en est pas une
qui ne soit son prochain; mais n'en est-il pas une à laquelle il n'ait
fait un mal qui ait pu être mortel?' (André Rousseaux). The
same critic finds this problem epitomized by Mauriac himself : 'Un
enfant qui n'a pas encore vu la mer en approche et l'entend gronder
bien avant de la voir, et il cherche sur ses lèvres le goût du sel;
déjà, sur un sable brûlant, plus rien ne pousse. De même,
s'annonçait de loin le Mal.'

The scene of *Thérèse Desqueyroux*, as not infrequently in
Mauriac's novels, is set in his native Landes.

ANDRÉ MAUROIS

40. L'inconnu

Les trois enfants furent mises au lit tout de suite après leur dîner. 'C'est parce que vous n'avez pas été sages,' dit Nurse. Denise connaissait ces punitions qui coïncidaient avec les soirs où Nurse avait envie d'aller au Casino. Mais Nurse avait gardé sa robe de toile bleue. Etendue, les yeux fermés, Denise cherchait à comprendre. Elle pensait au temps où sa mère l'aimait. Alors on la portait, le dimanche matin, sur le lit de ses parents. Son père lui apprenait à souffler sur une montre en or qui s'ouvrait toute seule; sa mère la laissait jouer avec ses longs cheveux noirs tressés en nattes. Quand Eugénie apportait le petit déjeuner, Denise avait la permission de tremper un 'canard' dans le café. Dans la journée même, Maman s'amusait comme une petite fille et, assise sur le tapis avec Denise, surveillait la cuisson des dînettes. Puis Lolotte était née, puis Bébé. Maintenant elle était toujours grondée.

Denise dormait jusqu'au moment où Nurse, le matin, entrait dans la chambre avec le soleil. Mais cette nuit-là elle se réveilla. De la fenêtre ouverte une clarté douce tombait sur les trois lits. C'était un mélange de lumières. Il y avait celle de la lune, légère, laiteuse, et une autre, plus dure, plus blanche, qui montait de la vérandah. En bas une voix chantait; pour mieux l'écouter, Denise se souleva sur un coude. Elle adorait la voix de sa mère. A deux ans déjà, elle descendait au salon quand elle entendait le piano, et suppliait: 'Maman, chantez.' Elle aimait surtout les chansons qui la faisaient pleurer, comme le *Joueur de vielle*. A trois ans, elle fredonnait des airs de Schumann, de Brahms, et montrait une telle mémoire musicale que sa mère lui avait 'fait commencer le piano.' Ses progrès avaient été d'une incroyable rapidité. Depuis six mois elle accompagnait sa mère quand celle-ci chantait des mélodies dont 'l'accompagnement était de sa force.'

'Denise est très musicienne,' disait Mme Herpain.

'Comment ne le serait-elle pas avec une mère comme vous ? '
répondaient les gens de Pont-de-l'Eure.

Cette voix, dans le silence, remplissait le monde.   Une odeur
de chèvrefeuille montait du jardin.   Les petites dormaient.
Blottie dans son lit, Denise pensa qu'elle aurait voulu être
seule près de sa mère et l'admirer.   Le chant s'étendait en
larges nappes sonores.   Elle ne comprenait pas tous les mots,
mais entendit :

> . . . sous de vastes portiques.

Portiques la fit penser aux leçons de gymnastique qu'elle
prenait avec les enfants Quesnay, dans leur grand parc.   Le
trapèze et les anneaux étaient suspendus à un portique.   Elle
pensa au balancement du trapèze, aux anneaux qui grinçaient,
à Antoine Quesnay qui était son fiancé.   Puis elle écouta de
nouveau.   C'était si beau qu'elle devint inquiète.   Pour qui
sa mère chantait-elle ainsi ?   Qui l'accompagnait ?

> Les houles, en roulant les images des cieux . . .

Dans la chambre voisine dont la porte était ouverte, Nurse
respirait comme une personne qui dort.   Denise épia ce bruit
puis, d'un mouvement résolu, rejeta les couvertures, descendit
de son lit et, sur la pointe des pieds, alla vers la fenêtre.   Les
caisses de géraniums sentaient la terre et les feuilles pourries.
Le ciel semblait un merveilleux plafond noir semé d'étoiles.
Au loin, de petites vagues se brisaient doucement sur le sable,
avec un bruit de papier de soie froissé.   En se penchant au-
dessus des fleurs, elle vit les vitres de la vérandah que séparaient
des cadres de métal.   Sa mère se tenait debout près du piano,
en robe claire, les épaules nues.   Assis sur le tabouret était un
homme qui jouait et dont Denise voyait seulement le dos.   Sa
nuque forte soutenait une couronne de cheveux roux, qui
entourait un crâne chauve, rose et poli.   Mme Herpain avait
posé sa main sur l'épaule de l'homme penché vers le piano.

> . . . Et dont l'unique soin était d'approfondir
> Le secret douloureux qui me faisait languir.

La grande voix sembla monter jusqu'aux étoiles.   Puis elle
mourut.   L'homme détacha de son épaule la main de Mme

Herpain et, tournant la tête, appuya ses lèvres sur la chair nue. Denise eut peur, descendit très vite de la fenêtre et, sur la pointe des pieds, retourna vers son lit.

Qui était cet homme, dont personne n'avait annoncé la visite? Etait-ce lui qu'attendaient le poulet, la tarte aux fraises et les fleurs violettes sur la table? Pourquoi Victorine et Nurse avaient-elles ri en parlant du 'double menu'? Au clair de lune, elle vit une forme qui se balançait près de la fenêtre. Effrayée, elle dit à mi-voix: 'Maman!' puis reconnut que c'était son maillot rouge que Nurse avait mis là pour le faire sécher. Sous la fenêtre, le piano reprit. Denise envia la sûreté tranquille de ce jeu. C'était un air qu'elle ne connaissait pas. De son lit elle n'entendait plus les mots. Elle soupira, se retourna, serra son oreiller dans ses bras et s'endormit.

Le lendemain matin, elle se souvint de ce qu'elle avait vu pendant la nuit, mais elle n'en dit rien à Nurse et n'en parla pas à sa mère. Assise sur la forteresse de sable, elle pensait à cette nuque aux cheveux roux et bouclés et aux mots étranges qu'elle avait entendus. Elle se chantait à mi-voix: 'Sous de vastes portiques . . .'

En revenant de la plage, elle observa sa mère pour voir si elle semblait différente, émue. Mais le déshabillé, comme la veille, s'étendait en un rose éventail. Toute la journée Denise fut rebelle et si insupportable que Mme Herpain vint dans sa chambre, ouvrit elle-même le trésor sacré et lui enleva le chiffon de gaze qu'elle aimait le mieux, celui avec lequel elle se déguisait en Cendrillon prête pour le bal. Denise cria longtemps. Le monde était affreux, méchant, détestable. Après deux heures de larmes et de gémissements, Nurse lui lava la figure et lui rendit son chiffon. Le soir elle fut très sage et rit beaucoup.

M. Louis Herpain arrivait tous les samedis à Beuzeval, pour y passer le dimanche avec sa famille. Marchand de laines à Pont-de-l'Eure, il n'osait quitter pendant la semaine cette ville où quelques vieillards imposaient aux gens d'affaires une discipline austère et vaine. Une barbe noire, carrée, encadrait son visage triste. Il portait la tête penchée sur l'épaule droite.

Mme Herpain allait le chercher à la gare avec les petites filles. Pour Denise, c'était un étonnement et comme un miracle que de voir sortir, de ce train immense qui semblait un royaume étranger, le veston noir, la barbe carrée et le lorgnon de son père. Elle l'aimait et attendait chaque fois de ses visites le redressement d'une vie dont elle souffrait. Cette attente était toujours déçue.

Mme Herpain recevait son mari avec tendresse. Il demandait:

— Tu as vu quelqu'un?... Tu t'amuses?...

Elle répondait:

— Oh! moi, je ne cherche à voir personne.... Je suis ici pour les petites; l'air de la mer leur fait du bien; le reste m'est égal.... Ah! si.... J'ai rencontré Mme Quesnay sur la digue, mais tu sais comment elle est; un signe de tête et elle passe....

Puis c'était elle qui l'interrogeait sur ses affaires. Alors la conversation devenait difficile à comprendre.

— C'est un peu mort, comme toujours au mois d'août, mais Londres est ferme ... ça encourage les acheteurs.... Pascal-Bouchet m'a pris cinq cents balles d'Australie et je suis en pourparlers avec les Schmitt d'Elbeuf pour un gros ordre de Montevideo.

Denise saisissait au passage le mot *balles* et se demandait comment M. Pascal-Bouchet, qui avait une si belle barbe blonde et que Nurse montrait avec admiration lorsqu'il passait, conduisant ses deux chevaux, pouvait jouer avec cinq cents balles. Quelquefois M. Herpain essayait de faire parler les petites, mais il était timide et les intimidait. Son grand plaisir était d'échanger en anglais quelques phrases avec Nurse. Plusieurs fois par an, il allait à Londres pour les ventes de laines, d'où la présence chez lui de cette Anglaise qui le méprisait secrètement. Le dimanche, s'il faisait beau, il emmenait Denise pêcher à la crevette ou à l'équille. Il retroussait alors ses pantalons jusqu'au genou. Nurse regardait ses maigres mollets et disait à la Mademoiselle des Quesnay: 'Pauvre Monsieur n'est pas beaucoup d'un sportsman.' Denise entendait, serrait la main de son père et l'entraînait. Quand elle courait à côté de lui en maillot rouge, elle pensait qu'elle avait l'air d'un garçon et cette idée lui plaisait.

Le dimanche qui suivit la nuit où Denise avait été réveillée par le chant, la pêche dans les longues flaques tièdes les amena, elle et son père, loin de la plage. Quand ils s'arrêtèrent, ils étaient à l'entrée du port de Dives qui sentait la vase et le poisson. M. Herpain dit:

— Nous allons rentrer à pied par la digue; ce sera plus facile que de marcher dans le sable.

Denise dit:

— Je suis fatiguée.

Il la prit par les coudes, la souleva (elle aimait sentir qu'il était fort; 'Pauvre Monsieur est si faible,' disait Nurse. Pourquoi *faible*? Denise aurait voulu que Nurse vît comme il la portait facilement); il l'assit sur le mur de pierre de la digue et la regarda en souriant, la tête penchée sur l'épaule.

— Tu vas te reposer cinq minutes, dit-il.

Assise sur ce mur, elle se trouva à la hauteur de son visage. Jamais elle ne l'avait si bien observé. C'était drôle, cette barbe qui montait sur les joues comme l'herbe sur un talus. De nouveau elle eut une impression de force et de bonté.

— Vous savez, Papa, dit-elle ... Quand vous n'êtes pas là et quand nous sommes couchées, il y a un autre monsieur.

— Tu es folle? dit-il. ... Quel monsieur? ...

— Je ne sais pas, dit-elle, je n'ai vu que son dos. ... Mais maman chante et le monsieur joue du piano. ... Il joue très bien. ... Papa, est-ce que ...

Il la saisit par les deux bras, avec une violence qui la terrifia, la posa rudement sur les pavés de la digue, puis prit sa main et l'entraîna vers Beuzeval. Il marchait à si grands pas qu'elle devait courir; son filet traînait derrière elle. Elle essaya de parler:

— Papa, vous savez, j'ai rencontré un homme qui avait un petit singe. ... Il mangeait de la salade, des noisettes et des raisins ... Papa, combien coûte un petit singe?

Son père ne répondit pas mais, comme on arrivait à la hauteur de la villa, tourna brusquement à droite et traversa la route. La petite porte du jardin fit sonner la clochette. Mme Herpain était étendue sur la terrasse; ses mains étaient gantées et son ombrelle de broderie anglaise protégeait sa tête; elle lisait.

— Reste là, dit M. Herpain à Denise d'une voix dure, et il jeta près d'elle le panier de crevettes.

Elle entendit son père qui parlait très fort, puis sa mère qui riait et répondait d'une voix douce. Elle ouvrit le panier; les crevettes mourantes grouillaient, rampaient. Des pas rapides sur le gravier se rapprochèrent. C'étaient Nurse et son père. Il avait oublié, depuis la pêche, de dérouler son pantalon relevé au-dessus du genou. Ses jambes nues, son air sérieux, sa tête penchée sur l'épaule formaient un ensemble comique.

— La petite est très menteuse, Monsieur, dit Nurse. . . . Elle doit être punie. . . . Toujours elle invente des histoires.

Mme Herpain suivait, languissante, sévère, son ombrelle interposée entre son visage et le soleil. Elle saisit Denise par le bras, lui fit lâcher le panier et la secoua.

— Tu es très méchante, dit-elle. . . . Tu as fait beaucoup de peine à ton père. Tu seras enfermée dans ta chambre toute la journée. Va-t'en.

Denise pleura et cria jusqu'au soir. A l'heure du bain, les deux petites la regardèrent avec curiosité sans oser lui parler. Eugénie, implacable et hautaine dans son col noir bordé de blanc, riait avec Nurse.

Le Cercle de famille.

Editions Bernard Grasset, 1932.

ANDRÉ MAUROIS (*b.* 1885). It was doubtless inevitable, and certainly unfortunate, that Maurois should be known in English-speaking countries principally for the entertaining but somewhat trivial *Colonel Bramble* books, and for the scarcely less trivial but equally entertaining *biographies romancées* of Shelley, Disraeli, and Byron.

Outside his writings on England and things English which made him until 1940 the leading figure in France in the new *entente cordiale*, Maurois has composed a number of novels of considerable psychological insight, of which the best-known are *Bernard Quesnay* (1926), *Climats* (1929), *Le Cercle de famille* (1932), *Ni ange ni bête* (1932).

HENRI MICHAUX

41. *Plume au restaurant*

Plume déjeunait au restaurant, quand le maître d'hôtel s'approcha, le regarda sévèrement et lui dit d'une voix basse et mystérieuse: 'Ce que vous avez là dans votre assiette ne figure pas sur la carte.'

Plume s'excusa aussitôt.

'Voilà, dit-il, étant pressé, je n'ai pas pris la peine de consulter la carte. J'ai demandé à tout hasard une côtelette, pensant que peut-être il y en avait, ou que sinon on en trouverait aisément dans le voisinage, mais prêt à demander toute autre chose si les côtelettes faisaient défaut. Le garçon sans se montrer particulièrement étonné s'éloigna et me l'apporta peu après et voilà. . . .

'Naturellement je la paierai le prix qu'il faudra. C'est un beau morceau, je ne le nie pas. Je le paierai son prix sans hésiter. Si j'avais su, j'aurais volontiers choisi une autre viande ou simplement un œuf, de toute façon maintenant je n'ai plus très faim. Je vais vous régler immédiatement.'

Cependant le maître d'hôtel ne bouge pas. Plume se trouve atrocement gêné. Après quelque temps relevant les yeux . . . hum! c'est maintenant le chef de l'établissement qui se trouve devant lui.

Plume s'excusa aussitôt.

'J'ignorais, dit-il, que les côtelettes ne figuraient pas sur la carte. Je ne l'ai pas regardée, parce que j'ai la vue fort basse, et que je n'avais pas mon pince-nez sur moi, et puis, lire me fait toujours un mal atroce. J'ai demandé la première chose qui m'est venue à l'esprit et plutôt pour amorcer d'autres propositions que par goût personnel. Le garçon sans doute préoccupé n'a pas cherché plus loin, il m'a apporté ça, et moi-même d'ailleurs tout à fait distrait je me suis mis à manger, enfin . . . je vais vous payer à vous-même puisque vous êtes là.'

Cependant le chef de l'établissement ne bouge pas. Plume se sent de plus en plus gêné. Comme il lui tend un billet, il voit tout à coup la manche d'un uniforme; c'était un agent de police qui était devant lui.

Plume s'excusa aussitôt.

'Voilà, il était entré là pour se reposer un peu. Tout à coup, on lui crie à brûle-pourpoint: 'Et pour Monsieur? Ce sera . . .?'

'Oh . . . un bock,' dit-il. 'Et après? . . .' crie le garçon fâché; alors plutôt pour s'en débarrasser que pour autre chose 'eh bien, une côtelette!'

Il n'y songeait déjà plus, quand on la lui apporta dans une assiette; alors, ma foi, comme c'était là devant lui . . .

'Ecoutez, si vous vouliez essayer d'arranger cette affaire, vous seriez bien gentil. Voici pour vous.'

Et il lui tend un billet de cent francs. Ayant entendu des pas s'éloigner, il se croyait déjà libre. Mais c'est maintenant le commissaire de police qui se trouve devant lui.

Plume s'excusa aussitôt.

'Il avait pris un rendez-vous avec un ami. Il l'avait vainement cherché toute la matinée. Alors comme il savait que son ami en revenant du bureau passait par cette rue, il était entré ici, avait pris une table près de la fenêtre et comme d'autre part l'attente pouvait être longue et qu'il ne voulait pas avoir l'air de reculer devant la dépense, il avait commandé une côtelette; pour avoir quelque chose devant lui. Pas un instant il ne songeait à consommer. Mais l'ayant devant lui, machinalement, sans se rendre compte le moins du monde de ce qu'il faisait, il s'était mis à manger.'

Il faut savoir que pour rien au monde il n'irait au restaurant.

Il ne déjeune que chez lui. C'est un principe. Il s'agit ici d'une pure distraction, comme il peut en arriver à tout homme énervé, une inconscience passagère; rien d'autre.

Mais le commissaire ayant appelé au téléphone le chef de la Sûreté:

'Allons, dit-il à Plume en lui tendant l'appareil. Expliquez-vous une bonne fois. C'est votre seule chance de salut.'

Et un agent le poussant brutalement lui dit:

'Il s'agira maintenant de marcher droit, hein?' Et comme les pompiers faisaient leur entrée dans le restaurant, le chef de l'établissement lui dit:

'Voyez quelle perte pour mon établissement. Une vraie catastrophe!' et il montrait la salle que tous les consommateurs avaient quittée en hâte.

Ceux de la Secrète lui disaient:

'Ça va chauffer, nous vous prévenons. Il vaudra mieux confesser toute la vérité. Ce n'est pas notre première affaire, croyez-le. Quand ça commence à prendre cette tournure, c'est que c'est grave.'

Cependant, un grand rustre d'agent par-dessus son épaule lui disait:

'Ecoutez, je n'y peux rien. C'est l'ordre. Si vous ne parlez pas dans l'appareil, je cogne. C'est entendu? Avouez! vous êtes prévenu. Si je ne vous entends pas, je cogne.'

Un certain Plume.

Librairie Gallimard, 1930.

HENRI MICHAUX (*b.* 1899). Poet, painter and novelist, who, to escape from uncongenial home surroundings in Belgium, went to sea (after an unsuccessful attempt to become a Benedictine monk).

From 1927, when his first book, *Qui je fus*, was published in Paris, he has spent much of his life travelling; his travels, viewed from the unusual standpoint of the intimate reactions of the traveller, form the subject of his painting and writings, the latter including *Ecuador* (1929) and *Un Barbare en Asie* (1932).

Michaux is akin to Kafka, as is also Rousset, in his preoccupation with the absurdity of life in a world in which man for ever experiences a feeling of guilt. He is one of the most independent of present-day writers, and has always refused to adhere to any kind of political or literary group.

HENRI DE MONTHERLANT

42. *Les premières prouesses d'Alban*

Devant un des chevaux, un invité du nom de Ramon disait au régisseur du duc :

— Celui qui monte cette bête-là, c'est un cavalier.

Le cheval, très campé, était un andalou au nez de mouton, à la croupe ronde et tombante. L'encolure, naturellement arrondie, l'était plus encore par la coupe de la crinière, haute au milieu, rase aux extrémités. La bête craintive regardait de côté, montrant le blanc de l'œil. Une frange de cuir lui tombait sur le front, semblable aux mèches d'un gosse rebelle. Sur son ventre courait une longue veine. Et il y avait sur le museau une autre veine, douce comme celle qui se gonfle au cou des femmes qui chantent.

— Me permettez-vous de l'essayer ?' demanda Alban qui, diminué par sa mésaventure, se sentait le besoin de faire œuvre d'homme. Puis, tout cheval qu'il voit, il a envie de le monter. C'est quelque chose d'inconnu à étudier et à soumettre, avec un peu de risque, comme lorsqu'on prend une nouvelle maîtresse.

Il n'était pas en selle que Cantaor — c'était le nom de la bête — piétinait, se traversait. Alban commença l'attaque en lui sciant la bouche de tous ses muscles. Il y eut quelques instants de lutte.

— Non, non, non. Aucune initiative, tu n'en auras aucune.

Ce que tu veux, il suffit que tu le veuilles pour que je ne le veuille pas. Je dispose de ta force tout entière, et, quoi que tu fasses, ce n'est pas toi qui le fais, mais moi. Voilà ce qu'il lui dit, avec ses jambes obstinées, ses mains compliquées et dures. A coups d'éperon, et par la seule brutalité — il montait comme un sauvage, mais non sans efficace — il poussa l'animal vers le large. Quand il eut fait ainsi dix mètres, il jugea qu'il l'avait suffisamment maîtrisé, pour ce motif qu'il ne se sentait plus la force de le maîtriser davantage, et il le laissa revenir. Il sauta vivement à terre. Il avait tellement tiré sur les rênes que sa bague lui avait meurtri la main : un peu de sang y paraissait.

— En voilà assez, dit-il à Ramon. Je vous rends ce monstre de méchanceté, dont je ne saurais rien faire.

— Mais vous en avez fait déjà plus que d'autres.

Soledad ! C'était Soledad qui parlait !

— Mon cousin de Alcaya a voulu monter ce cheval et il a été tout de suite jeté à terre. Vous êtes énergique, dit-elle à Alban, en le regardant avec franchise.

Le jeune homme était stupéfait. Jamais Soledad ne lui avait adressé la parole. Et brusquement la louange entrait en lui et dénouait tout. Il se sentait de la sympathie pour elle.

Il avait le bras passé dans les brides du cheval, qui lui mettait des baisers d'écume sur la manche. Avec la simplicité de quelqu'un qui se sent assez fort pour dire la vérité, le désobligeât-elle, il dit :

— J'ai maîtrisé ce cheval sur dix mètres. Mais je ne l'aurais pas fait aller dix mètres plus loin.

— Croyez-vous ?

Ils revinrent tous trois vers la table, où le café refroidissait. Les cavaliers zézayaient à l'andalouse, langue molle, coulante et improncée, où on supprime les consonnes parce qu'elles demandent un peu d'effort, ce que doivent faire aussi dans leur parler les oiseaux. Discrets et gracieux, riant sans cesse de toutes leurs dents, divines de régularité et de fraîcheur dans les mâles visages dorés qu'assombrissaient encore les grandes étendues blanches des plastrons sans cravates, leur élégance naturelle était mise en valeur par la coquetterie nationale: spontanément flamencos,[1] ils prenaient garde de le rester.

Cette ambiance de papotages, qu'un quart d'heure plus tôt il détestait, Alban la trouvait agréable à présent qu'il n'y figurait plus sans quelque honneur. Assis, il croisait les jambes avec la désinvolture des victorieux. L'idée ne lui était jamais venue qu'il pût être énergique. Mais la jeune fille lui avait dit qu'il l'était, et maintenant, pardi, oui, il se sentait énergique, et plein de fierté primitive d'être admiré parce qu'on est fort.

La graisse des flancs du cheval avait mis un enduit blanc à l'intérieur de ses pantalons, que recouvraient sur le dessus les *zahones*, couvre-cuisses de cuir contre le froid et la pluie, analogues à ceux des cow-boys. A ses éperons restaient collés des fragments de chair sanglante et des poils bruns. Il désigna les boutons qui faisaient un ornement au bas des zahones, contre les mollets: dans chacun une petite médaille était incrustée.

— Ce sont d'anciennes monnaies grecques de Marseille. Les unes portent une tête imberbe avec une corne de taureau sur le front: c'est notre fleuve le Rhône personnifié. D'autres portent un taureau marchant. D'autres un taureau dans l'acte de donner de la corne. Depuis toujours, dans notre France méridionale, le taureau est un animal sacré. Mes parents me font cadeau d'une de ces monnaies chaque fois que je suis premier en composition. . . .

— Vraiment? fit-elle, et se pencha pour regarder.

Le mouvement naturel eût été de prendre dans sa main les médailles, pour examiner de près ces choses fines, et certainement, pour ne pas le faire, elle avait dû se contraindre. 'Comme elle est réservée!' se dit-il, avec estime. Il songea à une jeune fille du meilleur monde, et qui, dans un cotillon, lui avait posé la main sur la cuisse, l'avait laissée là.

— Caballeros! en selle, s'il vous plaît! criait le duc.

On se levait, on remettait les mentonnières, on serrait la classique couverture sur le coussin, derrière la selle couleur de

[1] Est *flamenco* celui qui a le genre, le chic andalou.—*Note de l'auteur.*

marron d'Inde, garnie de molleton blanc.   Un cheval échappé s'en allait la tête haute, et puis s'arrêtait de lui-même.   Les chiens, éternels indiscrets, furetaient parmi ce branle-bas de combat.

— Quel ennui de rester avec ces gens! dit-elle, en désignant l'Américain et l'Anglais.   D'ordinaire je fais toujours les *tientas* avec mon père, mais aujourd'hui je suis fatiguée.

Il eut envie de lui dire: 'Je vais vous tenir un peu compagnie.' Mais non, tout de même, il aimait mieux les taureaux.

Brusquement une idée lui vint.

— Je vais aller jusqu'aux taureaux sur Cantaor.

— Oh!   Mais vous me disiez que vous ne pouviez pas le faire aller dix mètres plus loin que vous n'avez été.

— Je puis essayer.

— Eh bien, je crois que vous réussirez.   D'ailleurs, je vais vous regarder, fit-elle avec un sourire.

— Je doute que ce soit suffisant.

L'impolitesse était lâchée.   C'était sa réaction instantanée devant ce sourire, ce: 'Je vous regarderai.'   'Serait-elle coquette?   Elle qui, il y a cinq minutes, m'a paru si réservée!'

Ramon accepta; il reprendrait la jument.   Ils allèrent vers Cantaor.   Avec ses lèvres plissées et, autour de la bouche, ses verrues couvertes de poils comme une vieille gouvernante anglaise, ah, qu'il avait l'air vache!   Il sursauta quand seulement on lui posa la main vers l'attache de la cuisse, où les poils changent de sens comme la limaille de fer sous l'action d'un aimant.   Alban allongea les étriers aux vastes planches pour se rapprocher de la monte camarguaise.   Là-bas, les cavaliers s'éloignaient et le soleil tapait comme sur un miroir sur le cuir poli des zahones.   Et derrière, dans l'atmosphère chaude, l'odeur bonne des chevaux restait.

Alban retomba doucement sur la selle, la bête frissonna, fléchit l'arrière-train mais sans sursauter.   Ses oreilles seulement se livrèrent à une gymnastique forcenée.   Elle avait peur d'Alban et Alban avait peur d'elle, et il était à la fois anxieux et faraud.

— *Jaca! jaca!* lui faisait-il cauteleusement.   Il inclina les rênes pour la tourner, d'une seule main, jouant la difficulté. Elle se cabra. Il dut se retenir au panneau de la selle.

Alors, de nouveau, les éperons se fichèrent, serrèrent jusqu'à ce que les muscles tremblassent de fatigue, la bête se contracta sous la douleur, le poing crispé frappa le flanc, tout l'être souffrit de ne pouvoir faire davantage de mal. Qu'il aurait de plaisir à gouverner durement! Et la bête partit en sautant. Alban, déchaîné, lâcha les étriers pour s'amuser. 'Les Achéens dompteurs de chevaux.... Les Achéens dompteurs de chevaux...' répétait son esprit, comme une ritournelle, et l'expression homérique le situait dans une longue hérédité, lui donnait une idée fabuleuse de soi-même. Enfin Cantaor s'arrêta, tremblant des quatre membres, d'être ainsi outragé. Puis, sous les actions d'Alban il partit au galop, les oreilles aplaties, dans la direction du troupeau. D'instant en instant il gagnait à la main, et Alban penché, les dents serrées, tout le visage serré, épiait la seconde où ce ne serait plus lui qui serait maître de l'animal, mais l'animal qui serait maître de lui, et déjà il s'employait vigoureusement à le mettre en cercle. Là-bas, le groupe des cavaliers se rapprochait à la vue. Sous le soleil ardent de deux heures, tout le groupe était immobile, et il n'y avait que les queues des chevaux qui bougeaient. Cantaor arriva, ouvrit cette masse qui se bouscula, dans un cliquetis de gourmettes et de chaînettes d'éperons, comme des houles contraires au fond d'une calanque quand s'imprime au large un sillage puissant.

Alban revint, au pas de Cantaor, dans une détente heureuse, sans cesser toutefois de le bien encadrer, et, par la main, de vérifier à chaque instant sa soumission. Il le tapotait sagement, lui racontait mille histoires, avec une voix paternelle, mais il aurait presque voulu que le cheval recommençât une défense, pour la volupté de lutter avec lui et de le punir. La sensation de virilité qui l'occupait, jamais il n'en avait eu une semblable dans sa vie. Il connaissait ses jambes comme un étau, et se sentait prêt à maîtriser avec elles la Gorgone elle-même. Et tout cela, c'était cette fille qui l'avait fait. Toujours il avait eu de l'hostilité contre la conception chevaleresque du Moyen-Age. Le gentilhomme qui accomplit un exploit pour sa dame lui paraissait diminuer par là son exploit: il était choqué par ces fadaises, et détestait l'état d'esprit qui place l'homme, l'homme fort et raisonnable, sous la suprématie de l'infirmité féminine. Son idéal était la vie antique, où la fleurette fut inconnue. Et voici que maintenant, sous le choc de la réalité, il s'apercevait que le cliché était vrai — comme, sans doute, la plupart des clichés: pour obtenir l'admiration d'une femme, alors même qu'il n'était pas épris de cette femme, un homme décuplait de valeur. Au petit pas, la chemise traversée de sueur, la main gracieusement sur la hanche, et tandis qu'à chaque pas sa selle craque comme le ventre d'un homme à jeûn, Alban, élève de première, découvre dans le campo sévillan le rôle civilisateur et héroïque de la femme.

Les Bestiaires.

Editions Bernard Grasset, 1926.

HENRI DE MONTHERLANT (*b.* 1896). Of the generation which found itself plunged into the 1914 war when scarcely out of school, Montherlant first became known as an ardent apologist of action in any violent form: war, *Le Songe* (1922); sport, *Les Olympiques* (1924); and bull-fighting, *Les Bestiaires* (1926).

In *Les Jeunes Filles* and its sequels he approached the problem of love with the many prejudices due to his birth and upbringing and to his own personal tastes; he has attained thereby a mixture of fame and notoriety, but remains above all a master of French prose.

More recently, Montherlant has been devoting himself to the theatre, not without considerable success, notably with *La Reine morte* (1942) and *Le Maître de Santiago* (1947).

p. 175. *tientas:* previously defined thus: 'épreuve à laquelle sont soumis les jeunes taureaux et les jeunes vaches pour être classés ensuite selon leur degré de férocité.'
p. 175. *jaca:* nag.
p. 177. *élève de première:* schoolboy in the year in which he takes his first *baccalauréat* examination (*cf.* notes on Chamson).

43. Baignade

Lewis était entré à l'eau deux fois déjà. Le sel mordant ses épaules, sa peau commençait à luire. Les paupières closes, toutes roses, avec des battements noirs coupés d'éclatements lumineux, Lewis écoutait cette bourdonnante chanson, si spéciale, des bains de soleil. Il pensait à ce mot d'aveugle 'j'entends le soleil.' Il ouvrit les yeux. La lumière tombait, verticale, comme d'un vitrage d'atelier. Trop clair pour être la lune, mais aussi triste, couleur de chlore, le soleil, déplumé, ne jetait pas de rayons. La mer, sournoise et calme comme un sous-produit oléagineux, avait cette teinte glauque de la mer du Nord à Ostende; il s'en étonna, oubliant qu'il portait des lunettes vertes. Il les ôta, et reçut la blancheur du Sud, avec toutes les ombres mangées, comme un coup de poing entre les deux yeux. Le *Mattino* sur sa tête commençait à sentir le brûlé. Il se remit à l'eau.

Arrivé à une cinquantaine de brasses du rivage, Lewis vit devant lui, à une distance égale, une barque conduite à la godille par un marin. A l'avant, à plat ventre, une femme pêchait; penchée, une ombre au milieu de la poitrine, elle laissait tomber sa ligne. Elle était vêtue d'un maillot noir, hors duquel sortaient des bras et des jambes ombrées de muscles maigres, assez secs et très bruns. Elle était casquée d'un bonnet de caoutchouc rouge. Lewis l'admira. Elle avait cette belle couleur terre cuite des peaux méditerranéennes, alors que lui n'était encore que le barbare aux chairs blêmes. Il nagea vers la barque. C'était sûrement une étrangère, pour se baigner si tard en saison (dès la fin d'août, les Italiens n'entrent plus à l'eau). Bientôt il s'aperçut que la femme ne pêchait pas: elle sondait, et, prenant des notes, elle semblait relever des fonds.

'Dresse-t-elle une carte marine?' se demanda Lewis en se mettant sur le dos, et, par désinvolture, crachant l'eau comme un cétacé.   Il nagea encore.   Comme il approchait, la jeune femme rentra du doigt quelques mèches sous son bonnet, sans avoir cependant levé les yeux sur lui.   Lewis fit encore quelques brasses, et s'attachant à la barque:

— Vous permettez, Madame? — demanda-t-il.

Au-dessus l'azur frappait un grand coup.   Sur le flanc de la barque, l'eau faisait courir un lumineux et mouvant filet. Jusqu'à lui venait le bruit des sonnailles de mules, des plus hauts sentiers.   Sur chaque vague, il y avait une étoile, infiniment plus vivante que celle des nuits.   Des dauphins, au loin, poursuivaient leurs jeux liquides.   Œufs sur le plat sans maître, des méduses flottaient à la dérive.   Un petit nuage se trouvait suspendu au-dessus de la montagne comme un dais jésuite sur la tête d'un métropolite.   Tout en relevant sa sonde, elle se pencha enfin sur Lewis et le regarda: dans une figure de fer, des yeux d'un gris pâle, décolorés par l'extrême lumière, si francs, si doux, et pourtant si incapables de jamais reculer, qu'il sentit l'eau se refroidir.   Il marqua qu'il n'était pas encore reposé, en prenant bruyamment haleine.

— Il est fatigué? — demanda-t-elle simplement, en italien, d'une voix dont la perfection le frappa comme avec le poing.

— Non, madame.   Mais je souffle. . . .   Pas d'entraînement. Trop de cigares.

Lewis leva les yeux, et ne la vit plus.   De l'autre côté de la barque, il entendit seulement un éclaboussement et fut couvert d'écume.   En se retournant, il s'aperçut qu'elle nageait vers le rivage.   A son tour, il s'élança: il approchait, et l'on voyait le fond, sur lequel l'ombre de leurs deux corps se portait, réfractée.   Elle avançait plus vite que lui, car elle nageait à l'indienne, les bras raccourcis, la tête sous l'eau (on voyait alternativement sa joue droite, puis sa joue gauche), les jambes tendues en balancier, battant la surface.   Lorsqu'elle eut pris pied, elle avait gagné sur Lewis vingt longueurs. Il la vit alors se réfugier dans un peignoir jaune que lui présentait un gamin.   Elle souriait.   Près d'elle était un panier de figues, couvert d'un linge mouillé, et une boîte à sandwiches, en aluminium.

Lewis n'ayant pas de serviette se roula dans le sable, puis, quand il en fut vêtu, alluma une cigarette et, sur la plage devenue plus brune depuis que des pêcheurs y avaient mis leurs filets à sécher, il se coucha.

Très près, elle s'étendait sur le ventre, écrasant son ombre sur une serviette éponge, les jambes jointes, les bras au-dessus de la tête, comme pour plonger encore. Des veines bleues lui montaient le long des cuisses pareilles à des serpents tatoués. Les cheveux noirs étaient rejetés sur le sable, découvrant la nuque.

Suffisamment cuite elle se retournait et offrait l'autre face. Alors elle ressemblait à un poète romantique anglais noyé et rejeté par la tempête.

Elle essuyait ses yeux trop salés.

Des frelons passaient à ras du sol.

D'un geste, Lewis indiqua la mer sous laquelle s'enfonçaient, en taches violettes, les rochers sous-jacents:

— Puisque vous m'avez battu, vous me devez bien ma revanche.

— Vous l'aurez ce soir, monsieur, — répondit-elle en français.

Lewis et Irène.

Editions Bernard Grasset, 1924.

PAUL MORAND (*b.* 1888). Poet and novelist whose cosmopolitan tastes and outlook, if somewhat reminiscent of Cendrars, are none the less unusual in French men of letters; a considerable proportion of his output is based directly or indirectly on the travels which marked his diplomatic career.

CHARLES PLISNIER

44. Iégor

En classant de vieux papiers politiques, j'ai retrouvé mes notes du Congrès d'Anvers.

Pourquoi, parmi toutes ces figures ensevelies là, une seule, brusquement se lève-t-elle: celle d'Iégor? Tant de camarades m'étaient plus chers en ce temps-là: ceux qui, comme moi, dans cette Internationale Communiste qui commençait à dégénérer, luttaient contre le compromis, la trahison, la défaite, et dont un jour, j'eus l'honneur de traduire la pensée et la colère; ceux qui, 'de l'autre côté,' comme Iégor, représentaient au moins pour moi, dix ans de lutte coude à coude et dont je savais, pour en avoir souvent pris peur, les faiblesses et l'héroïsme.

Mais, comme si cette figure avait le pouvoir mystique d'effacer tout autour d'elle, c'est Iégor seul, oui, qui se leva.

Le Congrès d'Anvers. Je vois bien aujourd'hui que la dernière bataille pour la Révolution vivante s'achevait là. En Russie, tout avait été réglé, comme une pièce de théâtre géante et dérisoire. Trotsky, avec les plus grands parmi ceux de Dix-Sept, la bureaucratie de Staline venait d'avoir raison d'eux; dès lors, le nouveau dictateur tenait sous son pouvoir cette aire sans limite, que la révolution, dans son reflux, abandonnait. En Russie, les hommes d'Octobre partaient pour l'exil, entraient en prison. Dans les autres pays, les militants, las de résister à Moscou et de lutter sans comprendre, devenaient des fonctionnaires et obéissaient. Ainsi, partout, le coup de force trouvait des complices et des laudateurs. A quoi bon, même, discuter ces thèses nouvelles, ces nouveaux mots d'ordre qui réduisaient à néant la liberté des communistes, et, de ces révoltés d'une révolution permanente, faisaient des soldats sans l'uniforme? On acceptait. Ceux qui, invoquant Lénine et les armées rouges, s'acharnaient, on les couvrait de boue, puis, les trouvant salissants, on les chassait du Parti.

Le hasard voulut qu'au bout de ce pays d'Occident, dans cette ville de marchands et d'armateurs, l'esprit de révolution dressât sa dernière ligne de résistance.

Qui, d'ailleurs, le savait? Petit dans son petit pays, le parti communiste belge n'inquiétait personne. Si les brasseries lui refusaient leurs salles de réunion, c'est seulement parce qu'elles craignaient le bruit pour leur clientèle. Et quand, chassés d'un local, les délégués du congrès, par petits groupes, parcouraient les rues à la recherche d'un gîte où s'affronter, nul ne savait qu'il y allait pour eux de l'avenir du monde; du destin de leur chair et de leur esprit. Et les agents de police au casque de drap noir, débonnaires et désinvoltes, les faisaient attendre au bord du trottoir, pour laisser passer une voiture d'enfant.

Dans le lieu où nous finîmes par échouer, au fond d'un faubourg, tout semblait fait pour la carence et la débâcle. Une salle de fêtes qui servait de débarras. Le parquet de bois sonnait tristement. Il fallut aligner les chaises de fer qui se trouvaient empilées contre la muraille. On entreprit de lever le rideau de scène de couleur groseille, qui imitait une draperie somptueuse retenue par des embrasses outrageusement dorées, et il découvrit un décor de jardin incroyablement vert, avec perron, marquise et terrasse, cent mètres carrés de toile peinte qui tremblaient au moindre vent.

C'est là, derrière une table de pitchpin, que prit place le Bureau. Pour les orateurs, on plaça sur le proscénium, une table de fer, rouge et toute ronde.

Dès la première minute, nous eûmes bien le sentiment d'être divisés en deux camps: frères ennemis. De ceux-là — les staliniens, — et de nous: qui tenait la vérité? Trotsky était-il vraiment comme ils le criaient, l'antéchrist du communisme? Et nous autres qui le suivions, nous autres étions-nous des 'petits bourgeois gauchistes,' des 'contre-révolutionnaires' et des 'gardes-blancs?' Lâches et aveugles par impuissance, bêtise et servilité, faisaient-ils, comme nous le proclamions, 'le lit de Thermidor?'

Huit années depuis. Je crois que l'histoire nous a donné

raison. Et je ne puis croire que ceux d'Octobre sont morts pour que s'instaure sur la sainte Asie, ce socialisme de forme basse qui semble avoir annexé les Dieux du productivisme américain. Peut-être dans ces journées-là, souhaitais-je d'avoir tort.

Un homme parut tout à coup sur la scène. De haute taille, maigre à la fois et massif, presque pas de cou, une face large et glabre, les lèvres excessivement fines, des yeux gris que grossissaient curieusement les verres épais des lunettes rondes. Il avait conservé son paletot de cuir.

Ceux du Bureau applaudirent. Un Russe, assurément: le délégué de Moscou. Dans la salle, la moitié des délégués se leva, chanta *l'Internationale*. Un des nôtres, un Italien, bondit devant la scène, et le poing dressé vers l'homme de Moscou, d'une voix aigre qui domina l'hymne, cria: 'Evviva Trotsky!' Puis il fit face, mêla sa voix au chant. Nous chantâmes tous.

On ne sait pas toujours le nom vrai de ces personnages que le Comintern envoie pour porter sa parole ou exécuter ses ordres: un prénom, un pseudonyme; juste assez pour identifier un vivant qui est autre chose que lui-même.

L'hymne apaisé, le président du Congrès donna la parole au 'camarade Iégor, délégué du Comité Exécutif de l'Internationale.'

Iégor leva la main pour arrêter les applaudissements qui éclataient. Il jeta sa casquette, découvrant un crâne ras et blond. Puis, il s'avança vers le proscénium, appuya sur la table ses deux poings petits et très blancs. Alors, d'un regard circulaire, il sembla explorer tous ces visages que nous formions dans l'ombre, les mesurer, les reconnaître, et, d'une détente brusque, se rejetant en arrière, commença:

'Camarades . . .'

Il parlait le français d'abondance, correctement, avec un accent slave si léger qu'après un peu de temps, on ne le percevait plus. Parfois, cherchant un mot rebelle, il levait les yeux et, immobile, les bras ouverts au milieu du silence, semblait un homme qui prie. Soudain, le mot éclatait sur ses lèvres, sa main se fermait, son poing retombait et recommençait ce mouvement incessant et monotone, — ainsi, le piston d'une machine qui tourne régulièrement, au ralenti.

Ce que dit Iégor, mes notes me le rappellent. Mais à quoi bon le reproduire ici ? Les jeux étaient faits. Qu'y avait-il désormais entre ces gens et nous ? Divergences d'opinions sur l'état du monde, sur la stratégie de la Révolution ? Il s'agissait, oui, du comité syndical anglo-russe, de la position des communistes dans le Kuo-min-tang, de ce qu'on nommait dans le jargon doctrinal 'la possibilité du Socialisme dans un seul pays.' Mais ces problèmes, si graves qu'ils fussent pour l'avenir de la Révolution, on eût pu les agiter, sans se haïr et se déchirer. En fait, c'est autre chose qui nous opposait et devait éloigner les uns des autres, de plus en plus, les frères qui s'affrontaient là: une antinomie profonde de sentiments et de croyances. Pour les hommes de Staline il fallait sauvegarder l'unité doctrinale du Parti; pour nous, c'est la vérité qu'il fallait sauver. Les instances supérieures de l'Internationale, disait Iégor, avaient tranché les questions; elles avaient condamné les francs-tireurs qui, inaptes à comprendre jamais l'esprit du bolchévisme, prétendaient troubler avec leurs petits cas de conscience, des masses ouvrières altérées seulement de savoir où aller. Il fallait nous soumettre, accepter, reconnaître nos erreurs et nos hérésies. Peut-être à ce prix pourrait-on mettre encore quelque espoir en nous et nous pardonner un jour. Mais si nous nous obstinions dans notre orgueil, si nous persistions à défendre des positions marquées d'erreurs, eh! bien 'allez alors, intellectuels bourgeois égarés dans les rangs ouvriers, rejoindre cette classe, la vôtre; montrez vos vrais visages de mencheviks et de gardes-blancs. . . .'

J'écoutais, épouvanté. Non, des hommes comme ce Iégor et moi ne pouvaient plus se comprendre. Croyait-il en vérité ce qu'il disait ? Ne l'eût-il cru, je sentais bien qu'il l'aurait dit tout de même. Une chose comptait pour lui: cette Internationale Communiste 'contre qui on ne pouvait avoir raison' et avec laquelle on doit s'identifier, se confondre, même si elle se trompe, même si elle ment, — parce que c'est 'l'instrument de la Révolution.' Les hommes passent, pensait-il; mais elle, il faut qu'elle demeure intouchée. Moi, je commençais obscurément à répudier ce mythe. Je tenais que la Révolution ne peut vivre de mensonge; héros ou saint, à mes yeux il trahissait tous et chacun, celui-là qui, se croyant dans le juste, abjurait.

Mais une foi était dans cet homme. Haïssant ce qu'il disait, ce qu'il faisait, et devant le haïr, je l'aimais.

Faux Passeports.

Editions Corrêa, 1937.

CHARLES PLISNIER (*b.* 1896). The outstanding work of this Belgian lawyer, whose output includes a five-volume *roman-fleuve* (*Meurtres*), is undoubtedly *Faux Passeports*. This series of short stories—a *genre* not now widely cultivated in France, although Plisnier himself has published others—centres round the inner workings of the Communist Party and various forms of revolutionary action in different parts of Europe in the late twenties and early thirties (Plisnier himself had been a militant member of the Belgian Communist Party, although he denies that the first person singular of *Faux Passeports* represents himself). All the incidents recounted conform to the pattern defined by Plisnier: 'Une étude qui avant tout portait sur le drame d'une époque divisée, une certaine mystique de l'action, et, surtout, sur des êtres dans le profond de leur conscience et de leur instinct — c'est-à-dire des âmes.' The most powerful is that concerning Iégor, the submission of a man of complete integrity and sincerity who, unquestioning, surrenders not only life but honour to the concept of the party.

MARCEL PROUST

45. *Le septuor de Vinteuil*

Le concert commença, je ne connaissais pas ce qu'on jouait, je me trouvais en pays inconnu. Où le situer? Dans l'œuvre de quel auteur étais-je? J'aurais bien voulu le savoir et, n'ayant près de moi personne à qui le demander, j'aurais bien voulu être un personnage de ces Mille et une Nuits que je relisais sans cesse et où dans les moments d'incertitude, surgit soudain un génie ou une adolescente d'une ravissante beauté, invisible pour les autres, mais non pour le héros embarrassé à qui elle révèle exactement ce qu'il désire savoir. Or à ce moment je fus précisément favorisé d'une telle apparition magique. Comme, dans un pays qu'on ne croit pas connaître et qu'en effet on a abordé par un côté nouveau, lorsqu'après avoir tourné un chemin, on se trouve tout d'un coup déboucher dans un autre dont les moindres coins vous sont familiers, mais seulement où on n'avait pas l'habitude d'arriver par là, on se dit tout d'un coup: 'mais c'est le petit chemin qui mène à la petite porte de mes amis X . . .; je suis à deux minutes de chez eux'; et leur fille est en effet là qui est venue vous dire bonjour au passage; ainsi tout d'un coup, je me reconnus au milieu de cette musique nouvelle pour moi, en pleine sonate de Vinteuil; et plus merveilleuse qu'une adolescente, la petite phrase, enveloppée, harnachée d'argent, toute ruisselante de sonorités brillantes, légères et douces comme des écharpes, vint à moi, reconnaissable, sous ces parures nouvelles. Ma joie de l'avoir retrouvée s'accroissait de l'accent si amicalement connu qu'elle prenait pour s'adresser à moi, si persuasif, si simple, non sans laisser éclater pourtant cette beauté chatoyante dont elle resplendissait. La signification d'ailleurs n'était cette fois que de me montrer le chemin, et qui n'était pas celui de la sonate, car c'était une œuvre inédite de Vinteuil où il s'était seulement amusé, par une allusion que justifiait à cet endroit un mot du programme qu'on aurait dû avoir en même temps sous les yeux, à faire apparaître un instant la petite phrase. À peine rappelée ainsi, elle disparut et je me retrouvai dans un monde inconnu, mais je savais maintenant, et tout ne cessa plus de me confirmer, que ce monde était un de ceux que je n'avais même pu concevoir que Vinteuil eût créés, car quand, fatigué de la sonate qui était un univers épuisé pour moi, j'essayais d'en imaginer d'autres aussi beaux mais différents, je faisais seulement comme ces poètes qui remplissent leur prétendu paradis, de prairies, de fleurs, de rivières, qui font double emploi avec celles de la Terre. Ce qui était devant moi me faisait éprouver autant de joie qu'aurait fait la sonate si je ne l'avais pas connue, par conséquent, en étant aussi beau, était autre. Tandis que la sonate s'ouvrait sur une aube liliale et champêtre, divisant sa candeur légère pour se suspendre à l'emmêlement léger et pourtant consistant d'un berceau rustique de chèvrefeuilles sur des géraniums blancs, c'était sur des surfaces unies et planes comme celles de la mer que, par un matin d'orage déjà tout empourpré, commençait au milieu d'un aigre silence, dans un vide infini, l'œuvre nouvelle, et c'est dans un rose d'aurore que, pour se construire progressivement devant moi, cet univers inconnu était tiré du silence et de la nuit. Ce rouge si nouveau, si absent de la tendre, champêtre et candide sonate, teignait tout le ciel, comme l'aurore, d'un espoir mystérieux. Et un chant perçait déjà l'air, chant de sept notes, mais le plus inconnu, le plus différent de tout ce que j'eusse jamais imaginé, de tout ce que j'eusse jamais pu imaginer, à la fois ineffable et criard, non plus un roucoulement de colombe comme dans la sonate, mais déchirant l'air, aussi vif que la nuance écarlate dans laquelle le début était noyé, quelque chose comme un mystique chant du coq, un appel ineffable mais suraigu, de l'éternel matin. L'atmosphère froide, lavée de pluie, électrique — d'une qualité si différente, à des pressions tout autres, dans un monde si éloigné de celui, virginal et meublé de végétaux, de la sonate — changeait à tout instant, effaçant la promesse empourprée de l'Aurore. A midi pourtant, dans un ensoleillement brûlant et passager, elle semblait s'accomplir en un bonheur lourd, villageois et presque rustique, où la titubation de cloches retentissantes et déchaînées (pareilles à celles qui incendiaient de chaleur la place de l'église à Combray, et que Vinteuil, qui avait dû souvent les entendre, avait peut-être trouvées à ce moment-là dans sa mémoire comme une couleur qu'on a à portée de sa main sur une palette) semblait matérialiser la plus épaisse joie. A vrai dire, esthétiquement, ce motif de joie ne me plaisait pas, je le trouvais presque laid, le rythme s'en traînait si péniblement à terre qu'on aurait pu en imiter presque tout l'essentiel, rien qu'avec des bruits, en frappant d'une certaine manière des baguettes sur une table. Il me semblait que Vinteuil avait manqué là d'inspiration et en conséquence je manquai aussi là un peu de force d'attention.

Mais bien vite, le motif triomphant des cloches ayant été chassé, dispersé par d'autres, je fus repris par cette musique; et je me rendais compte que si, au sein de ce septuor, des éléments différents s'exposaient tour à tour pour se combiner à la fin, de même, la sonate de Vinteuil et, comme je le sus plus tard, ses autres œuvres n'avaient toutes été, par rapport à ce septuor, que de timides essais, délicieux mais bien frêles, auprès du chef d'œuvre triomphal et complet qui m'était en ce moment révélé. Et de même encore, je ne pouvais m'empêcher, par comparaison, de me rappeler que j'avais pensé aux autres mondes qu'avait pu créer Vinteuil comme à des univers aussi complètement clos qu'avait été chacun de mes amours; mais en réalité je devais bien m'avouer qu'au sein de mon dernier amour — celui pour Albertine — mes premières velléités de l'aimer (à Balbec tout au début, puis après la partie de furet, puis la nuit où elle avait couché à l'hôtel, puis à Paris, le dimanche de brume, puis le soir de la fête Guermantes, puis de nouveau à Balbec, et enfin à Paris où ma vie était étroitement unie à la sienne) n'avaient été que des appels; de même, si je considérais maintenant, non plus mon amour pour Albertine, mais toute ma vie, mes autres amours eux aussi n'y avaient été que de minces et timides essais, des appels, qui préparaient ce plus vaste amour: l'amour pour Albertine. Et je cessai de suivre la musique, pour me redemander si Albertine avait vu oui ou non Mlle Vinteuil ces jours-ci, comme on interroge de nouveau une souffrance intime, que la distraction vous a fait un moment oublier. Car c'est en moi que se passaient les actions possibles d'Albertine. De tous les êtres que nous connaissons, nous possédons un double, mais habituellement situé à l'horizon de notre imagination, de notre mémoire; il nous reste relativement extérieur, et ce qu'il a fait ou pu faire ne comporte pas plus pour nous d'élément douloureux qu'un objet placé à quelque distance, et qui ne nous procure que les sensations indolores de la vue. Ce qui affecte ces êtres-là, nous le percevons d'une façon contemplative, nous pouvons le déplorer en termes appropriés qui donnent aux autres l'idée de notre bon cœur, nous ne le ressentons pas; mais ma blessure de Balbec, c'était dans mon cœur, à une grande profondeur, difficile à extraire, qu'était le double d'Albertine. Ce que je voyais d'elle me lésait comme un malade dont les sens seraient si fâcheusement transposés que la vue d'une couleur serait intérieurement éprouvée par lui comme une incision en pleine chair. Heureusement que je n'avais pas cédé à la tentation de rompre encore avec Albertine; cet ennui d'avoir à la retrouver tout à l'heure, quand je rentrerais, était bien peu de chose auprès de l'anxiété que j'aurais eue si la séparation s'était effectuée à ce moment où j'avais un doute sur elle avant qu'elle eût eu le temps de me devenir indifférente. Au moment où je me la représentais ainsi m'attendant à la maison, comme une femme bien-aimée trouvant le temps long, s'étant peut-être endormie un instant dans sa chambre, je fus caressé au passage par une tendre phrase familiale et domestique du septuor. Peut-être — tant tout s'entrecroise et se superpose dans notre vie intérieure — avait-elle été inspirée à Vinteuil par le sommeil de sa fille — de sa fille, cause aujourd'hui de tous mes troubles — quand il enveloppait de sa douceur, dans les paisibles soirées, le travail du musicien, cette phrase qui me charma tant, par le même moelleux arrière-plan de silence qui pacifie certaines rêveries de Schumann, durant lesquelles, même quand 'le Poète parle,' on devine que 'l'enfant dort.' Endormie, éveillée, je la retrouverais ce soir, quand il me plairait de rentrer, Albertine, ma petite enfant. Et pourtant, me dis-je, quelque chose de plus mystérieux que l'amour d'Albertine semblait promis au début de cette œuvre, dans ces premiers cris d'aurore. J'essayai de chasser la pensée de mon amie pour ne plus songer qu'au musicien.

A la recherche du temps perdu: VI,
La Prisonnière (Sodome et Gomorrhe III).
Librairie Gallimard, 1923.

189

MARCEL PROUST (*b.* 1871, *d.* 1922). It was not until after the death of his mother in 1905 (she had not approved of his writing) that Proust began on his major work, and only in 1913 that *Du côté de chez Swann* appeared. The remainder of *A la recherche du temps perdu* continued to appear in rapid succession after 1919, the final volumes being published posthumously.

Loving society and social life, Proust was forced by ill-health to live in complete seclusion, in the famous cork-lined room from which even all echo of the outside world was excluded. He thus sought comfort in writing about the life in which he could no longer participate.

His originality lay partly in reflecting the influence of the theories of Freud and Bergson, and more particularly in giving such of their discoveries as the notion of simultaneity, the relativity of time, the workings of the subconscious mind a purely literary expression. Paul Valéry sums up the paradox of the man and the writer: 'Proust a su accommoder les puissances d'une vie intérieure singulièrement riche et curieusement travaillée, à l'expression d'une petite société qui veut être et qui doit être superficielle. Par son acte, l'image d'une société superficielle est une œuvre profonde.'

Thus, though Proust died so soon after the end of the war, he stands out as a major influence on the post-war generation, both in France and abroad.

RAYMOND QUENEAU

46. Irréalisations

Il prit son chapeau et sur un adieu auquel elle ne répondit pas il s'en fut. Il descendit lentement, par l'escalier, oubliant l'ascenseur. Il se retrouva dans la rue, la rue Pigalle, devant la porte de l'hôtel. Il regarda vers le nord, vers le sud, ne sachant où aller, à quel courant de foule se donner. Il n'avait rien de spécial à faire. Il n'était attendu nulle part, il n'avait pas envie d'aller ici plutôt que là. Il se décida pour le sud mais au coin de la rue Fontaine le nord l'emporta. L'heure de l'apéritif approchait un apéritif d'octobre déjà crépusculaire. Jacques alla s'asseoir à une terrasse de la place Blanche.

Ce qui l'étonnait le plus c'est que cela ne lui fît pas plus mal. Sa stupeur il ne la sentait pas comme douloureuse. Cette constatation lui suggéra la résolution de ne plus penser à cette histoire au moins pendant ces premières minutes. Assez lâchement il ne laissa subsister de ce faisceau de sentiments, d'incidents et d'anecdotes que la gerbe de petits faits désagréables offerts à son souvenir par le mépris de Rojana. Il abandonna donc la piste saumâtre de son amour congédié pour examiner avec plus d'attention sa situation en tant qu'être social pourvu ou dépourvu de métier. Eh bien à cet égard il ne représentait pas grand'chose. Il ne représentait même rien du tout depuis que le théâtre où il jouait un rôle, muet, de domestique avait fermé ses portes huit jours après sa réouverture et ce rôle Jacques ne l'avait obtenu que grâce à la protection de Rojana. Maintenant il se retrouvait seul à et dans Paris, sans amis, sans relations, avec dans sa poche à peine de quoi tenir quinze jours.

Ça vexait quelque peu Jacques cette appartenance à la classe nulle d'autant plus qu'il en arrivait à penser que jeune encore son avenir était déjà comme disait son futé de papa, derrière lui.

Comme des fœtus miniatures parfaitement constitués il faisait défiler devant lui tous les germes de figures sociales qu'il avait irréalisées. Il revenait de sept huit années en arrière et le voilà maintenant capitaine de l'armée hollandaise, directeur d'usine, attaché d'ambassade à Pékin, banquier, clown (célèbre), peintre (célèbre), archiviste paléographe, aspirant de marine (à bord du dernier voilier), coureur cycliste (vainqueur du Tour d'Europe), champion du monde d'échecs (inventeur du Gambit L'Aumône et du début f_2–f_3, h_7–h_5), gentleman farmer en Australie (et qu'est-ce qu'il n'exterminait pas comme lapins), barman (au Ritz), astronome (il découvre la première planète hors du système solaire, un satellite d'α du Centaure), député (le plus jeune de France), journaliste (reporter aux multiples ruses et à l'audace imperturbable), acrobate (le premier à réaliser le sextuple saut périlleux en arrière sans élan), fakir dans le cristal (une vieille gitane l'a initié à tous les mystères mantiques), médecin (psychanalyste), médecin (acupuncteur), médecin (ostéopathe), médecin (chiropractor), médecin (chirurgien dentiste), explorateur (astronaute car sinon où ça? et de quoi?), chercheur d'or (il devient riche forcément), chercheur de trésors (il en trouve au fond des mers quand ce n'est pas dans de vieux châteaux), lord anglais (par adoption), grand lama (par vocation), président de la république de Nicaragua (par élection), président de la république de Costa Rica (par révolution), président de la république de Guatemala (par occupation), il oublie maintenant l'ambition, il y a tant d'autres possibles, triumvir, uhlan, plombier, tétrarque, rétiaire, schah, faux saulnier, éléphant blanc (par transformation magique), sauterelle adultère, péplum chinois, morceau de sucre, bout de savon fondant. Il disparaissait comme ça lentement, dans un petit bol d'eau, pas propre même, car un type s'en était servi, de lui, pour se décrasser les digitaux.

Il paya son verre et se leva. Résorbant toutes ces destinées, de sa marche il tira l'excitant nécessaire à des pensers pratiques. Il n'allait tout de même pas vagir longtemps comme ça sur le passé tel un enfant abandonné par sa tite mère. Du côté chimie peu d'espoirs car après tout il n'y connaissait rien mais du côté théâtre il pouvait récolter quelques figurations: c'était pas brillant brillant mais ça le poussait tout de même un peu plus loin dans l'existence. Encore une fois c'était pas brillant brillant mais que faire? S'engager à dix-huit ans pour devenir capitaine dans l'armée hollandaise? grimper avec rapidité les échelons de la bureaucratie d'usine pour en de cette usine devenir presto directeur? faire les sciences Po pour l'ambassade de Chine? et ainsi de suite? il aurait recommencé le défilé mais il avait fini de dîner et il se paya le cinéma qui dispersa tout ce carnaval au profit d'une sombre histoire de sombre assassinat.

Loin de Rueil.

Librairie Gallimard, 1944.

RAYMOND QUENEAU (*b.* 1903). A writer of eclectic tastes, whom we find indulging simultaneously in a philosophy degree at the Sorbonne, journalism, Greek, and chess. Like many young writers, he was for a short time associated with the Surrealists, but had left them by the time his first volume was published— *Chiendent* (1933), which, with *Un Rude Hiver* (1939) and *Loin de Rueil* (1944), is generally thought to rank highest among his novels. In *Exercices de style* (1947) he has shown something in the nature of virtuosity in reproducing varying types of style, mannerisms, and slangs; to a wide vocabulary reflecting his varied interests he further adds by treating words as living matter, making use of all their humorous connotations and suggestions, and by coining on occasion his own, a practice of which *chiropractor* and *astronaute* appear to be examples.

p. 191. *f2–f3*, *h7–h5:* continental notation of the chess-moves corresponding to KBP–KB3, KRP–KR4.
p. 192. *sciences Po:* abbreviation of *Ecole des sciences politiques.*

RAYMOND RADIGUET

47. *Le chapeau du prince Naroumof*

Ils redescendirent, et jetèrent les oripeaux sur le tapis. Les invités se les arrachaient. Ils voyaient dans ces loques la possibilité de devenir ce qu'ils eussent voulu être. François Séryeuse les méprisa. Il ne désirait être rien d'autre que lui-même.

Mme d'Orgel, malgré les prières, s'effaçait. Elle tenait

193

compagnie au prince Naroumof. Il avait connu ce salon sous le règne du feu comte. Il se répétait : 'La guerre a rendu tout le monde fou.'

Au milieu de cette bacchanale improvisée, le comte Anne d'Orgel perdait la tête. Son visage montrait la fièvre des enfants excités par le jeu. Il disparaissait, reparaissait, plus ou moins applaudi dans des transformations assez peu variées. Hester Wayne prenait des poses, se drapait, en nommant des statues célèbres. Comme personne ne riait, parce que ce n'était pas drôle, elle put croire qu'on l'admirait.

Nombre de maris, par un manège habile, fussent moins bien parvenus qu'Anne d'Orgel, par son manque d'à-propos, à mettre des distances entre leur femme et le danger. Ce manque d'à-propos allait tirer son bouquet. Car Anne, qui s'était encore éclipsé, reparut coiffé du feutre tyrolien de Naroumof. Il esquissait un pas de danse russe. Cette confusion de folk-lores, ce chapeau vert à plume de coq, excitèrent le rire. Seul le prince semblait mal goûter ce numéro.

— Je m'excuse, dit-il. Ce chapeau est à moi. Il m'a été donné par des amis autrichiens, qui ne pouvaient rien m'offrir d'autre.

Un froid horrible paralysa les rieurs. Dans le tohu-bohu on avait presque oublié la présence de Naroumof. Il prenait maintenant figure de juge, rappelait l'inconscience à l'ordre, réveillait le respect dû au malheur. La folie collective apparaissait. Chacun accusait les autres de l'y avoir entraîné, en voulait encore plus à ceux qui avaient gardé de la mesure.

Mme d'Orgel fut atterrée. Son mari ne se contentait pas de prêter une oreille distraite à Naroumof ; il oubliait, dans une griserie enfantine, les moindres délicatesses du cœur. Elle était d'autant plus atteinte qu'il se diminuait juste au moment où elle avait besoin de le grandir. Qu'Anne se diminuât devant François, il était au-dessus de ses forces de le supporter. Que pourrait-elle répondre, si François lui reprochait de sacrifier son amour à un homme aussi puéril ? Il était dur de voir celui dont la seule présence eût dû convaincre François de son crime prendre l'aspect d'un clown.

Mme d'Orgel raisonnait juste. Depuis la chambre aux étoffes, Anne se livrait à François comme le dépeignaient ses ennemis; mais François souffrait, sachant ce que cette apparence futile cachait de noble et de beau. S'il n'avait encore aimé Anne, il n'aurait eu qu'à se réjouir de cette besogne dont il suivait le résultat dans les yeux de la comtesse d'Orgel.

Le drame se complaît souvent autour des objets les moins significatifs. De quelle signification puissante il aime alors à revêtir un chapeau! La comtesse lut en François comme elle comprit qu'il lisait en elle. Elle fit alors un de ces gestes d'autant plus héroïques que leur grandeur ne frappe personne, tant nous préjugeons et tant il nous est difficile d'admettre qu'un feutre tyrolien peut devenir le centre d'une tragédie!

Elle calcula qu'il ne lui restait plus qu'une ressource. Sa répulsion même à l'employer lui prouva qu'elle serait efficace. Il s'agissait de s'associer au geste d'Anne, de devenir sa complice; en un mot, de répondre silencieusement à François qu'elle n'avait pas trouvé odieux le rôle de son mari.

Aux paroles sèches de Naroumof, elle se leva, se dirigea vers Anne. Elle marchait à la mort.

— Non, Anne, comme ceci, dit-elle, en cabossant le chapeau.

La gêne n'eut plus de bornes. Anne d'Orgel avait du moins l'excuse de son étourderie, de l'excitation. Mais l'acte de la comtesse d'Orgel prouvait une froide volonté de surenchérir, insupportable après les phrases de Naroumof.

Elle avait calculé juste.

— Voilà comment il la déforme! se dit François.

Si quelque chose eût été capable d'affaiblir l'amour de Séryeuse, Mahaut eût pleinement récolté le fruit de son sacrifice. Mais elle ne pouvait plus procurer à François que cette tristesse qui augmente l'amour.

De tous, le prince Naroumof fut le plus étonné. Il retint un mouvement de colère. Puis: 'Mais non, se dit-il, la chose ne peut pas venir d'elle.' Il avait trop apprécié la comtesse, et son vieil orgueil ne voulait pas s'être mépris.

Ainsi, le seul qui la connût mal tombait juste. Les souffrances avaient affiné Naroumof; et il était un Russe: deux raisons pour mieux comprendre les bizarreries du cœur. Lui seul était proche de la vérité! Il 'brûla': il devina que Mme d'Orgel avait une raison secrète: 'elle est trop fine pour n'avoir pas eu honte de son mari, se dit-il; elle est venue prendre sa part de blâme.'

Où Naroumof se trompa, ce fut en y voyant un geste d'amour conjugal.

Ainsi, loin de l'exaspérer, ce geste poussa Naroumof à se dominer. A l'apparition d'Anne d'Orgel il avait été le seul à ne pas rire. Il fut maintenant seul à s'esclaffer.

— Bravo! s'écria-t-il.

Cette volte-face stupéfia.

Anne, qui avait eu des doutes sur le tact de son entrée, retrouva son assurance. Et le bravo du prince sentait si peu l'ironie que tout le monde respira.

Mahaut s'assit. 'On ne peut mépriser plus galamment,' pensa-t-elle. Il était au-dessus de ses forces d'imaginer comment François pouvait la juger.

Le Bal du comte d'Orgel.

Editions Bernard Grasset, 1924.

RAYMOND RADIGUET (*b.* 1903, *d.* 1923). The mark left by this young protégé of Jean Cocteau is out of all proportion to his youth, his output consisting of two novels, a drama, and a volume of verse. Both his novels, *Le Diable au corps* (1923—recently made into a film with the same title), and *Le Bal du comte d'Orgel* (1924), display a power of psychological analysis and of expression astounding in one so young. In the latter he deliberately set out to reduce the psychological novel to its simplest and most strictly classical expression, and at the same time situated it in a milieu entirely foreign to him, that of the hereditary aristocracy and the most exclusive Paris society.

The Prince Naroumof, fleeing from the Russian Revolution, has sought refuge with his old friend the Comte Anne d'Orgel, his arrival coinciding with a dinner-party which in itself represents a climax in the relations between François Séryeuse and Mahaut d'Orgel, wife of the count.

CHARLES-FRANÇOIS RAMUZ

48. Le Pas du Chamois

Il faisait un ciel tout uni et d'une seule même couleur, où le soleil n'était pas encore parvenu, parce qu'il se trouvait en train de grimper derrière les crêtes parmi les pierres et les neiges. Un ciel comme un plafond de chambre, un ciel passé au blanc de chaux. Et lui qui allait seul dessous, seul et rien qu'un bâton, avec sa veste du dimanche, son pantalon de même étoffe, son chapeau noir, tandis que dans les fissures du glacier, au-dessous de Joseph, l'eau tournoie, et que devant lui la roche est à nu. La roche était à nu à cause de sa raideur, et elle devenait de plus en plus raide par des assises entre lesquelles d'étroits paliers qu'on appelle des vires peuvent encore servir et servent, en effet, aux chasseurs quand ils vont chasser la grosse bête, mais à eux seulement. Joseph a pris par ces passages.

A mesure qu'il montait, la partie inférieure du glacier s'enfonçait davantage. Le glacier s'affaissait de plus en plus du bout et était en même temps à la hauteur de Joseph, et au-dessus et au-dessous de lui. Et lui devenait cependant de plus en plus petit, et on l'aurait vu s'élever et en même temps disparaître, — s'il y avait eu quelqu'un pour le voir. L'air était gris et pâle, les rochers étaient de la même couleur que l'air et le ciel qui se trouvaient partout confondus dans une espèce de brume de chaleur. Joseph a avancé le pied avec précaution dans les couloirs que remplissait à moitié tout un menu gravier, qui cédait sous la semelle. Il allait vers les neiges, il était déjà plus haut que la glace, allant vers les névés qu'on voyait être suspendus dans les limites de la terre à des arêtes, comme une lessive à son cordeau. Là où il n'y a plus rien, là où il n'y a plus personne, là où il n'y a plus d'arbres, ni de buissons, ni même d'herbe, rien qui soit en vie, sauf quelques mousses rouges et jaunes qui font comme de la peinture sur la roche, à certaines places; et une pierre roulait, puis Joseph avance le pied,

cherchant un appui sûr pour le tranchant de sa semelle. Déjà,
si on avait pu le voir, il n'aurait pas été plus gros qu'un point,
vu du bas du glacier, puis il n'aurait plus été vu du tout, et il
aurait été comme s'il n'était pas. Il s'est tenu suspendu,
n'étant plus rien, longtemps encore, dans l'air et à l'une, puis
à l'autre de ces grandes parois, qui avaient été frottées et polies,
avaient été peu à peu usées par le glacier venu autrefois
jusqu'ici; puis il a gagné les champs de neige, faisant à chacun
de ses pas un trou bleu dedans. Son passage là est resté
marqué par des points faits avec un fil de couleur dans cette
belle toile neuve, puis il arrive à un autre champ de neige
s'étendant à plat, où il y a des papillons qui sont tombés, de
tout petits papillons rose clair, qui sont chacun au fond d'un
trou, parce que la neige a fondu sous eux. Joseph marcha plus
difficilement, plus lentement, enfonçant jusqu'au genou. A
main droite et à sa hauteur, dans le prolongement même du
névé qu'il traversait, une première crevasse largement ouverte
et qu'on pouvait sonder de l'œil, à cause de son inclinaison,
marquait le point de rupture du glacier. Plus en arrière,
celui-ci s'élevait en pente douce jusqu'à une sorte de col qui
s'ouvrait sur le ciel; et c'est là qu'on a vu paraître enfin le
soleil: un soleil comme vu à travers du papier huilé, qui a été
vu, qui ne l'est plus; qui paraît, qui a disparu. C'est qu'une
arête noire était venue se mettre entre lui et vous; entre lui et
Joseph, il y avait eu cette nouvelle barrière à la rencontre de
laquelle Joseph allait. On ne sait toujours pas où il va.
C'était une levée de rocs noire d'humidité et frangée de blanc
dans le haut, et toujours personne. Personne ne semble être
venu ici depuis les commencements de la terre et n'y avoir
jamais rien dérangé, sauf qu'à présent un homme continuait
d'écrire les preuves de son existence, comme quand on met des
lettres l'une à côté de l'autre, pour une phrase, puis encore une
phrase, dérangeant ainsi le premier la belle page blanche par
ses traces qui se voyaient de loin. Où est-ce qu'il va? De
nouveau, on se demandait: 'Où est-ce qu'il peut bien aller?'
car il ne semblait pas qu'il pût y avoir sur ce point aucun
passage, pourtant Joseph allait toujours. Et, un instant

après, en effet, on a compris; il n'y a eu qu'à prolonger de l'œil la ligne déjà tracée par Joseph pour qu'on la vît venir se heurter à la partie d'en bas d'une sorte de long et étroit couloir rempli de neige, aboutissant dans le haut à une entaille carrée : une fenêtre, tout à fait une fenêtre par la forme, avec une vitre de ciel, et on l'appelle la Fenêtre du Chamois. C'était là-haut, entre deux dents, et le couloir qui y menait montait directement, mis debout avec sa blancheur contre la paroi, comme une échelle. Le Pas du Chamois, c'est le nom qu'il a, et en haut du pas est la Fenêtre du Chamois, qui est le nom qu'on lui donne; qui est le nom qui lui a été donné par les quelques-uns du moins qui s'y sont risqués, des chasseurs; et on tourne par là la chaîne sans trop de peine, ni de détours.

Ils mettent leur fusil en travers de leur dos, car ils ont besoin de se servir des mains et des pieds; ils ont un sac avec leurs provisions dedans, ils ont des jambières de cuir; — maintenant c'est le tour de Joseph, mais lui sans sac, ni jambières, ni fusil; en habits du dimanche, un bâton à la main. Ils ont un cornet pour s'appeler en cas de besoin, ils sont plusieurs; — lui était seul, n'ayant pas de cornet, n'ayant personne à appeler, marchant dans la neige pâle et dans l'espèce d'ombre que l'arête d'ardoise portait en avant d'elle.

Il a atteint le bas du couloir; là, il s'est tourné de côté.

Il a mis son corps de côté, l'épaule droite touchant la pente. Il montait comme à des échelons par des trous qu'il faisait l'un au-dessus de l'autre. Il touchait de l'épaule et avec le côté de sa figure sur la droite l'escarpement, laissant tomber sur son autre côté une toujours plus grande profondeur de vide. On est comme quand on monte à un cerisier sur une échelle. Heureusement qu'ici la neige bien tassée restait ferme sous votre poids, tandis que Joseph y creusait des trous ou y enfonçait son bâton, se servant de lui par endroit comme d'une prise naturelle. Ainsi il s'élevait toujours, devenant de nouveau petit et de plus en plus petit, là-haut, dans le silence; et il a été vu contre la neige, puis il a été vu contre le ciel, ayant atteint l'entaille; debout alors là, dans cette fenêtre, quand tout à coup ce qu'il y a de l'autre côté de la chaîne vous saute contre, et une moitié de monde pas connue est connue, venant à vous d'une seule fois. Là sont rangés autour de vous à nouveau des milliers de tours, de dents et d'aiguilles, et, à cause de l'éloignement, il semble qu'on soit au-dessus d'elles, bien qu'elles soient blanches, toutes blanches et, quand le soleil vient les frapper, dorées ou roses : en marbre rose, ou en métal, en or, en acier, en argent ; faisant tout autour de vous comme une couronne de pierreries ; — cet autre côté de la chaîne où Joseph était parvenu, puis il se met à redescendre.

La Grande Peur dans la montagne.

Editions Bernard Grasset, 1926.

CHARLES-FERDINAND RAMUZ (*b.* 1878, *d.* 1947). A Swiss writer who locates his novels in the Vaudois Alps, and draws from the struggle between man and mountain his principal themes of fear, beauty, and solitude.

JULES ROMAINS

49. *La peur*

— Eh bien, prononça lentement Jallez, tu m'as dit des choses passionnantes. Mais il reste pour moi des obscurités. Je n'arrive pas encore à voir quelle est la force qui est assez grande pour maintenir ces millions d'hommes dans un supplice qui ne finit pas. Tu m'as cité de menus adjuvants, de petites idées secourables. . . . Cela peut-il suffire ? Nous les avons connus, ces hommes. La civilisation les avait dorlotés, plus ou moins. Ce n'était pas l'idéalisme qui les étouffait. . . . L'enthousiasme . . . quelques jours, oui ; pas des années. Comment ces petits hommes douillets et positifs acceptent-ils de tant souffrir, et si longuement?

— Parce qu'ils ont commencé; et ce qu'on a commencé de faire prend une terrible autorité sur vous. C'est une des lois de l'existence les moins douteuses. Mais, quand on y réfléchit bien, en effet, il y a une autre autorité qui domine tout le reste. On s'aperçoit qu'on oublie toujours d'en parler ... pourquoi? ... parce que cela va sans dire? ... par pudeur? ... Ou bien si l'on y réfère, c'est en la déguisant sous des noms d'emprunt, plus flatteurs pour l'individu, comme devoir, patriotisme, etc. ... Or, elle porte un nom plus franc; c'est la contrainte sociale, tout simplement. La société veut, aujourd'hui, que les hommes souffrent et meurent sur le front. Alors ils souffrent et ils meurent. Voilà. Elle a voulu d'autres choses à d'autres époques. Et ils l'ont fait. La seule particularité déconcertante, c'est que, depuis pas mal de temps, on avait annoncé aux hommes que la société avait renoncé à avoir sur eux ce pouvoir mystique; qu'ils avaient des droits absolus; et qu'on ne pouvait plus leur demander que des choses raisonnables du point de vue individuel. Or, il semble déraisonnable, du point de vue individuel, qu'un homme perde sa vie, c'est-à-dire tout, pour défendre la part souvent assez faible qui lui revient dans des intérêts collectifs. Ou qu'il le fasse si ça lui chante! Mais on ne peut pas, 'raisonnablement,' le lui demander. Il faut croire que les hommes n'avaient pas pris tout à fait pour de l'argent comptant cette innovation excellente; car aucun d'eux n'a eu le toupet de s'en réclamer.

— Tu dois avoir raison. L'étrange est que cette contrainte reste à tout moment assez forte pour dominer même la peur physique.

— Il faut dire plus exactement: la peur que l'homme a de la société est encore plus forte que la peur qu'il a des obus.

— Oui ... le soldat se dit: Si je refuse de marcher, ou si je me sauve, je serai fusillé.

— Même pas. ... Certains ont besoin de se le dire. Pour la plupart c'est superflu. Leur peur de la société n'est pas physique. Elle est mystique. L'homme est ainsi fait que chez lui une peur physique est presque toujours moins forte qu'une peur mystique.

— Au point d'empêcher même les réactions immédiates? . . . Tu pars à l'assaut . . . et des obus éclatent près de toi . . . tu es dans le faisceau de balles d'une mitrailleuse. . . .

— Eh bien, la peur mystique de la société sait prendre des formes qui elles-mêmes ont une action immédiate. D'un côté la peur de ce que penseront tes camarades, ton chef, ou tes hommes, si tu es chef. Il faudrait en un sens plus de courage à un homme moyen pour affronter la réputation de lâcheté que pour affronter un éclat d'obus.

Ils parlèrent de la peur. Jerphanion déclara qu'au front tout le monde avait peur, avec des différences dues au tempérament, comme tout le monde a froid quand il gèle. La fréquentation du péril peut vous donner un endurcissement, mais pas toujours. Souvent au contraire elle exaspère la sensibilité, augmente le frémissement préalable.

— D'ailleurs, on ne se vide jamais complètement de la peur qu'on a eue. J'ai encore peur de l'assaut où j'ai été blessé l'an dernier. Si je devais faire un nouvel assaut, j'aurais bien plus peur qu'un débutant. Et puis, c'est très variable. On a peur par crises. On a des jours de tremblote incoercible; et des jours presque d'indifférence. Impossible de savoir pourquoi. J'ai constaté qu'un des meilleurs remèdes contre la peur, c'est de se dire qu'elle est complètement inutile (comme le courage, d'ailleurs). On se répète avec acharnement: "Tu es idiot. Tu as le ventre serré, tu te crispes de partout, tu as les mâchoires qui ont envie de claquer? Tout ça ne changera rien à la trajectoire du prochain obus, ou des prochaines balles. C'est de la fatigue supplémentaire." On tâche de faire alors comme si c'était de la pluie qui tombait. De la brave simple pluie. Il pleut à grosses gouttes mais on pense à autre chose, comme le sergot sous sa pèlerine à un croisement de rues. . . . Tu vois le genre? . . . Ou encore, l'on pense qu'on est un piéton égaré au milieu de la Place de la Concorde, dans le tohu-bohu des voitures. Chacune des autos qui traverse la place, à toute vitesse, est dix fois capable de tuer son homme. Et comme elles vont dans des sens divers, il semble qu'il y en aura bien une, avant cinq minutes, qui démolira le pauvre piéton. . . . Pourtant, si vous êtes un vieux Parisien, vous ne tremblez pas, vous ne claquez pas des mâchoires. . . . Tu aperçois l'astuce? On fait semblant de croire que chaque obus vous évitera, comme chaque auto vous évite; et que seul pourrait vous tuer le projectile qu'une volonté mystérieuse dirigerait exprès sur vous. . . . Tu te rappelles la fameuse phrase de Napoléon sur le boulet qui n'avait pas encore été fondu? C'est un petit moyen, mais il est efficace. Tu sais, il ne vous reste dans des situations pareilles que de petits moyens. . . . Et puis celui-là est-il si petit? Il consiste en somme à réinventer le fatalisme. "Je sens que le destin n'a pas décidé que je mourrais aujourd'hui. En somme, s'il l'a décidé, c'est absolument inéluctable, pas la peine de s'agiter." Au bout d'un certain temps de vie ultra-dangereuse, on constate que le fatalisme est une drogue qui s'impose à l'homme, comme l'alcool dans les expéditions polaires. Une des vertus secrètes du fatalisme, c'est qu'il sous-entend, malgré vous, une espérance surnaturelle. "Si le destin se charge de moi jusqu'à choisir le moment de ma mort, il n'est pas possible qu'*ensuite* il me laisse tomber. Il me mène plus loin, ailleurs. L'aventure n'est pas finie." Tout ce que l'homme demande, au fond, c'est que l'aventure ne soit pas finie. Il n'exige pas de savoir la suite; il veut bien qu'elle soit inconcevable. Du moment que l'aventure n'est pas finie, tout, à la rigueur, peut s'accepter. Ce bombardement qui pilonne la tranchée, cette vague d'assaut dont tu fais partie, dans l'arrosage des 77 et des mitrailleuses, et qui peut-être va te déposer deux mètres plus loin, la tête fracassée, près du petit arbre . . . tout cela n'est plus alors qu'un épisode. . . . Te rends-tu compte, mon vieux Jallez, des profondeurs de croyances séculaires que ces tempêtes-là vont remuer?

— Je m'en rends compte; et c'est très impressionnant. (Au loin devant eux, mais moins loin que tout à l'heure, se dressait Notre-Dame, avec ses chimères, ses gargouilles.)

— Ce que je voudrais surtout pouvoir te faire sentir, c'est le foisonnement, l'enchevêtrement, l'irrégularité de tout cela dans une âme au long des jours. D'où la fausseté des formules, quand on essaye d'en trouver qui aient l'air de valoir pour toute durée de la vie au front. Il y a peut-être des âmes d'une constance prodigieuse qui conservent une même attitude. . . . Il doit y en avoir peu. . . . Je me revois par exemple le deuxième jour de notre famine, au ravin d'Haudromont, vers les dix heures du matin. Il tombait pas mal de 77. Des 105 fusants éclataient dans le ciel entre notre ligne et la crête derrière nous ; c'est-à-dire qu'ils avaient beaucoup de chances de pleuvoir jusqu'au fond de nos tranchées. Et en effet j'ai eu quatre blessés et un mort ce matin-là. J'ai passé par un état de résignation presque parfaite. J'entendais les branches craquer ; les éclats gifler la terre humide. J'étais comme aliéné de mon propre destin. Ce qui pouvait m'arriver ne me concernait plus. Je n'avais même pas besoin de petits raisonnements et de petits moyens. Ça s'obtenait tout seul. Je me disais : 'C'est épatant. Voilà la vraie posture. Il n'y a qu'à continuer indéfiniment.' Oui ; et puis deux heures après, alors que le marmitage avait plutôt diminué, j'étais entré dans une période d'inquiétude surexcitée et désordonnée. Note que ces inégalités pourraient avoir des conséquences très fâcheuses. Si impuissant qu'un homme soit contre un obus, le soin ou la rapidité qu'il met à prendre certaines précautions font qu'il sera tué avant trois minutes, ou encore vivant au bout de la journée. Dans les périodes d'indifférence magnifique, on pourrait dédaigner de s'accroupir, de se blottir ; passer négligemment la tête par-dessus le parapet. Dans les périodes agitées, se faire tuer au contraire par un excès maladroit de précautions, en changeant tout le temps de place, etc. Mais le corps est plus sage que l'âme. Il fait la liaison et la compensation nécessaires. Il assure une permanence. Le résigné et l'agité qu'il se trouve y avoir successivement en nous exécutent, à un centimètre près, les mêmes gestes de sauvegarde automatique.

Ils marchaient très peu vite. Ils s'arrêtaient à chaque instant pour mieux saisir une idée, à eux deux, comme des bûcherons saisissent une bille de bois.

Jerphanion dit un peu plus tard, après avoir fait de nouveau un effort, qui était très apparent sur son visage, pour rassembler ses idées:

— Oui, je repense à ta question. . . . La grande force qui agit, évidemment, c'est la contrainte de la collectivité. Une fois que l'homme est là, il faut qu'il y reste. Il est pris comme un rat. Que ce soit le peloton d'exécution, la honte, le déshonneur, l'impossibilité morale, la peur mystique, le tabou . . . tous les fils du piège s'entrecroisent, et l'homme est tenu de tous les côtés. Bien entendu, il est libre, pendant ce temps, d'être ravi, libre de proclamer qu'il est là parce qu'il lui plaît de faire son devoir, et qu'il aime son pays. Il est libre d'avoir *par-dessus le marché* la volonté d'être là. . . . Et une volonté sincère. . . . Si nous étions des gens à subtilités, il nous serait facile de montrer que même cette volonté libre et sincère de sacrifice, l'homme ne l'aurait pas trouvée tout seul, qu'elle est le produit de ce bourrage de crâne du temps de paix qu'on appelle l'éducation, et donc le détour le plus astucieux que prend la contrainte sociale. Mais peu importe. Ce n'est pas cela que je cherchais à exprimer. . . . Non. . . . Ce que je voulais dire, c'est que l'homme est comme tous les animaux: quand il n'y a pas moyen de faire autrement, il se soumet. Même les fauves se soumettent. . . . L'homme ne trouve le courage de résister, de se révolter que contre une autorité qui montre des signes de défaillance. C'est triste, mais c'est comme ça. Mon 'optimisme' m'empêchait de le croire autrefois. Mais la guerre m'a détrompé amplement. Le courage révolté, ou 'révolutionnaire', de l'homme? sombre blague. Les 'sujets' font des révolutions non pas quand les pouvoirs abusent au maximum, mais quand après avoir abusé, fût-ce très modérément, ils flanchent. . . . Comme me le disait mon ami Griollet, rappelons-nous le culot 'révolutionnaire' des Pataud, des Paget, des Merrheim, de tous les chefs du syndicalisme ouvrier quand le culot qu'on avait ne vous faisait risquer rien. . . . Est-ce qu'ils bronchent aujourd'hui? Quel est le mobilisé d'usine, archi-militant d'hier, qui refuse de tourner des obus, ou qui fait des discours dans l'atelier pour qu'on déclare la

grève des obus et qu'on arrête ainsi le massacre des prolé-
taires? ... Si les gouvernements ne tirent pas de ces faits
pour après la guerre quelques conséquences très philosophiques
et tout imprégnées d'un cynisme à la Machiavel, c'est qu'ils sont
incapables de rien apprendre. Bref, l'homme est un animal
qui fait beaucoup plus facilement qu'on ne croirait ce qu'on
l'oblige à faire. Mais une fois qu'il est bien entendu qu'il fera
de toute manière ce qu'on lui ordonne, il adore se figurer que la
chose vient de lui. ...

Les Hommes de bonne volonté: XVI, *Verdun*.

Editions Flammarion, 1938.

JULES ROMAINS

50. *1919*: *Vienne*, *l'Europe*, *et le désordre*

Je ne saurais assez te remercier de ta longue lettre. Elle a
fait régner, pour moi, toutes sortes d'influences familières et
bienfaisantes, dans ce lieu où j'habite, et qui a vraiment besoin
d'être purifié.

C'est un hôtel, que tu peux imaginer, matériellement, sans
grandes difficultés. Un peu analogue à certains de ces hôtels
de taille moyenne, et de très bonne classe, qui environnent la
place de l'Etoile. Il devait même, avant la guerre, être orné
avec plus de gentillesse précieuse que ceux-là, peint plus
brillant et plus lisse, confortable avec volupté, tenu avec des
raffinements d'ancien régime. Il commence à se faner, à se
délabrer. C'est encore peu de chose; car le fond était solide.
Le personnel reste nombreux, rompu à la politesse, et dévoué
en principe à vos moindres caprices. Mais il trahit, malgré
lui, quelque chose de l'affolement général. Tout le monde, en
ce pays, a par moments des yeux de naufragé. Quant à la
clientèle, ce n'est pas un mauvais échantillon du monde qu'on
nous a fait. Il y a des gens de tous les pays; quelques officiers
des armées alliées, plus ou moins à demeure, qui appartiennent
à des troupes encore stationnées sur le territoire, ou bien à des
missions et commissions de ceci et de cela; des civils de toute

provenance, français, anglais, balkaniques, italiens, gens des anciens pays de la double monarchie, et surtout américains. Ils viennent acheter ou vendre, dans ce pays où en principe il n'y a plus de marchandise à vendre, et plus d'argent pour acheter. Mais comme l'Autriche est actuellement en putréfaction, et que l'un des caractères de la putréfaction est le grouillement, l'Autriche grouille, surtout à Vienne; et les 'affaires' qu'on y traite ne sont qu'une des façons, l'une des plus actives, dont elle se putréfie et se liquéfie.

Parmi eux, il y en a qui ont à vendre quelques milliers de boîtes de lait condensé, ou quelques dizaines de tonneaux de saindoux, ce qui se justifie, puisqu'une bonne part de la population crève de faim. Où est ce lait, ce saindoux? Fort loin peut-être encore. Où l'ont-ils pris? Peut-être dans les stocks d'un fournisseur d'armées qui n'a plus d'armées à fournir. Et peut-être qu'entre ce fournisseur et eux-mêmes se sont glissés un certain nombre d'intermédiaires, parmi lesquels un général, un ex-haut fonctionnaire, une comtesse. . . . Mais il y a ceux qui, paraît-il — je ne l'ai pas constaté, on me l'a dit — sont ici pour faire des rafles de produits alimentaires. Et cela devient admirable. Cela évoque, à première vue, l'opération de tondre un œuf. Je ne suppose pourtant pas qu'ils viennent chercher ici, pour le revendre ensuite sur quelque marché du globe encore plus affamé, le lait condensé et le saindoux de leurs confrères. Bien qu'à la rigueur tout cela pût se faire par jeu d'écritures, d'une chambre à l'autre de mon hôtel, et recommencer ailleurs, sans qu'une seule boîte de lait condensé ait eu encore à bouger de place. Et j'ai bien l'impression que ces opérations vertigineuses, de la famille de l'algèbre, sont en train de s'acclimater partout, de devenir courantes dans tous les ordres, et qu'elles vont donner à l'économie de ce monde d'après-guerre son nouveau style. Mais en l'espèce, ce n'est pas de cela qu'il s'agit, à ce qu'on m'affirme. Les gaillards en question, qui sont surtout des Italiens, viennent acheter du bétail, du vrai bétail (!), qui se dissimulerait encore en divers coins de la montagne autrichienne, bétail que les Viennois affamés ne peuvent prétendre acheter, parce qu'ils n'ont pas d'argent, ou que celui qu'ils ont déprécie chaque jour; et parce que les paysans autrichiens veulent de l'argent en échange de leurs bêtes, et préfèrent qu'il soit étranger. Ce bétail irait donc en Italie, où l'on manque de viande: le macaroni ne suffisant pas à des soldats vainqueurs.

Mais il paraît que les trafics les plus merveilleux sont faits par les acheteurs de bijoux, meubles anciens, tapisseries, tableaux, œuvres d'art . . . qui sont surtout Américains, ou qui achètent pour l'Amérique. Tu te représentes fort bien ce qui se passe: un pays de civilisation cossue et ancienne, comme l'Empire austro-hongrois; une capitale très brillante où depuis des siècles se concentrait le luxe; où les familles les plus riches de tous les pays de l'Empire finissaient par avoir leur palais, leur hôtel, leur appartement; et toutes ces familles brusquement ruinées, avec des couronnes qui ne valent presque rien, des terres au loin dont elles ne reçoivent plus les fermages, ou dont elles sont séparées par des frontières toutes neuves et provisoires, mais déjà infranchissables. Dans leur résidence de Vienne, ces familles ont des bijoux, des meubles somptueux, des tableaux. . . . Un Américain vient leur dire: voici des dollars. En donnant une somme qui, traduite en couronnes, semblera à ces gens une montagne, et qu'ils n'auront pas le courage de refuser, l'Américain se procurera pour cent francs ce qu'il revendra mille ou plus à Chicago. Le mille pour cent tend à devenir un taux pour commerçants honnêtes.

Ce jeu va sûrement se répéter dans bien d'autres endroits de cette pauvre Europe; même chez nous. On a le droit de rêver au résultat final: un prodigieux transvasement, d'Europe en Amérique, des trésors et choses de beauté accumulées de ce côté-ci de l'Océan au cours des siècles; et sans que l'Amérique ait même eu la peine de les conquérir ou de les gagner. Des tonnes d'objets de musées vont couler chez elle au prix de la camelote de bazar. Un siphonage qui va vider la vieille ruche de tout son miel.

Ici, l'on commence bien à s'en inquiéter un peu. Le gouvernement, ou le fantôme de gouvernement, a créé, ou va créer, des autorisations de sortie pour les objets de cette nature, et pour toutes les marchandises en général dont l'exportation achèverait de crever, ou d'affamer le pays. Hélas, ces autorisations elles-mêmes feront probablement la matière d'un trafic; et il y aura encore des fonctionnaires et des comtesses qui toucheront des pourboires.

Tout le monde en principe manque de vivres et manque d'argent. Mais tout le monde ne possède pas dans son attirail de quoi tenter un acheteur américain. Alors il se fait à travers le pays des trocs plus humbles, comme autrefois entre navigateurs et caraïbes. Un bourgeois de Vienne part pour la campagne avec le collet de fourrure de sa femme sur son bras, et il tâche de trouver un paysan, qui, en échange du collet de fourrure dont il aura envie de faire cadeau à sa propre femme, acceptera de donner une paire d'oies grasses.

Tout cela n'est amusant qu'un instant, et pour des observateurs démunis d'entrailles, pour les gens qui ne trouvent la vie intéressante qu'à partir du moment où elle sent le pourri.

Je ne puis pas sortir dans la rue sans rencontrer un autre spectacle odieux: des soldats de la guerre, le plus souvent manchots, aveugles ou béquillards, qui demandent l'aumône, avec des décorations plein la poitrine. Il paraît que les Américains leur achètent parfois une décoration. Ce que j'éprouve, ce n'est pas même une pitié individuelle (la pitié individuelle a été tellement surmenée en ces temps qu'il faut Dieu sait quoi pour qu'elle réagisse); ce n'est pas davantage une sympathie pour les 'héros' de l'Empire (de tous les héros de cette guerre, ils étaient bien ceux qui savaient le moins pour qui et pour quoi ils l'étaient). Mais je suis affreusement humilié pour notre siècle, devant des scènes qui datent exactement de la Guerre de Trente Ans.

Les Hommes de bonne volonté: XVII,

Vorge contre Quinette.

Editions Flammarion, 1939.

JULES ROMAINS (*b.* 1885). The twenty-seven volumes of *Les*

Hommes de bonne volonté, although each a self-contained whole, constitute the most extensive of the *romans-fleuves*, and give a vast portrayal of various aspects of France and of French life over three decades, constructed round the central figures of Jerphanion and Jallez, who are seen in varying circumstances, but ever fulfilling their respective rôles of *homo sapiens*. The complexity of this tremendous tapestry is adequately summed up by Romains in his epilogue :
' Je vous avais promis de tracer de notre époque une image aussi ressemblante que le permettraient et les ressources actuelles de l'art littéraire, et l'usage que j'avais acquis de ces ressources. . . . Ai-je prêté à notre époque plus de chaos, plus de contradictions internes, plus d'incertitudes qu'elle n'en contenait ? L'ai-je calomniée en ne la montrant pas soumise tout entière à un ordre progressif, traversée par un même élan créateur, résolument en marche vers le mieux, accouchant de l'avenir avec joie ? . . . Aurais-je été plus vrai en étouffant tant de dissonances et d'harmonies rompues, en effaçant tous ces rythmes aberrants, pour donner carrière à quelque contrepoint simple et majestueux ? '

DAVID ROUSSET

51. *Société concentrationnaire*

Ce serait une truculente méprise que de tenir les camps pour une concentration de détenus politiques. Les politiques (et il faut encore entendre ce mot dans sa plus grande extension, englobant les condamnés pour action militaire, les espions, les passeurs de frontière) ne sont qu'une poignée dans la horde des autres. La couleur dominante est verte. Le peuple des camps est droit commun. Criminels, voleurs, bandits de toutes langues, aristocrates féroces et cyniques, détenteurs des pouvoirs, manœuvres misérables des carrières et des mines, n'ont qu'étonnement et mépris pour les politiques. Le ton, la mode des camps, leur climat, tout est déterminé par le droit commun. Les politiques sont la plèbe taillable et corvéable à merci.

La notion de droit commun doit également connaître une acception très large. Les Russes, qui composent l'immense masse anonyme des camps, ne comprennent qu'une infime minorité d'éléments arrêtés directement pour motifs politiques. Des ouvriers, mais surtout des paysans ukrainiens et russes déportés dans les usines allemandes et arrêtés par la suite pour vol d'outils, échangés contre du tabac, pour vol de nourriture, pour infraction aux lois du travail, pour avoir abandonné la fabrique, être partis sur les routes sans les passeports nécessaires; une meute enragée d'adolescents, de moins de vingt ans, arrachés à la vie soviétique avant d'avoir subi l'empreinte des disciplines sociales, jetés dans les bagnes civils du travail 'libre', contraints, pour défendre leur peau, aux pires violences et s'y jetant tête baissée avec tout l'entraînement d'une robustesse physique exceptionnelle, dressés au fouet par les maîtres et ne sachant rien d'autre que les forces et les ruses, les rapines nécessaires, les haines inexpiables d'un monde sans bornes, sans frontière, sans règlement: les lois étant celles de l'ennemi physiquement détesté; des criminels professionnels experts à la tire, échappés des prisons d'Ukraine, repris par les S.S. et jetés dans les camps; des prisonniers de guerre arrêtés pour marché noir ou vols le plus souvent bénins, pour indiscipline et parfois pour propagande et actions politiques: telle était la structure du monde concentrationnaire russe.

Les Polonais—le premier apport étranger dans les camps—aussi dans une large mesure des travailleurs déportés, arrêtés pour les mêmes motifs que les Russes et, plus encore, des gens pris dans des rafles monstrueuses, détenus anonymes sans motif d'aucune sorte, des otages, et une très mince phalange d'opposants politiques. Très peu d'ouvriers authentiques, quelques poignées d'intellectuels, des paysans et une foule de petits artisans, de commerçants, de petits propriétaires arrachés aux horizons les plus lointains des terres polonaises et tous, ou presque tous, foncièrement conservateurs, passionnément anti-russes, haïssant les Allemands jusqu'à rêver de longs et savants supplices, mais souples et serviles devant les seigneurs tant que la puissance ne leur était pas enlevée, joyeusement et grandement antisémites à la limite des pogromes dans les camps: étonnamment incultes et chauvins.

Les policiers venaient d'entrer dans le Block. Nous étions alors au 61, à Buchenwald. Depuis dix jours, la plupart d'entre nous attendaient en bleu rayé l'ordre de départ. Tout au fond de la salle, à la dernière table, se tenait, tassé sur lui-même comme à l'ordinaire, Benjamin Crémieux. Je me glissai entre les groupes pour le prévenir. Il n'avait pas le droit de se trouver là. Il aurait dû être dans la forêt à faire le bûcheron. Les policiers pouvaient se livrer à une vérification, et dans ce cas c'était le fouet pour Crémieux. Il redressa un peu son dos voûté; le visage désemparé traînait encore comme une protestation. 'Sous un lit,' dit quelqu'un près de lui. Crémieux se leva, sans plus rien dire, et, toujours courbé, comme s'il voulait, en se tenant replié sur lui-même, maintenir la vie qui s'épuisait, il glissa de sa démarche d'une lenteur précipitée le long des lits, s'agenouilla pour se traîner à quatre pattes dans un trou noir où il s'étendit, seul, les genoux remontés très haut contre la poitrine. C'était un grave problème pour Crémieux. Il était arrivé avec notre transport, et nous avions passé un mois dans la même chambrée au 48. Ses détentions successives l'avaient physiquement ruiné. Il passait des heures assis à son banc, le dernier près de la porte, voûté, les coudes sur la table, les mains jointes derrière la tête, luttant de toute son obstination pour vivre. Parler le fatiguait. Pourtant, parfois, il laissait revivre une anecdote, un mot, de la main il dessinait une silhouette; tout un monde qui avait dû exister s'évoquait. Le regard demeurait vif, toujours attentif, en veine d'esprit. Le regard vivait dans un autre univers. Le geste aussi lui était resté, et, quand il parlait, il prenait naturellement le ton et le mouvement de la main qu'il devait avoir dans son bureau de la *Nouvelle Revue Française* ou dans sa bibliothèque. Et c'était d'une hostilité singulière dans cette atmosphère de bagne. Un jour, il nous parla de tous les livres qu'il avait achetés et des projets qu'il avait eus d'écrire une histoire de la littérature comparée de cette période d'entre les deux guerres. Il parlait de sa voix basse, mais tout le buste animé, et c'était pour nous, ses amis de Marseille et moi, comme un rêve qui se construisait, tenace et vivant à force de volonté. Dehors, il y avait le vent et la neige, et cette hantise du jour où, la quarantaine finie, il faudrait commencer le travail. Ce n'est pas possible, disait-il, et des paumes ouvertes il nous prenait à témoin, comme incapable de comprendre que la raison n'était plus suffisante. Il se levait alors, et, voûté, avec cette lenteur précipitée qui le caractérisait, il allait jusqu'à son grabat, où il se hissait péniblement.

L'Univers concentrationnaire.

Editions du Pavois, 1945.

DAVID ROUSSET (*b.* 1912). Active political worker who is concerned with philosophical, sociological, and political subjects rather than fiction. Arrested by the Gestapo in 1943 for carrying on political propaganda among the members of the occupying forces, he was deported to the concentration camps in Germany, and until his release by the Americans in 1945 spent periods in several of the most ill-famed of them. His two books on his experiences are concerned less with physical suffering than with the constant efforts of the prisoners of various categories, and more especially the political deportees, to organize themselves against their S.S. guards and even the intrigues of many of their own number. The title of *L'Univers concentrationnaire* (1946) is sufficiently indicative of Rousset's preoccupations, which received more detailed treatment in *Les Jours de notre mort* (1947).

p. 212. *Benjamin Crémieux*: one of the leading figures of the famous *Nouvelle Revue Française*, who subsequently died in captivity.

ANTOINE DE SAINT-EXUPÉRY

52. *Vol de nuit*

En route. Deux heures de jour encore. J'ai déjà renoncé
à mes lunettes noires quand j'aborde la Tripolitaine. Et le
sable se dore. Dieu que cette planète est donc déserte! Une
fois de plus, les fleuves, les ombrages, et les habitations des
hommes m'y paraissent dus à des conjonctions d'heureux
hasard. Quelle part de roc et de sable!

Mais tout cela m'est étranger, je vis dans le domaine du vol.
Je sens venir la nuit où l'on s'enferme comme dans un temple.
Où l'on s'enferme, aux secrets de rites essentiels, dans une
méditation sans secours. Tout ce monde profane s'efface déjà
et va disparaître. Tout ce paysage est encore nourri de lumière
blonde, mais quelque chose déjà s'en évapore. Et je ne connais
rien, je dis: rien qui vaille cette heure-là. Et ceux-là me
comprennent bien, qui ont subi l'inexplicable amour du vol.

Je renonce donc peu à peu au soleil. Je renonce aux grandes
surfaces dorées qui m'eussent accueilli en cas de panne. . . . Je
renonce aux repères qui m'eussent guidé. Je renonce aux
profils des montagnes sur le ciel qui m'eussent évité les écueils.
J'entre dans la nuit. Je navigue. Je n'ai plus pour moi que
les étoiles. . . .

Cette mort du monde se fait lentement. Et c'est peu à peu
que me manque la lumière. Le terre et le ciel se confondent
peu à peu. Cette terre monte et semble se répandre comme
une vapeur. Les premiers astres tremblent comme dans une
eau verte. Il faudra attendre longtemps encore pour qu'ils se
changent en diamants durs. Il me faudra attendre longtemps
encore pour assister aux jeux des étoiles filantes. Au cœur de
certaines nuits, j'ai vu tant de flammèches courir qu'il me
semblait que soufflait un grand vent parmi les étoiles.

Prévot fait les essais des lampes fixes et des lampes de secours. Nous entourons les ampoules de papier rouge.

— Encore une épaisseur. . . .

Il ajoute une couche nouvelle, touche un contact. La lumière est encore trop claire. Elle voilerait, comme chez le photographe, la pâle image du monde extérieur. Elle détruirait cette pulpe légère qui, la nuit parfois, s'attache encore aux choses. Cette nuit s'est faite. Mais ce n'est pas encore la vraie vie. Un croissant de lune subsiste. Prévot s'enfonce vers l'arrière et revient avec un sandwich. Je grignote une grappe de raisin. Je n'ai ni faim ni soif. Je ne ressens aucune fatigue, il me semble que je piloterais ainsi pendant dix années.

La lune est morte.

Benghazi s'annonce dans la nuit noire. Benghazi repose au fond d'une obscurité si profonde qu'elle ne s'orne d'aucun halo. J'ai aperçu la ville quand je l'atteignais. Je cherchais le terrain, mais voici que son balisage rouge s'allume. Les feux découpent un rectangle noir. Je vire. La lumière d'un phare braqué vers le ciel monte droit comme un jet d'incendie, pivote et trace sur le terrain une route d'or. Je vire encore pour bien observer les obstacles. L'équipement nocturne de cette escale est admirable. Je réduis et commence ma plongée comme dans l'eau noire.

Il est 23 heures locales quand j'atterris. Je roule vers le phare. Officiers et soldats les plus courtois du monde passent de l'ombre à la lumière du projecteur, tour à tour visibles et invisibles. On me prend mes papiers, on commence le plein d'essence. Mon passage sera réglé en vingt minutes.

— Faites un virage et passez au-dessus de nous, sinon nous ignorerions si le décollage s'est bien terminé.

En route. Je roule sur cette route d'or, vers une trouée sans obstacles. Mon avion, type *Simoun*, décolle sa surcharge bien avant d'avoir épuisé l'aire disponible. Le projecteur me suit et je suis gêné pour virer. Enfin, il me lâche, on a deviné qu'il m'éblouissait. Je fais demi-tour à la verticale, lorsque le projecteur me frappe de nouveau au visage, mais à peine m'a-t-il touché, il me fuit et dirige ailleurs sa longue flûte d'or. Je sens, sous ces ménagements, une extrême courtoisie. Et maintenant je vire encore vers le désert.

Les météos de Paris, Tunis et Benghazi m'ont annoncé un vent arrière de trente à quarante kilomètres-heure. Je compte sur trois cents kilomètres-heure de croisière. Je mets le cap sur le milieu du segment de droite qui joint Alexandrie au Caire. J'éviterai ainsi les zones interdites de la côte et, malgré les dérives inconnues que je subirai, je serai accroché, soit à ma droite, soit à ma gauche, par les feux de l'une ou l'autre de ces villes ou, plus généralement, par ceux de la vallée du Nil. Je naviguerai trois heures vingt si le vent n'a pas varié. Trois heures quarante-cinq s'il a faibli. Et je commence à absorber mille cinquante kilomètres de désert.

Plus de lune. Un bitume noir qui s'est dilaté jusqu'aux étoiles. Je n'apercevrai pas un feu, je ne bénéficierai d'aucun repère, faute de radio je ne recevrai pas un signe de l'homme vivant avant le Nil. Je ne tente même pas d'observer autre chose que mon compas et mon Sperry. Je ne m'intéresse plus à rien, sinon à la lente période de respiration, sur l'écran sombre de l'instrument, d'une étroite ligne de radium. Quand Prévot se déplace, je corrige doucement les variations du centrage. Je m'élève à 2.000, là où les vents, m'a-t-on signalé, sont favorables. A longs intervalles j'allume une lampe pour observer les cadrans-moteurs qui ne sont pas tous lumineux, mais la majeure partie du temps je m'enferme bien dans le noir, parmi mes minuscules constellations qui répandent la même lumière minérale que les étoiles, la même lumière inusable et secrète, et qui parlent le même langage. Moi aussi, comme les astronomes, je lis un livre de mécanique céleste. Je me sens studieux et pur. Tout s'est éteint dans le monde extérieur. Il y a Prévot qui s'endort, après avoir bien résisté, et je goûte mieux ma solitude. Il y a le doux grondement du moteur et, en face de moi, sur la planche de bord, toutes ces étoiles calmes.

Je médite cependant. Nous ne bénéficions point de la lune et nous sommes privés de radio. Aucun lien, si ténu soit-il, ne nous liera plus au monde jusqu'à ce que nous donnions du front contre le filet de lumière du Nil.   Nous sommes hors de tout, et notre moteur seul nous suspend et nous fait durer dans ce bitume.   Nous traversons la grande vallée noire des contes de fées, celle de l'épreuve.   Ici point de secours.   Ici point de pardon pour les erreurs.   Nous sommes livrés à la discrétion de Dieu.

Terre des hommes.

Librairie Gallimard, 1939.

ANTOINE DE SAINT-EXUPÉRY

53. *L'exode*

Je survole donc des routes noires de l'interminable sirop qui n'en finit plus de couler.   On évacue, dit-on, les populations. Ce n'est déjà plus vrai.   Elles s'évacuent d'elles-mêmes.   Il est une contagion démente dans cet exode.   Car où vont-ils, ces vagabonds?   Ils se mettent en marche vers le Sud, comme s'il était, là-bas, des logements et des aliments, comme s'il était, là-bas, des tendresses pour les accueillir.   Mais il n'est, dans le Sud, que des villes pleines à craquer, où l'on couche dans les hangars et dont les provisions s'épuisent.   Où les plus généreux se font peu à peu agressifs à cause de l'absurde de cette invasion qui, peu à peu, avec la lenteur d'un fleuve de boue, les engloutit. Une seule province ne peut ni loger ni nourrir la France!

Où vont-ils?   Ils ne savent pas!   Ils marchent vers des escales fantômes, car à peine cette caravane aborde-t-elle une oasis, que déjà il n'est plus d'oasis.   Chaque oasis craque à son tour, et à son tour se déverse dans la caravane.   Et si la caravane aborde un vrai village qui fait semblant de vivre encore, elle en épuise, dès le premier soir, toute la substance. Elle le nettoie comme les vers nettoient un os.

L'ennemi progresse plus vite que l'exode.   Des voitures

blindées, en certains points, doublent le fleuve qui, alors, s'empâte et reflue. Il est des divisions allemandes qui pataugent dans cette bouillie, et l'on rencontre ce paradoxe surprenant qu'en certains points ceux-là mêmes qui tuaient ailleurs, donnent à boire.

Nous avons cantonné, au cours de la retraite, dans une dizaine de villages successifs. Nous avons trempé dans la tourbe lente qui lentement traversait ces villages:

— Où allez-vous?

— On ne sait pas.

Jamais ils ne savaient rien. Ils évacuaient. Aucun refuge n'était plus disponible. Aucune route n'était plus praticable. Ils évacuaient quand même. On avait donné dans le Nord un grand coup de pied dans la fourmilière, et les fourmis s'en allaient. Laborieusement. Sans panique. Sans espoir. Sans désespoir. Comme par devoir.

— Qui vous a donné l'ordre d'évacuer?

C'était toujours le maire, l'instituteur ou l'adjoint au maire. Le mot d'ordre, un matin, vers trois heures, avait soudain bousculé le village:

— On évacue.

Ils s'y attendaient. Depuis quinze jours qu'ils voyaient passer des réfugiés, ils renonçaient à croire en l'éternité de leur maison. L'homme, cependant, depuis longtemps, avait cessé d'être nomade. Il se bâtissait des villages qui duraient des siècles. Il polissait des meubles qui servaient aux arrière-petits-enfants. La maison familiale le recevait à sa naissance, et le transportait jusqu'à la mort, puis, comme un bon navire, d'une rive à l'autre, elle faisait à son tour passer le fils. Mais fini d'habiter! On s'en allait, sans même connaître pourquoi!

Elle est lourde, notre expérience de la route! Nous avons parfois pour mission de jeter un coup d'œil, au cours d'une même matinée, sur l'Alsace, la Belgique, la Hollande, le Nord de la France et la mer. Mais la plus grande part de nos problèmes sont terrestres, et notre horizon, le plus souvent, se rétrécit jusqu'à se limiter à l'embouteillage d'un carrefour!

Ainsi, voici trois jours à peine, nous avons vu craquer, Dutertre et moi, le village que nous habitions.

Je ne me débarrasserai sans doute jamais de ce souvenir gluant. Dutertre et moi, vers six heures du matin, nous nous heurtons en sortant de chez nous à un désordre inexprimable. Tous les garages, tous les hangars, toutes les granges ont vomi dans les rues étroites les engins les plus disparates, les voitures neuves et les vieux chars qui depuis cinquante ans dormaient, périmés, dans la poussière, les charrettes à foin et les camions, les omnibus et les tombereaux. On trouverait dans cette foire, si l'on cherchait bien, des diligences! Toutes les caisses montées sur roues sont exhumées. On y vide les maisons de leurs trésors. Vers les voitures, dans des draps crevés de hernies, ils sont charriés pêle-mêle. Et voici qu'ils ne ressemblent plus à rien.

Ils composaient le visage de la maison. Ils étaient les objets d'un culte de religions particulières. Chacun bien à sa place, rendu nécessaire par les habitudes, embelli par les souvenirs, valait par la patrie intime qu'il contribuait à fonder. Mais on les a crus précieux par eux-mêmes, on les a arrachés à leur cheminée, à leur table, à leur mur, on les a entassés en vrac, et il n'est plus là qu'objets de bazar qui montrent leur usure. Les reliques pieuses, si on les entasse, soulèvent le cœur!

Devant nous quelque chose déjà se décompose.

— Vous êtes fous, ici! Que se passe-t-il?

La patronne du café où nous nous rendons hausse les épaules:

— On évacue.

— Pourquoi? Bon Dieu!

— On ne sait pas. Le maire l'a dit.

Elle est très occupée. Elle s'engouffre dans l'escalier. Nous contemplons la rue, Dutertre et moi. A bord des camions, des autos, des charrettes, des chars à bancs, c'est un mélange d'enfants, de matelas et d'ustensiles de cuisine.

Les vieilles autos surtout sont pitoyables. Un cheval bien d'aplomb entre les brancards d'une charrette donne une sensation de santé. Un cheval n'exige point de pièces de rechange. Une charrette, avec trois clous on la répare. Mais tous ces vestiges d'une ère mécanique! Ces assemblages de pistons, de soupapes, de magnétos et d'engrenages, jusqu'à quand fonctionneront-ils?

— ... Capitaine ... pourriez pas m'aider?

— Bien sûr. A quoi?

— A sortir ma voiture de la grange. ...

Je la regarde avec stupéfaction:

— Vous ... vous ne savez pas conduire?

— Oh! ... sur la route ça ira ... c'est moins difficile. ...

Il y a elle, la belle-sœur et les sept enfants. ...

Sur la route! Sur la route elle progressera de vingt kilomètres par jour par étapes de deux cents mètres! Tous les deux cents mètres il lui faudra freiner, stopper, débrayer, embrayer, changer de vitesse dans la confusion d'un embouteillage inextricable. Elle cassera tout! Et l'essence qui manquera! Et l'huile! Et l'eau même qu'elle oubliera:

— Attention à l'eau. Votre radiateur fuit comme un panier.

— Ah! La voiture n'est pas neuve. ...

— Il vous faudrait rouler huit jours ... comment le pourrez-vous?

— Je ne sais pas. ...

Avant dix kilomètres d'ici elle aura déjà tamponné trois voitures, grippé son débrayage, crevé ses pneus. Alors elle, la belle-sœur et les sept enfants, soumis à des problèmes au-dessus de leurs forces, renonceront à décider quoi que ce soit, et s'assiéront sur le bord de la route pour attendre un berger. Mais les bergers ...

Ça. ... Ça manque étonnamment de bergers! Nous assistons, Dutertre et moi, à des initiatives de moutons. Et ces moutons s'en vont dans un formidable tintamarre de matériel mécanique. Trois mille pistons. Six mille soupapes. Tout ce matériel grince, racle et cogne. L'eau bout dans quelques radiateurs. C'est ainsi que commence de se mettre en marche laborieusement, cette caravane condamnée! Cette caravane sans pièces de rechange, sans pneus, sans essence, sans mécaniciens. Quelle démence!

Pilote de guerre.
Librairie Gallimard, 1942.

220

Antoine de Saint-Exupéry (*b.* 1900, *d.* 1944). One of the pioneer pilots of the long-distance air-lines to Africa and South America, Saint-Exupéry has left a number of important volumes based on his experiences in the air, both in peace and war. *Courrier sud* (1929) and *Vol de nuit* (1931) recount episodes of his earlier flights, while *Terre des hommes* (1939) has a wider canvas. In 1939 Saint-Exupéry succeeded, despite age and permanent injuries from an earlier crash, in being posted to a reconnaissance squadron, his experiences forming the basis of *Pilote de guerre* (published in Paris in 1942 and promptly banned by the Germans). After the collapse he made his way to America, and in 1943 returned to North Africa, where he again succeeded in being posted to his old squadron for flying duties. On 31st July 1944 he took off from Corsica on a routine reconnaissance flight over central France; he made his last signal to base while crossing the French coast.

'Il n'y a qu'un problème, un seul, redécouvrir qu'il est une vie de l'esprit plus haute encore que la vie de l'intelligence, la seule qui satisfasse l'homme. . . . La civilisation est un bien invisible puisqu'elle porte non sur les choses mais sur les invisibles liens qui les nouent l'une à l'autre, ainsi et non autrement.' These two quotations reveal the preoccupations of Saint-Exupéry, which are further reflected in the moving *Lettre à un Otage* (1943) and his important posthumous work *Citadelle* (1948).

The extract from *Pilote de guerre* is incidental to the main theme of the book, which deals with an unusually dangerous sortie, but has been selected as referring to an incident experienced by millions of Frenchmen.

JEAN-PAUL SARTRE

54. *Le Journal d'Antoine Roquentin*

Feuillet sans date

Le mieux serait d'écrire les événements au jour le jour. Tenir un journal pour y voir clair. Ne pas laisser échapper les nuances, les petits faits, même s'ils n'ont l'air de rien, et surtout les classer. Il faut dire comment je vois cette table, la rue, les gens, mon paquet de tabac, puisque c'est *cela* qui a changé. Il faut déterminer exactement l'étendue et la nature de ce changement.

Par exemple, voici un étui de carton qui contient ma bouteille d'encre. Il faudrait essayer de dire comment je le voyais *avant* et comment à présent je le .[1] Eh! bien, c'est un parallélépipède rectangle, il se détache sur — c'est idiot, il n'y a rien à en dire. Voilà ce qu'il faut éviter, il ne faut pas mettre de l'étrange où il n'y a rien. Je pense que c'est le danger si l'on tient un journal: on s'exagère tout, on est aux aguets, on force continuellement la vérité. D'autre part, il est certain que je peux, d'un moment à l'autre — et précisément à propos de cet étui ou de n'importe quel autre objet — retrouver cette impression d'avant-hier. Je dois être toujours prêt, sinon elle me glisserait encore entre les doigts. Il ne faut rien [2] mais noter soigneusement et dans le plus grand détail tout ce qui se produit.

Naturellement je ne peux plus rien écrire de net sur ces histoires de samedi et d'avant-hier, j'en suis déjà trop éloigné; ce que je peux dire seulement, c'est que, ni dans l'un ni dans l'autre cas, il n'y a rien eu de ce qu'on appelle à l'ordinaire un événement. Samedi les gamins jouaient aux ricochets et je voulais lancer, comme eux, un caillou dans la mer. A ce moment-là je me suis arrêté, j'ai laissé tomber le caillou et je suis parti. Je devais avoir l'air égaré, probablement, puisque les gamins ont ri derrière mon dos.

Voilà pour l'extérieur. Ce qui s'est passé en moi n'a pas laissé de traces claires. Il y avait quelque chose que j'ai vu et qui m'a dégoûté, mais je ne sais plus si je regardais la mer ou le galet. Le galet était plat, sec sur tout un côté, humide et boueux sur l'autre. Je le tenais par les bords, avec les doigts très écartés, pour éviter de me salir.

[1] Un mot laissé en blanc.
[2] Un mot est raturé (peut-être 'forcer' ou 'forger'), un autre, rajouté en surcharge, est illisible.

Avant-hier, c'était beaucoup plus compliqué. Et il y a eu aussi cette suite de coïncidences, de quiproquos, que je ne m'explique pas. Mais je ne vais pas m'amuser à mettre tout cela sur le papier. Enfin il est certain que j'ai eu peur ou quelque sentiment de ce genre. Si je savais seulement de quoi j'ai eu peur, j'aurais déjà fait un grand pas.

Ce qu'il y a de curieux, c'est que je ne suis pas du tout disposé à me croire fou, je vois même avec évidence que je ne le suis pas: tous ces changements concernent les objets. Au moins c'est ce dont je voudrais être sûr.

10 heures et demie[1]

Peut-être bien, après tout, que c'était une petite crise de folie. Il n'y en a plus trace. Mes drôles de sentiments de l'autre semaine me semblent bien ridicules aujourd'hui: je n'y entre plus. Ce soir, je suis bien à l'aise, bien bourgeoisement dans le monde. Ici c'est ma chambre, orientée vers le nord-est. En dessous, la rue des Mutilés et le chantier de la nouvelle gare. Je vois de ma fenêtre, au coin du boulevard Victor-Noir, la flamme rouge et blanche du 'Rendez-vous des Cheminots.' Le train de Paris vient d'arriver. Les gens sortent de l'ancienne gare et se répandent dans les rues. J'entends des pas et des voix. Beaucoup de personnes attendent le dernier tramway. Elles doivent faire un petit groupe triste autour du bec de gaz, juste sous ma fenêtre. Eh bien, il faut qu'elles attendent encore quelques minutes: le tram ne passera pas avant dix heures quarante-cinq. Pourvu qu'il ne vienne pas de voyageurs de commerce cette nuit: j'ai tellement envie de dormir et tellement de sommeil en retard. Une bonne nuit, une seule, et toutes ces histoires seraient balayées.

Onze heures moins le quart: il n'y a plus rien à craindre, ils seraient déjà là. A moins que ce ne soit le jour du monsieur de Rouen. Il vient toutes les semaines, on lui réserve la chambre N° 2, au premier, celle qui a un bidet. Il peut encore

[1] Du soir, évidemment. Le paragraphe qui suit est très postérieur aux précédents. Nous inclinons à croire qu'il fut écrit, au plus tôt, le lendemain.

s'amener: souvent il prend un bock au 'Rendez-vous des Cheminots' avant de se coucher. Il ne fait pas trop de bruit, d'ailleurs. Il est tout petit et très propre, avec une moustache noire cirée et une perruque. Le voilà.

Eh bien, quand je l'ai entendu monter l'escalier, ça m'a donné un petit coup au cœur, tant c'était rassurant: qu'y a-t-il à craindre d'un monde si régulier? Je crois que je suis guéri.

Et voici le tramway 7 'Abattoirs-Grands Bassins.' Il arrive avec un grand bruit de ferraille. Il repart. A présent il s'enfonce, tout chargé de valises et d'enfants endormis, vers les Grands Bassins, vers les Usines, dans l'Est noir. C'est l'avant-dernier tramway; le dernier passera dans une heure.

Je vais me coucher. Je suis guéri, je renonce à écrire mes impressions au jour le jour, comme les petites filles, dans un beau cahier neuf. Dans un cas seulement il pourrait être intéressant de tenir un journal: ce serait si [1]

Journal

Lundi 29 Janvier 1932

Quelque chose m'est arrivé, je ne peux plus en douter. C'est venu à la façon d'une maladie, pas comme une certitude ordinaire, pas comme une évidence. Ça s'est installé sournoisement, peu à peu; je me suis senti un peu bizarre, un peu gêné, voilà tout. Une fois dans la place ça n'a plus bougé, c'est resté coi et j'ai pu me persuader que je n'avais rien, que c'était une fausse alerte. Et voilà qu'à présent, cela s'épanouit.

Je ne pense pas que le métier d'historien dispose à l'analyse psychologique. Dans notre partie, nous n'avons affaire qu'à des sentiments entiers sur lesquels on met des noms génériques comme Ambition, Intérêt. Pourtant si j'avais une ombre de connaissance de moi-même, c'est maintenant qu'il faudrait m'en servir.

[1] Le texte du feuillet sans date s'arrête ici.

Dans mes mains, par exemple, il y a quelque chose de neuf, une certaine façon de prendre ma pipe ou ma fourchette. Ou bien, c'est la fourchette qui a, maintenant, une certaine façon de se faire prendre, je ne sais pas. Tout à l'heure comme j'allais entrer dans la chambre, je me suis arrêté net, parce que je sentais dans ma main un objet froid qui retenait mon attention par une sorte de personnalité. J'ai ouvert la main, j'ai regardé: je tenais tout simplement le loquet de la porte. Ce matin, à la Bibliothèque, quand l'Autodidacte [1] est venu me dire bonjour, j'ai mis dix secondes à le reconnaître. Je voyais un visage. Et puis il y avait sa main, comme un gros ver blanc dans ma main. Je l'ai lâchée aussitôt et le bras est retombé mollement.

Dans les rues, aussi, il y a une quantité de bruits louches qui traînent.

Donc il s'est produit un changement, pendant ces dernières semaines. Mais où? C'est un changement abstrait qui ne se pose sur rien. Est-ce moi qui ai changé? Si ce n'est pas moi, alors c'est cette chambre, cette ville, cette nature; il faut choisir.

Je crois que c'est moi qui ai changé: c'est la solution la plus simple. La plus désagréable aussi. Mais enfin je dois reconnaître que je suis sujet à ces transformations soudaines. Ce qu'il y a, c'est que je pense très rarement; alors une foule de petites métamorphoses s'accumulent en moi sans que j'y prenne garde et puis, un beau jour, il se produit une véritable révolution. C'est ce qui a donné à ma vie cet aspect heurté, incohérent. Quand j'ai quitté la France, par exemple, il s'est trouvé bien des gens pour dire que j'étais parti sur un coup de tête. Et quand j'y suis revenu, brusquement, après six ans de voyage, on eût encore très bien pu parler de coup de tête. Je me revois encore, avec Mercier, dans le bureau de ce fonctionnaire français qui a démissionné l'an dernier à la suite de

---

[1] Ogier P . . ., dont il sera souvent question dans ce journal. C'était un clerc d'huissier. Roquentin avait fait sa connaissance en 1930 à la bibliothèque de Bouville.—*Notes de l'auteur.*

l'affaire Pétrou.   Mercier se rendait au Bengale avec une mission archéologique.   J'avais toujours désiré aller au Bengale, et il me pressait de me joindre à lui.   Je me demande pourquoi, à présent.   Je pense qu'il n'était pas sûr de Portal et qu'il comptait sur moi pour le tenir à l'œil.   Je ne voyais aucun motif de refus.   Et même si j'avais pressenti, à l'époque, cette petite combine au sujet de Portal, c'était une raison de plus pour accepter avec enthousiasme.   Eh bien, j'étais paralysé, je ne pouvais pas dire un mot.   Je fixais une petite statuette khmère, sur un tapis vert, à côté d'un appareil téléphonique. Il me semblait que j'étais rempli de lymphe ou de lait tiède. Mercier me disait, avec une patience angélique qui voilait un peu d'irritation :

'N'est-ce pas, j'ai besoin d'être fixé officiellement.   Je sais que vous finirez par dire oui : il vaudrait mieux accepter tout de suite.'

Il a une barbe d'un noir roux, très parfumée.   A chaque mouvement de sa tête, je respirais une bouffée de parfum. Et puis, tout d'un coup, je me réveillai d'un sommeil de six ans.

La statue me parut désagréable et stupide et je sentis que je m'ennuyais profondément.   Je ne parvenais pas à comprendre pourquoi j'étais en Indochine.   Qu'est-ce que je faisais là ? Pourquoi parlais-je avec ces gens ?   Pourquoi étais-je si drôle-ment habillé ?   Ma passion était morte.   Elle m'avait submergé et roulé pendant des années ; à présent, je me sentais vide. Mais ce n'était pas le pis : devant moi, posée avec une sorte d'indolence, il y avait une idée volumineuse et fade.   Je ne sais pas trop ce que c'était, mais je ne pouvais pas la regarder tant elle m'écœurait.   Tout cela se confondait pour moi avec le parfum de la barbe de Mercier.

Je me secouai, outré de colère contre lui, je répondis sèchement :

'Je vous remercie, mais je crois que j'ai assez voyagé : il faut maintenant que je rentre en France.'

Le surlendemain, je prenais le bateau pour Marseille.

Si je ne me trompe pas, si tous les signes qui s'amassent sont précurseurs d'un nouveau bouleversement de ma vie, eh bien, j'ai peur. Ce n'est pas qu'elle soit riche, ma vie, ni lourde, ni précieuse. Mais j'ai peur de ce qui va naître, s'emparer de moi — et m'entraîner où? Va-t-il falloir encore que je m'en aille, que je laisse tout en plan, mes recherches, mon livre? Me réveillerai-je, dans quelques mois, dans quelques années, éreinté, déçu, au milieu de nouvelles ruines? Je voudrais voir clair en moi avant qu'il ne soit trop tard.

La Nausée.

Librairie Gallimard, 1938.

JEAN-PAUL SARTRE

55. *Vendredi 23 septembre, 1938*

Brunet marchait tout doucement, il respirait une odeur de papier d'Arménie, il leva la tête, regarda des lettres d'or noirci accrochées à un balcon; la guerre éclata: elle était là, au fond de cette inconsistance lumineuse, inscrite comme une évidence sur les murs de la belle ville cassable; c'était une explosion fixe qui déchirait en deux la rue Royale; les gens lui passaient au travers sans la voir; Brunet la voyait. Elle avait toujours été là, mais les gens ne le savaient pas encore. Brunet avait pensé: 'Le ciel nous tombera sur la tête.' Et tout s'était mis à tomber, il avait vu les maisons comme elles étaient pour de vrai: des chutes arrêtées. Ce gracieux magasin supportait des tonnes de pierre et chaque pierre, scellée avec les autres, tombait à la même place, obstinément, depuis cinquante ans; quelques kilos de plus et la chute recommencerait; les colonnes s'arrondiraient en flageolant et elles se feraient de sales fractures avec des esquilles; la vitrine éclaterait; des tombereaux de pierre s'effondreraient dans la cave en écrasant des ballots de marchandises. Ils ont des bombes de quatre mille kilos. Brunet eut le cœur serré: tout à l'heure encore sur ces façades bien alignées, il y avait un sourire humain, mélangé à la poudre d'or du soir. Ça s'était éteint : cent mille kilos de pierre ; des hommes erraient entre les avalanches stabilisées. Des soldats entre des ruines, il sera tué, peut-être. Il vit des sillons noirâtres sur les joues plâtrées de Zézette. Des murs poussiéreux, des pans de murs avec de grandes ouvertures béantes et des carrés de papier bleus ou jaunes, par endroit, et des plaques de lèpre ; des carrelages rouges, parmi les éboulis, des dalles disjointes par la mauvaise herbe. Ensuite des baraques de planche, des campements. Et puis après, on construirait de grandes casernes monotones comme sur les boulevards extérieurs. Le cœur de Brunet se serra : 'J'aime Paris, pensa-t-il avec angoisse.' L'évidence s'éteignit d'un seul coup et la ville se reforma autour de lui. Brunet s'arrêta ; il se sentit sucré par une lâche douceur et pensa : 'S'il n'y avait pas de guerre ! S'il pouvait n'y avoir pas de guerre !' Et il regardait avidement les grandes portes cochères, la vitrine étincelante de Driscoll, les tentures bleu roi de la brasserie Weber. Au bout d'un moment, il eut honte ; il reprit sa marche, il pensa : 'J'aime trop Paris. Comme Pilniak, à Moscou, qui aimait trop les vieilles églises. Le Parti a bien raison de se méfier des intellectuels. La mort est inscrite dans les hommes, la ruine est inscrite dans les choses ; d'autres hommes viendront qui rebâtiront Paris, qui rebâtiront le monde. Je lui dirai : "Alors vous voulez la paix à n'importe quel prix ?" Je lui parlerai avec douceur en la regardant fixement et je lui dirai : "Il faut que les femmes nous laissent tranquilles. Ce n'est pas le moment de venir embêter les hommes."'

Les Chemins de la liberté, II : Le Sursis.

Librairie Gallimard, 1945.

JEAN-PAUL SARTRE (*b.* 1905). One of the most widely discussed writers of the present day, Sartre the philosopher has pressed stage, screen, and novel into the service of his philosophy. The leading figure in the popularization of the existentialist philosophy —and of the works of Kierkegaard and Heidegger, from which it derives—Sartre exploits three media : the philosophical treatise,

Imagination (1936), *L'Imaginaire* (1940), *L'Etre et le néant* (1943);
the stage, *Les Mouches* (1943), *Huis-clos* (1945), *La Putain
respectueuse* (1947); and the novel, *La Nausée* (1938), *Le Mur*
(1939), and the three volumes of *Les Chemins de la liberté*, the first
two volumes of which, *L'Age de raison* and *Le Sursis*, appeared in
1945, the final volume appearing in the current review *Les Temps
modernes*, which Sartre himself founded, and of which he is editor.
He has thus sought to expatiate on his views on life by expressing
himself alternately in purely philosophical terminology, and,
through his characters, in more familiar language.

JÉRÔME et JEAN THARAUD

56. *Israël à Paris*

Dans la brume, je traversai le pont et je courais encore sur le
parvis de Notre-Dame.   Là aussi, une porte était ouverte.   Je
m'y précipitai.   Dans l'église, sous les hautes voûtes où
brillaient çà et là quelques lumières, je me sentais enfin à l'abri.
Je posai ma valise et je m'assis sur une chaise.   Quelque part,
dans le fond, on récitait une prière à mi-voix.   J'étais glacé.
Je m'endormis.

Pas très longtemps, je crois.   Je fus réveillé par une main
qui me tapait sur l'épaule.   C'était le bedeau qui faisait sa
ronde avant de fermer les portes.   Et de nouveau, je me
trouvai dans la rue, saisi par le froid du dehors, hébété par la
fatigue de deux nuits de voyage, par toute cette longue
journée de marche et par ce sommeil d'un instant brusquement
interrompu.   Je m'en allais maintenant devant moi, pareil, je
pense, à ces gens qui marchent, la nuit, au bord des toits.   Et
tout à coup, ô miracle! quelque chose d'inexprimablement
doux, quelque chose d'infiniment plus agréable que tous ces

mots français dont je m'étais enchanté toute la matinée, quelque chose de chaud qui sortait de la pluie.... Mais comment trouver des paroles pour exprimer cela? Etait-ce une hallucination, un effet de la fatigue et du froid? Il me sembla que je venais d'entendre un mot du vieux langage, du vieux langage qui, le premier, avait frappé mes oreilles quand j'étais venu au monde, celui qu'on parlait chez mon père, le vieux patois des Juifs, le cher yiddisch ancestral.... Je cherchai tout autour de moi d'où avait pu venir ce mot. Je n'aperçus personne. Rien qu'une misérable boutique faiblement éclairée dans le brouillard. Et de nouveau, soudain, le chaud manteau sur mon épaule, la vie qui revenait à mon cœur! La main du Maître du Monde, lui-même, semblait avoir écrit pour moi, sur les vitres embuées, dans la langue sacrée, dont les lettres ressemblent à des larmes qui tombent, ces mots hébreux: *cuisine kascher*.[1]

Je pousse la porte. Quel saisissement! Les chères odeurs connues m'entrent par le nez jusqu'à l'âme. Et mes yeux, mes yeux, que voient-ils? Des houppelandes, des chapeaux ronds, des casquettes de fourrure! Le vieux caftan, que j'ai foulé aux pieds, il est là, sur tous les dos. Des dos que je connais aussi, bien voûtés, bien misérables. Le dos du vieux Moïse, le dos de mon père et de l'Oncle Salmé, le dos de tous les vieux rabbins de toutes les vieilles yéchiba, le dos de tout mon peuple enfin! Et la patronne de la gargote! Avec sa robe noire, ses gros doigts et sa graisse blanche, elle ressemblait, à s'y méprendre, à la perruque de satin, et je l'aurais embrassée! Des Juifs! des Juifs! J'étais sauvé!

Ils étaient là six ou sept, dans ce petit morceau de Pologne perdu au fond du quartier Saint-Antoine, six ou sept pauvres diables, que le vieux Braunstein lui-même aurait trouvés des Juifs sauvages. Sitôt qu'ils surent que, le matin, j'étais arrivé de Hongrie, ils m'accueillirent, moi, ma valise, mon chapeau ruisselant et mon air de noyé, comme on accueille là-bas, chez nous, ce type bien connu d'Israël, le mendiant de Jérusalem qui va de village en village, apportant des nouvelles de la sainte

[1] Cuisine rituelle.—*Note des auteurs.*

ville de Sion. Je ne venais pas de Jérusalem, mais j'arrivais d'un pays où il se passait quelque chose qui les passionnait autant que les Juifs de Michkolsz. Comme dans nos petites synagogues, quand la prière est finie, ils m'entouraient, parlant tous à la fois et me pressant de leurs questions. Esther Solymosi, Scharf et ses horribles enfants, et la jeune fille repêchée l'autre jour dans la rivière, tout leur était aussi familier qu'à moi-même. Je n'avais rien à leur apprendre, mais le seul fait que j'arrivais de là-bas donnait à mes moindres paroles un air de vérité, un accent qui les faisait se récrier tous ensemble, invectiver la police, couvrir d'injures la mère d'Esther, appeler sur elle le feu du ciel, et conjurer l'Eternel de faire éclater sa lumière dans les ténèbres de Tisza-Eszlar. Et voilà! J'avais fait des centaines de lieues pour venir chercher à Paris je ne sais quoi, mais autre chose, et le terme de ce long voyage, c'était cette cuisine juive dont la pluie battait les vitres où les gens, pareils à ceux que je venais de fuir, me questionnaient passionnément sur des choses qu'en prenant le train je pensais avoir laissées derrière moi pour toujours.

— Le garçon a peut-être faim? dit la femme qui ressemblait trait pour trait à la perruque de satin.

Jamais la vraie perruque, jamais Petite Joie n'avait prononcé de sa vie une parole aussi raisonnable! Tant d'émotions m'avaient creusé. Le déjeuner de dix-neuf francs se perdait dans les souvenirs d'une journée qui s'allongeait derrière moi d'une façon démesurée. Je me jetai sur mon assiette avec une voracité qui eût fait honte au rabbin d'Homona. Pois chiches et poisson froid, je croyais manger chez ma mère! Tout cela était encore meilleur que les plats, sans doute excellents, que ce matin, à la Maison Dorée, m'avait servis le généreux Alfred. . . .

Peu à peu, la cuisine voyait disparaître ses hôtes. Caftans et vieilles redingotes étaient retournés à la pluie. Mais moi, je n'étais pas pressé de quitter cet endroit chaud. Le dernier client avait transporté à ma table son petit verre de schnaps. Les deux coudes sur le marbre, portant de temps à autre le petit verre à ses lèvres presque invisibles dans sa barbe:

— Mon cher Juif, me dit-il avec cet air confidentiel d'un homme qui veut entrer en affaire avec vous, que venez-vous faire ici? Etes-vous venu à Paris pour filer en Amérique ou pour y faire des études? . . . Pour y faire des études! Alors il vous faut aller voir le directeur du Séminaire. Je vous y conduirai. Vous connaissez l'hébreu à fond? Parfait! Je vois que vous êtes instruit. Rabbin, c'est une bonne place. . . . Comment? vous ne voulez pas poursuivre l'étude de nos livres sacrés? Ah! ah! je le devine, vous êtes un de nos Epicures! Cela n'a aucune importance. L'important n'est pas de croire, mais de savoir! . . . Bon, bon, laissons cela. . . . N'allez pas au Séminaire. Mais tout de même, il vous faut vivre. Il vous faut trouver de l'argent. . . . Le comité de bienfaisance? Ah! ne m'en parlez pas! Quels bandits! Ils ne vous laissent même pas raconter votre histoire. Si vous restez plus d'un quart d'heure, un huissier vous jette à la porte. Rothschild leur a donné des millions et des millions pour nous les remettre, à nous autres. Mais Rothschild, ils s'en moquent! et ils ne vous donnent jamais rien. . . . Comment voulez-vous que l'on pleure devant les fonctionnaires qui ont volé des centaines de millions? Malheureusement il faut bien s'adresser à ces brigands. Si vous leur dites que vous voulez partir en Amérique, ils vous donneront un billet, trop heureux de vous voir filer au diable. Alors, vous revendrez le billet. C'est toujours cela de gagné. Vous me l'apporterez et moi j'en fais mon affaire. . . . Maintenant, je puis vous donner quelques adresses particulières. A un centime près, je peux vous dire la somme que chaque Juif, à Paris, vous donnera. Quoi! Vous ne voulez pas mendier? Pourtant, il faut bien, mon cher Juif, que tout le monde vive. . . .

Il se tut un instant, porta son petit verre à ses lèvres, parut déguster son alcool ou simplement réfléchir, et soudain, comme saisi d'une illumination:

— Tenez, j'ai votre affaire. Je vais vous envoyer à un de mes amis intimes qui va vous tirer d'embarras. C'est un homme serviable entre tous. Il vous fournira à crédit un stock de colporteur, bretelles, lacets, chaînes de montre, portefeuilles, etc. Vous vendrez cela dans les cafés et dans les restaurants. Wolf vous demande cinquante pour cent, et tout le reste est pour vous.

Je l'écoutais. Etais-je revenu dans le cabaret des Carpathes, où le courtier en veaux présidait à la destinée des bochers? Je l'écoutais, et la fatigue balançait mollement ma tête sur mon bras. Mes yeux s'ouvraient et se fermaient. Des paroles, qui me paraissaient n'appartenir à personne, se mêlaient à la pluie qui battait toujours les vitres. Je l'écoutais. Je ne l'écoutais plus. . . .

La Rose de Sâron.

Librairie Plon, 1927.

JÉRÔME THARAUD (*b.* 1874) et JEAN THARAUD (*b.* 1877). In their successive travels, the two brothers found in eastern Europe the existence of the Jewish community as such, and were struck by its picturesqueness; it was this reaction which led to their trilogy on the Jewish world: *L'Ombre de la Croix* (1917), *Le Royaume de Dieu* (1920), and *La Rose de Sâron* (1927).

This common authorship has produced a large number of novels, most of them with historical backgrounds, in which the principal originality lies in the skill with which documentation and composition are blended into something of a new *genre*, the *reportage romancé*.

HENRI TROYAT

57. *Gérard et ses sœurs*

Hier soir, les Tellier avaient dîné à la maison. Elisabeth semblait retranchée dans ce bonheur béat qui fait dire aux commères: 'Il lui fallait un homme!' Son mari la léchait des yeux entre deux bouchées. En face du couple, Gérard se sentait gêné. Il n'était plus tout à fait le frère. Il ne pouvait plus rabrouer sa sœur, ou se moquer d'elle ainsi qu'il le faisait jadis. Lorsqu'il avait critiqué le chapeau de la jeune femme, 'fleuri comme un jardin de garde-barrière,' il avait remarqué l'expression fâchée de sa mère et le regard étrange de Tellier, ce regard de locataire lésé dans son droit, ce regard d'usager mécontent: 'De quoi se mêle-t-il?' Et Luce qui, après avoir promis d'inviter Gérard et Lequesne à la campagne, ne donnait plus signe de vie! Fallait-il lui rappeler sa promesse? Et Marie-Claude qui ne rentrait pas! Son angoisse filait, s'enrichissait de l'une à l'autre de ses sœurs. Il se démenait en esprit, comme ces chiens hargneux, perchés sur la voiture des blanchisseurs et qui aboient aux passants, les pattes enfoncées dans les ballots de linge.

Il se détacha de la fenêtre, marcha d'un coin à l'autre de la pièce, désœuvré, ennuyé, farouche. Puis, il s'arrêta devant sa mère:

— Je vais l'attendre au métro, dit-il.

Dans la rue Saint-Antoine, un coin de chaussée était en réparation. De vieilles femmes, vêtues de haillons, des gosses sordides venaient ramasser les pavés de bois éclatés sous la pioche. Entre les quatre feux rouges du chantier abandonné, ils se baissaient, se redressaient, absurdes, maléfiques, et enfournaient leur butin dans des cabas. Une fillette chargeait de sable une voiture d'enfant démantelée. Gérard les dépassa et rejoignit le trottoir grouillant des magasins. Il n'aimait pas cette rue bruyante, secouée, ourlée d'un rempart de victuailles. La vue de ce déballage alimentaire lui soulevait le cœur. Ces blocs de beurre d'un jaune malade, couronnés d'une voilette dérisoire. Ces poissons aux ventres pâles, jetés sur des branches de sapin. Ces légumes empilés en barricades. Ces monstrueuses montagnes de viande, à grandes plaies ovales et qui ne saignaient plus: une exposition de moignons propres, sur un fond blanc, ébloui, de clinique. Un camion était arrêté entre deux boucheries. Un gaillard, enturbanné d'une serviette maculée de brun, hissait un quartier de bœuf en travers de son épaule et l'apportait, d'une démarche fléchie, jusqu'au centre de la boutique, où des crochets attendaient. Et cette énorme masse de chair, pendait contre l'homme, s'accolait à l'homme, voluptueusement.

Une foule de ménagères se bousculaient autour des étalages, telles des mouches sur une flaque de miel. Elles avançaient, reculaient, clabaudaient, le porte-monnaie serré contre le ventre, la tête occupée de calculs infimes, l'œil pilleur. Dans ce fade relent de mangeaille, elles préparaient de quoi bourrer leur famille pour le soir. Leur laideur, leur indigence, leur empressement de poules voraces lui giclaient au visage. D'où lui venait ce dégoût peureux de la populace? Il écrivait un livre pour enseigner le bonheur à ceux qui l'ignoraient, et voici qu'il se surprenait à les haïr. 'Je ne travaille bien que dans la colère.'

Pourtant, ces femelles abominables avaient quelque chose de commun avec ses sœurs. Elles leur étaient apparentées par la chair, par l'essence même de leurs pensées. Elles étaient plus proches d'Elisabeth, de Luce, et Marie-Claude qu'il ne le serait jamais!

Il arriva près de la sortie du métro. Un vendeur de journaux clamait: *Paris-Soir, l'Intran,* d'une voix morne. Près de la carte, une femme âgée, la jupe haute, ajustait son bas. Et cette pose frivole jurait horriblement avec les grosses jambes gonflées de varices, et le visage ridé comme un vieux gant.

A intervalles réguliers, la bouche du métro s'ouvrait sur un vomissement de foule. La pensée que Marie-Claude allait émerger vers lui, portée par ce flot humain, lui répugnait un peu. Marie-Claude, serrée entre ces bedaines, entre ces cuisses, entre ces épaules, noyée dans cette écœurante odeur de viande sur pied. . . . Pourquoi était-elle en retard? Peut-être s'était-elle trouvée mal pendant son cours? Elle lui avait souvent dit que la salle était trop chauffée. Peut-être avait-elle été renversée par une auto? Il dénombrait, sans trop y croire, ces hypothèses pour impatience majeure.

Il avait froid. Il serait enrhumé ce soir. Comme la veille du mariage de Luce. 'Quelle malchance!' s'était exclamée sa mère. Et Luce était venue le voir, avant de se coucher pour la dernière fois dans son lit de jeune fille. Elle avait la face

enduite de vaseline, et un filet à mailles lâches emprisonnait la
flamme de ses cheveux.   Elle sentait le savon, la peau fraîche-
ment lavée.

A sept heures vingt, Marie-Claude trouva son frère posté au
bord du trottoir, le col dressé, le chapeau cornant les oreilles.

— D'où viens-tu?

— J'ai pris le thé avec une amie.

— Qui?

— Totote. . . .   Totote Rouchez.   Tu ne connais pas?

Non, il ne connaissait pas.   Mais peu lui importait.   Il
marchait à côté de sa sœur, soulagé et las.   La nuit avait une
odeur de gel, d'essence, de fumée.   Il serrait le bras de la jeune
fille. Il ne lui parlait pas.   Il la regardait, inquiet, radieux,
comme s'il eût failli la perdre.

L'Araigne.

Librairie Plon, 1938.

Henri Troyat (*b.* 1911). All Troyat's novels have as their
mainspring the analysis of one main character in his relation with
others; he has been reproached with the fact that he appears to
give way to a tendency to indulge in the portrayal of decidedly
abnormal characters and in the study of their obsessions.   This is
certainly the case of *L'Araigne*, in which the interest lies in the
attempts of the unbalanced Gérard to retain his influence over his
sisters.   Troyat offsets this weakness, if such a term is appropriate, by an unusually vivid prose style of great power.

PAUL VALÉRY

58. *La Lettre de Madame Teste*

M. l'abbé qui a une grande et charitable curiosité de mon
mari, et une sorte de pitoyable sympathie pour un esprit si
séparé, me dit franchement que M. Teste lui inspire des

sentiments bien difficiles à accorder entre eux. Il me disait l'autre jour: *Les visages de Monsieur votre mari sont innombrables!*

Il le trouve 'un monstre d'isolement et de connaissance singulière,' et il l'explique, quoique à regret, par un orgueil de ces orgueils qui vous retranchent des vivants, et non seulement des actuels vivants, mais des vivants éternels; — un orgueil qui serait tout abominable et quasi satanique, si cet orgueil n'était, dans cette âme trop exercée, tellement âprement tourné contre soi-même, et ne se connaissait si exactement, que le mal, peut-être, en était comme énervé dans son principe.

'*Il s'abstrait affreusement du bien, me dit l'abbé, mais il s'abstrait heureusement du mal. . . . Il y a en lui je ne sais quelle effrayante pureté, quel détachement, quelle force et quelle lumière incontestables. Je n'ai jamais observé une telle absence de troubles et de doutes dans une intelligence très profondément travaillée. Il est terriblement tranquille! On ne peut lui attribuer aucun malaise de l'âme, ancunes ombres intérieures— et rien, d'ailleurs, qui dérive des instincts de crainte ou de convoitise. . . . Mais rien qui s'oriente vers la Charité.*'

'*C'est une île déserte que son cœur. . . . Toute l'étendue, toute l'énergie de son esprit l'environnent et le défendent; ses profondeurs l'isolent et le gardent contre la vérité. Il se flatte qu'il y est bien seul. . . . Patience, chère dame. Peut-être, certain jour, trouvera-t-il quelque empreinte sur le sable. . . . Quelle heureuse et sainte terreur, quelle épouvante salutaire, quand il connaîtra, à ce pur vestige de la grâce, que son île est mystérieusement habitée! . . .*'

Alors j'ai dit à M. l'abbé que mon mari me faisait penser bien souvent à un *mystique sans Dieu. . . .*

— '*Quelle lueur!* a dit l'abbé, —*quelles lueurs, les femmes quelquefois tirent des simplicités de leurs impressions et des incertitudes de leur langage! . . .*'

Mais aussitôt, et à soi-même, il répliqua:

— '*Mystique sans Dieu! . . . Lumineux non—sens! . . . Voilà qui est bientôt dit! . . . Fausse clarté. . . . Un mystique sans*

Dieu, Madame, mais il n'est point de mouvement concevable qui n'ait sa direction et son sens, et qui n'aille enfin quelque part! . . . Mystique sans Dieu! . . . Pourquoi pas un Hippogriffe, un Centaure!

— Pourquoi pas un Sphinx, Monsieur l'abbé?'

Il est d'ailleurs chrétiennement reconnaissant à M. Teste de la liberté qui m'est laissée de suivre ma foi et de me livrer à mes dévotions. J'ai toute licence d'aimer Dieu et de le servir, et je me puis partager très heureusement entre mon Seigneur et mon cher époux. M. Teste quelquefois me demande de lui parler de mon oraison, de lui expliquer aussi exactement que je le puisse, comment je m'y mets, comment je m'y applique et m'y soutiens; et il désire de savoir si je m'y abîme aussi véritablement que je le crois. Mais à peine j'ai commencé de chercher mes mots dans mon souvenir, il me devance, il s'interroge soi-même, et se mettant prodigieusement à ma place, il me dit sur ma propre prière de telles choses, il m'en donne de telles précisions qu'elles l'éclairent, la rejoignent en quelque sorte dans son altitude secrète — et qu'il m'en communique la disposition et le désir! . . . Il y a dans son langage je ne sais quelle puissance de faire voir et entendre ce que l'on a de plus caché. . . . Et cependant, ce sont des propos humains que les siens, rien qu'humains; ce ne sont que les formes très intimes de la foi reconstituées par artifice, et articulées à merveille par un esprit incomparable d'audace et de profondeur! On dirait qu'il a froidement exploré l'âme fervente. . . . Mais il manque affreusement à cette recomposition de mon cœur brûlant et de sa foi, son essence qui est *espérance*. . . . Il n'y a pas un grain d'espérance dans toute la substance de M. Teste; et c'est pourquoi je trouve un certain malaise dans cet exercice de son pouvoir.

Je n'ai plus grand'chose à vous dire aujourd'hui. Je ne m'excuse pas d'avoir écrit si longuement, puisque vous me l'avez demandé et que vous vous dites d'une avidité insatiable de tous les faits et gestes de votre ami. Il faut en finir cependant. Voici l'heure de la promenade quotidienne. Je vais mettre mon chapeau. Nous irons doucement par les

ruelles fort pierreuses et tortueuses de cette vieille ville que
vous connaissez un peu.   Nous allons, à la fin, où vous aimeriez
d'aller si vous étiez ici, à cet antique jardin où tous les gens
à pensées, à soucis et à monologues descendent vers le soir,
comme l'eau va à la rivière, et se retrouvent nécessairement.
Ce sont des savants, des amants, des vieillards, des désabusés
et des prêtres; tous les *absents* possibles, et de tous les genres.
On dirait qu'ils recherchent leurs éloignements mutuels.   Ils
doivent aimer de se voir sans se connaître, et leurs amertumes
séparées sont accoutumées à se rencontrer.   L'un traîne sa
maladie, l'autre est pressé par son angoisse; ce sont des ombres
qui se fuient; mais il n'y a pas d'autre lieu pour y fuir les autres
que celui-ci, où la même idée de la solitude attire invinciblement
chacun de tous ces êtres absorbés.   Nous serons tout à l'heure
dans cet endroit digne des morts.   C'est une ruine botanique.
Nous y serons un peu avant le crépuscule.   Voyez-nous,
marchant à petits pas, livrés au soleil, aux cyprès, aux cris
d'oiseau.   Le vent est froid au soleil, le ciel trop beau parfois
me serre le cœur.   La cathédrale cachée sonne.   Il y a, par-ci,
par-là, des bassins ronds et surhaussés qui me viennent à la
ceinture.   Ils sont pleins jusqu'à la margelle d'une eau noire et
impénétrable, sur laquelle sont appliquées les énormes feuilles
du Nymphea Nelumbo; et les gouttes qui s'aventurent sur ces
feuilles roulent et brillent comme du mercure.   M. Teste se
laisse distraire par ces grosses gouttes vivantes, ou bien il se
déplace lentement entre les 'planches' à étiquettes vertes, où
les spécimens du règne végétal sont plus ou moins cultivés.   Il
jouit de cet ordre assez ridicule et se complaît à épeler les noms
baroques:

> *Antirrhinum Siculum*
>
> *Solanum Warscewiezii!!!*

Et ce *Sisymbriifolium*, quel patois! . . .   Et les *Vulgare*, et les
Asper, et les *Palustris*, et les *Sinuata*, et les *Flexuosum*, et les
Prœaltum!!!

   — *C'est un jardin d'épithètes*, dit-il l'autre jour, *jardin
dictionnaire et cimetière. . . .*

Et après un temps, il se dit : '*Doctement mourir. . . . Transiit classificando.*'

Recevez, Monsieur et Ami, tous nos remerciements, et nos bons souvenirs.

EMILIE TESTE.

Monsieur Teste, nouvelle édition augmentée.

Librairie Gallimard, 1925.

PAUL VALÉRY (*b.* 1871, *d.* 1945). Having published *La Soirée avec Monsieur Teste* as early as 1895, Valéry remained silent for twenty years, devoting himself to meditation and mathematics. Responding to pressure from Gide and the publisher Gallimard, he agreed to publish in 1917 a volume of early poems, *La Jeune Parque*, which, followed by *Le Cimetière marin* (1920), established him as one of the greatest of contemporary French poets.

Although primarily a poet, Valéry showed himself in a series of volumes of essays, *Variétés*, to be a master of French prose. In 1925 a new edition of the *Soirée avec Monsieur Teste* was enlarged by the inclusion of the *Lettre de Madame Teste*, a masterpiece in lucid examination, an interesting study of a great mind, and something of a landmark in Valéry's whole work which, whether prose or poetry, is essentially an apologia of pure intellect.

p. 239. *cet antique jardin :* the botanical gardens at Montpellier, where Valéry himself used to walk and meditate when he was a law student.

MAXENCE VAN DER MEERSCH

59. Zone franche

T'Joens avait loué un cabaret sur la frontière française, près de la Lys, en amont de Menin.

C'est un pays qu'on appelle 'les Baraques,' parce que beaucoup y bâtissent de minables masures en planches et en tôle. Cette zone frontière, à cheval sur la France et la

Belgique, est peuplée surtout de hors-la-loi auxquels se mêlent nombre de bandits. Tous ceux dont un forfait a troublé les rapports avec la justice viennent se réfugier dans le pays voisin, mais à proximité du sol natal. Ainsi peuvent-ils aisément y faire, à l'occasion, un court passage, tout en narguant la police ou la douane.

On y vit de fraude sous toutes les formes — et d'autres industries moins ouvertement avouées que ce métier périlleux qui, d'ailleurs, dans les régions frontières est considéré comme normal et ne déshonore pas son homme. Il y a ainsi, entre les postes de douanes des deux pays, une sorte de zone neutre, une terre d'asile où la lie de la population se réfugie, et que la police ne fréquente qu'avec circonspection. On y boit, on y joue, on s'y empoigne en toute tranquillité. Des maisons, quelquefois, sont bâties à cheval sur la ligne même de la frontière, et l'on y entre par une porte le tabac belge, qu'on sort par l'autre en territoire français. Des fermiers français envoient leurs poules picorer des graines en Belgique — une contrebande qu'on n'a pas encore trouvé moyen de réprimer. Des femmes, profitant du change, vont se faire faire à bon prix en Belgique une ondulation permanente ou un dentier. De leurs portes, des voyous narguent les douaniers français, leur lancent des injures ou des quolibets, ou même quelquefois de véritables projectiles. Impossible de les appréhender, il y aurait violation de territoire. C'est pourquoi l'effort des capitaines de douane tend à supprimer, dans la mesure du possible, ces zones franches, en rapprochant le plus qu'ils le peuvent les bureaux de douane français et belge l'un de l'autre.

Le cabaret était la dernière maison d'une longue rangée. On y entrait par une porte à tambour, garnie de verres de couleur. La salle de débit était grande, triste et nue, avec un plancher de bois blanc, un comptoir aux frustes sculptures, et des banquettes de moleskine. Une petite cuisine, derrière, donnait sur la cour, vaste et encombrée de planches, de vieilles charrettes et de baraques à poules, à chiens et à pigeons. En haut, il y avait trois chambres dont on n'occupait que la plus petite, et un grenier immense.

Gomar t'Joens ne faisait plus de lattes. Il avait loué son cabaret dans l'intention de pratiquer la contrebande. Et Karelina connut bientôt la misère du métier. Il y eut dans sa maison de constantes allées et venues d'individus louches. Elle aimait l'ordre, la netteté, la clarté. Elle éprouvait d'instinct l'amour de la pleine lumière. Gomar t'Joens voulait l'ombre et la dissimulation. Il disait Karelina trop bête. Il finit par lui interdire de parler au comptoir, parce qu'elle l'aurait vendu sans même s'en douter. Et elle se bornait à servir les pratiques et à les écouter.

Il venait chez t'Joens une foule de gens. Des chômeurs minables, des Algériens, des Polonais, des chemineaux ou 'bâtonniers' que Gomar allait ramasser sur le pavé de Lille, et convoquait, tous les faibles, tous les inconscients, tous les affamés, tous ceux qui acceptent le risque et laissent pour le maître-fraudeur le profit.

Gomar envoyait ces chômeurs en Belgique, chez les épiciers avec qui il était de connivence. Il les retrouvait le soir, les chargeait de tabac, comprimé dans de grands sacs à courroies de cuir. Et il les envoyait devant lui sur la frontière. Il les suivait comme le chasseur suit un gibier. On ne livre pas ainsi les yeux fermés à un chemineau quelconque trente kilos de tabac. La tentation est forte, pour lui, de se sauver avec le sac et de disparaître, ou bien même de rentrer chez le maître-fraudeur en prétendant qu'il a été poursuivi, qu'il a dû déballotter en route. . . . Gomar, sur la trace de ses hommes, les surveillait, inattaquable lui-même, et ne courant aucun péril. C'était seulement pour lui une espèce de partie empoignante, avec des arrêts, de longues attentes dans les blés ou les herbes, à plat ventre, des reptations interminables, au fond des fossés, l'assaut d'un chien, parfois, paré d'un court moulinet du bâton dans les pattes, la poursuite des douaniers, tirés par leurs mâtins en laisse au bout d'une longue corde nouée à la ceinture de l'homme, les courses folles dans les labours, les chutes, les bagarres, les coups. . . . On arrivait à la Lys, on cherchait un bachot, ou bien on installait un va-et-vient, avec une corde, on passait.

Vers deux heures, trois heures du matin, les hommes rentraient au cabaret t'Joens, boueux, trempés, fourbus. On leur versait du rhum. Ils retrouvaient le souffle. Des vieux troussaient leur pantalon ruisselant, chauffaient un instant leurs os, avant de s'en aller dormir dans une meule. Des jeunes, pressés, partaient tout de suite, les vêtements collés sur le dos, une petite lampe de poche à la boutonnière, pour faire dans la nuit sept ou huit kilomètres, retrouver leur maison, et se présenter à neuf heures du matin au bureau de chômage. . . .

L'Empreinte du dieu.

Editions Albin Michel, 1936.

MAXENCE VAN DER MEERSCH (*b.* 1907). Born at Roubaix, Van der Meersch has situated all his novels in his native Flanders. His earlier novels were concerned principally with the everyday life of the people of the textile towns, and although in *L'Empreinte du dieu* he has considerably widened his outlook, the most telling passages are those describing life or incidents in such different settings as the Antwerp docks, the island of Walcheren, and the villages on the Franco-Belgian border.

To his reputation as a writer he has more recently added something approaching notoriety as a polemist with a violent attack on the medical profession in *Corps et âmes.*

VERCORS

60. Le silence rompu

Nous ne le vîmes pas quand il revint.

Nous le savions là, parce que la présence d'un hôte dans une maison se révèle par bien des signes, même lorsqu'il reste invisible. Mais pendant de nombreux jours — beaucoup plus d'une semaine — nous ne le vîmes pas.

243

L'avouerai-je? Cette absence ne me laissait pas l'esprit en repos. Je pensais à lui, je ne sais pas jusqu'à quel point je n'éprouvais pas du regret, de l'inquiétude. Ni ma nièce ni moi nous n'en parlâmes. Mais lorsque parfois le soir nous entendions là-haut résonner sourdement les pas inégaux, je voyais bien, à l'application têtue qu'elle mettait soudain à son ouvrage, à quelques lignes légères qui marquaient son visage d'une expression à la fois butée et attentive, qu'elle non plus n'était pas exempte de pensées pareilles aux miennes.

Un jour je dus aller à la Kommandantur, pour une quelconque déclaration de pneus. Tandis que je remplissais le formulaire qu'on m'avait tendu, Werner von Ebrennac sortit de son bureau. Il ne me vit pas tout d'abord. Il parlait au sergent, assis à une petite table devant un haut miroir au mur. J'entendais sa voix sourde aux inflexions chantantes et je restais là, bien que je n'eusse plus rien à y faire, sans savoir pourquoi, curieusement ému, attendant je ne sais quel dénouement. Je voyais son visage dans la glace, il me paraissait pâle et tiré. Ses yeux se levèrent, ils tombèrent sur les miens, pendant deux secondes nous nous regardâmes, et brusquement il pivota sur ses talons et me fit face. Ses lèvres s'entr'ouvrirent et avec lenteur il leva légèrement une main, que presqu'aussitôt il laissa retomber. Il secoua imperceptiblement la tête avec une irrésolution pathétique, comme s'il se fût dit: non, à lui-même, sans pourtant me quitter des yeux. Puis il esquissa une inclinaison du buste en laissant glisser son regard à terre, et il regagna en clochant son bureau, où il s'enferma.

De cela je ne dis rien à ma nièce. Mais les femmes ont une divination de félin. Tout au long de la soirée elle ne cessa pas de lever les yeux de son ouvrage, à chaque minute, pour les porter sur moi; pour tenter de lire quelque chose sur un visage que je m'efforçais de tenir impassible, tirant sur ma pipe avec application. A la fin, elle laissa tomber les mains, comme fatiguée, et, pliant l'étoffe, me demanda la permission de s'aller coucher de bonne heure. Elle passait deux doigts lentement sur son front comme pour chasser une migraine. Elle m'embrassa et il me sembla lire dans ses beaux yeux gris un reproche et une assez pesante tristesse. Après son départ je me sentis soulevé par une absurde colère: la colère d'être absurde et d'avoir une nièce absurde. Qu'est-ce que c'était que toute cette idiotie? Mais je ne pouvais pas me répondre. Si c'était une idiotie, elle semblait bien enracinée.

Ce fut trois jours plus tard que, à peine avions-nous vidé nos tasses, nous entendîmes naître, et cette fois sans conteste approcher, le battement irrégulier des pas familiers. Je me rappelai brusquement ce premier soir d'hiver où ces pas s'étaient fait entendre, six mois plus tôt. Je pensai: 'Aujourd'hui aussi il pleut.' Il pleuvait durement depuis le matin. Une pluie régulière et entêtée, qui noyait tout à l'entour et baignait l'intérieur même de la maison d'une atmosphère froide et moite. Ma nièce avait couvert ses épaules d'un carré de soie imprimé où dix mains inquiétantes, dessinées par Jean Cocteau, se désignaient mutuellement avec mollesse; moi je réchauffais mes doigts sur le fourneau de ma pipe, — et nous étions en juillet!

Les pas traversèrent l'antichambre et commencèrent de faire gémir les marches. L'homme descendait lentement, avec une lenteur sans cesse croissante, mais non pas comme un qui hésite: comme un dont la volonté subit une exténuante épreuve. Ma nièce avait levé la tête et elle me regardait, elle attacha sur moi, pendant tout ce temps, un regard transparent et inhumain de grand-duc. Et quand la dernière marche eut crié et qu'un long silence suivit, le regard de ma nièce s'envola, je vis les paupières s'alourdir, la tête s'incliner et tout le corps se confier au dossier du fauteuil avec lassitude.

Je ne crois pas que ce silence ait dépassé quelques secondes. Il me semblait voir l'homme, derrière la porte, l'index levé prêt à frapper, il allait engager l'avenir. . . . Enfin il frappa. Et ce ne fut ni avec la légèreté de l'hésitation, ni la brusquerie de la timidité vaincue, ce furent trois coups pleins et lents, les coups assurés et calmes d'une décision sans retour. Je m'attendais à voir comme autrefois la porte aussitôt s'ouvrir. Mais elle resta close, et alors je fus envahi par une incoercible agitation d'esprit, où se mêlait à l'interrogation l'incertitude des désirs contraires, et que chacune des secondes qui s'écoulaient, me semblait-il, avec une précipitation croissante de cataracte, ne faisait que rendre plus confuse et sans issue. Fallait-il répondre? Pourquoi ce changement? Pourquoi attendait-il que nous rompions ce soir un silence dont il avait montré par son attitude antérieure combien il en approuvait la salutaire ténacité? Quels étaient ce soir, — ce soir, — les commandements de la dignité?

Je regardai ma nièce, pour pêcher dans ses yeux un encouragement ou un signe. Mais je ne trouvai que son profil. Elle regardait le bouton de la porte. Elle le regardait avec cette fixité inhumaine de grand-duc qui m'avait déjà frappé, elle était très pâle et je vis, glissant sur les dents dont apparut une fine ligne blanche, se lever la lèvre supérieure dans une contraction douloureuse; et moi, devant ce drame intime soudain dévoilé et qui dépassait de si haut le tourment bénin de mes tergiversations, je perdis mes dernières forces. A ce moment deux nouveaux coups furent frappés, — deux seulement, deux coups faibles et rapides, — et ma nièce dit: 'Il va partir . . .' d'une voix basse et si complètement découragée que je n'attendis pas davantage et dis d'une voix claire: 'Entrez, Monsieur.'

Pourquoi ajoutai-je: Monsieur? Pour marquer que j'invitais l'homme et non l'officier ennemi? Ou, au contraire, pour montrer que je n'ignorais pas *qui* avait frappé et que c'était bien à celui-là que je m'adressais? Je ne sais. Peu importe. Il subsiste que je dis: entrez, Monsieur; et qu'il entra.

J'imaginais le voir paraître en civil et il était en uniforme. Je dirais volontiers qu'il était plus que jamais en uniforme, si l'on comprend par là qu'il m'apparut clairement que, cette tenue, il l'avait endossée dans la ferme intention de nous en imposer la vue. Il avait rabattu la porte sur le mur et il se tenait droit dans l'embrasure, si droit et si raide que j'en étais presqu'à douter si j'avais devant moi le même homme et que, pour la première fois, je pris garde à sa ressemblance surprenante avec l'acteur Louis Jouvet. Il resta ainsi quelques secondes droit, raide et silencieux, les pieds légèrement écartés et les bras tombant sans expression le long du corps, et le visage si froid, si parfaitement impassible qu'il ne semblait pas que le moindre sentiment pût l'habiter.

Mais moi qui étais assis dans mon fauteuil profond et avais le visage à hauteur de sa main gauche, je voyais cette main, mes yeux furent saisis par cette main et y demeurèrent comme enchaînés, à cause du spectacle pathétique qu'elle me donnait et qui démentait pathétiquement toute l'attitude de l'homme. . . .

J'appris ce jour-là qu'une main peut, pour qui sait l'observer, refléter les émotions aussi bien qu'un visage, — aussi bien et mieux qu'un visage car elle échappe davantage au contrôle de la volonté. Et les doigts de cette main-là se tendaient et se pliaient, se pressaient et s'accrochaient, se livraient à la plus intense mimique tandis que le visage et tout le corps demeuraient immobiles et compassés.

Puis les yeux parurent revivre, ils se portèrent un instant sur moi — il me sembla être guetté par un faucon — des yeux luisants entre les paupières à la fois fripées et raides d'un être tenu par l'insomnie. Ensuite ils se posèrent sur ma nièce, — et ils ne la quittèrent plus.

Le Silence de la mer.

Editions de Minuit, 1942.

VERCORS. It was under this name that the artist JEAN BRULLER (*b.* 1902) founded, during the German occupation, the famous *Editions de Minuit*, the first volume of which was his own *Silence de la mer* (1942). It is more of a propaganda pamphlet than a novel, although it is cast in novel form. Its main theme lies in the disillusionment of the sincerely Francophile and humanist German officer, and in his relations with the French family on whom he has been billeted, the two members of which greet his overtures with unwavering silence.

GLOSSARY

A

abrutir, *v.t.*, to daze, besot
acariâtre, *adj.*, shrewish
adjudant, *s.m.*, sergeant-major, warrant-officer
adjuvant, *s.m.*, aid
s'adosser, *v.pr.*, to lean one's back (against)
affubler, *v.t.*, to dress up, rig out
agent, *s.m.*, policeman
ahaner, *v.i.*, to pant, grunt
aigrette, *s.f.*, crest
aiguillon, *s.m.*, goad
aimanter, *v.t.*, to magnetize
ajouré, *adj.*, open-work
algues, *s.f.pl.*, seaweed
ambulance, *s.f.*, dressing-station
amène, *adj.*, affable
amortir, *v.tr.*, to deaden, muffle
Antilles, *n.pr.f.pl.*, West Indies
aphasique, *adj.*, aphasic
armateur, *s.m.*, shipowner
armoise, *s.f.*, mugwort
arpenter, *v.t.*, to pace out
arpenteur, *s.m.*, surveyor
arrosoir, *s.m.*, watering-can
assises, *s.f.pl.*, tiers
attirance, *s.f.*, attraction, fascination
aumônier, *s.m.*, chaplain
autodidacte, *adj.*, self-taught
avachi, *adj.*, sloppy

B

bac, bachot (*abbr. of* **baccalauréat**), *s.m.*, secondary school certificate
bachot, *s.m.*, punt
bafouer, *v.t.*, to flout
balancines, *s.f.pl.*, hat-ribbons
balisage, *s.m.*, ground-lights
bambin, *s.m.*, stripling

ban, *s.m.*, rythmer les —s, to beat time for applause
bander, *v.t.*, to tauten
bec, *s.m.*, — à papillon, batswing burner
bedaine, *s.f.*, paunch
bégayer, *v.i.*, to stammer
bergère, *s.f.*, easy-chair
besace, *s.f.*, bag
besogneux, *adj.*, needy
beugler, *v.t. and i.*, to bellow
bidon, *s.m.*,—de réserve, emergency flask or water-bottle
bisquer, *v.i.*, faire —, to rile (*fam.*)
bistro, *s.m.*, café, pub.
bitte, *s.f.*, bollard
blindé, *adj.*, armoured, armour-plated.
se blottir, *v.pr.*, to cower, crouch
bocher, *s.m.*, Talmudic scholar
bolide, *s.m.*, fire-ball
bonasse, *adj.*, innocent, bland
bon-enfant, *adj.*, good-natured, easy-going
bonnet, *s.m.*, — de police, forage cap
boulon, *s.m.*, bolt
bourrache, *s.f.*, borage
bourrage, *s.m.*,—de crâne, pep-talk, eye-wash
bouveau, *s.m.*, young steer
brailler, *v.i.*, to bawl
bramer, *v.i.*, to troat, bell (of stag)
brancard, *s.m.*, shaft
branle-bas, *s.m.*, sonner le —, to set in commotion
brasse, *s.f.*, stroke (in swimming)
brasser, *v.t.*,—carré, to brace square
brevet, *s.m.*, elementary school certificate
broyer, *v.t.*, to crush
bruire, *v.i.*, to rustle

249

à brûle-pourpoint, *adv.*, point-blank

bure, *s.f.*, homespun

buté, *adj.*, obstinate

butor, *s.m.*, bully

C

cabanon, *s.m.*, hut

cabas, *s.m.*, straw or raffia shopping bag

cabosser, *v.t.*, to dent in

caboulot, *s.m.*, low pub. (*fam.*)

se cabrer, *v. pr.*, to buck

cadran-moteur, *s.m.*, engine-gauge

calanque, *s.f.*, creek (Mediterranean)

calotte, *s.f.*, crown (of hat)

se cambrer, *v. pr.*, to throw out one's chest

camelote, *s.f.*, goods, stuff (*fam.*)

camériste, *s.f.*, lady's maid

capote, *s.f.*, greatcoat

carénage, *s.m.*, bassin de —, graving-dock

carence, *s.f.*, dearth

carnier, *s.m.*, game-bag

carriole, *s.f.*, light cart

cartouchière, *s.f.*, cartridge-belt

casaque, *s.f.*, reefer coat

casse-tête, *s.m.inv.*, cosh

à tout casser, slap-up, top-notch (*fam.*)

cassonade, *s.f.*, brown sugar

cauteleusement, *adv.*, warily

cavale, *s.f.*, mare

centrage, *s.m.*, trim, even keel

centrale, *s.f.*, generating-station

cétacé, *s.m.*, whale

chaland, *s.m.*, barge

chanter, *v.i.*, faire —, to blackmail

charogne, *s.f.*, carrion

charrier, *v.t.*, to cart

chartreux, *s.m.*, Carthusian monk

châsse, *s.f.*, reliquary

chatoyer, *v.i.*, to shimmer

chaudron, *adj.inv.*, daffodil-colour

chauffer, *v.i.*, ça va —, things are going to warm up

chemineau, *s.m.*, tramp

chevance, *s.f.*, possession, property

chichement, *adv.*, meanly

chiendent, *s.m.*, couch-grass

chignon, *s.m.*, bun (of hair)

chiot, *s.m.*, puppy

chiourme, *s.f.*, galley-convicts

chiropractor, *s.m.*, touch - healer (*see* Notes)

chopper, *v.i.*, to stumble

chouette, *s.f.*, screech-owl

chuinter, *v.i.*, to hiss

cilice, *s.m.*, hair-shirt

clabauder, *v.i.*, to jabber

clenche, *s.f.*, latch

cliché, *s.m.*, snapshot, print; cliché

cliqueter, *v.i.*, to click, rattle

clocheton, *s.m.*, bell-turret

cognée, *s.f.*, axe

coi, *adj.*, se tenir —, to stay quiet

colporteur, *s.m.*, pedlar

commissaire [de police], *s.m.*, police superintendent

commissariat [de police], *s.m,.* police station

commissionnaire, *s.m.* and *f.*, buyer

commutateur, *s.m.*, electric switch

conséquence, *s.f.*, tirer à —, to be of importance

consterné, *adj.*, staggered, dismayed

en contre-bas, *adv.*, on a lower level

corvée, *s.f.*, task, fatigue, piece of drudgery

cossu, *adj.*, well-to-do

coulé, *adj.*, finished, dead and buried (*fam.*)

courtine, *s.f.*, bed-curtain

crachat, *s.m.*, spittle

se cramponner, *v.pr.*, to cling on

crapuleux, *adj.*, debauched

croisé, *s.m.*, crusader

croisière, *s.f.*, cruising speed

croquant, *s.m.*, clodhopper

cul-de-jatte, *s.m.*, legless person

culot, *s.m.*, nerve, courage (*fam.*)

D

daim, *s.m.*, suède

dais, *s.m.*, hood

dartre, *s.f.*, scurf

déballotter, *v.i.*, to dump one's load

débiner, *v.t.*, to disparage, run down (*fam.*)

débitant, *s.m.*, — de tabac, tobacco-nist

débraillé, *adj.*, ill-kempt

débrayer, *v.i.*, to declutch

décapé, *adj.*, gleaming

déchoir, *v.i.*, to fall, decline

décoller, *v.i.*, to take off (of air-craft)

décupler, *v.i.* and *t.*, to increase ten-fold

dédale, *s.m.*, maze

dégingandé, *adj.*, ungainly, awk-ward

déguster, *v.t.*, to sip

délié, *adj.*, subtle

démarquage, *s.m.*, plagiarism

démarrer, *v.i.*, to start up

démordre, *v.i.*, il ne démordrait pas de là, that was his story and he was going to stick to it

dentier, *s.m.*, set of false teeth

dérive, *s.f.*, drift

désinvolte, *adj.*, offhand, airy

diffamation, *s.f.*, libel

diligence, *s.f.*, stage-coach

dindon, *s.m.*, turkey-cock

discipline, *s.f.*, scourge

dissonant, *adj.*, discordant

dodu, *adj.*, plump

dorloter, *v.t.*, to coddle

douillet, *adj.*, soft, mollycoddled

douve, *s,f.*, moat, trench

E

ébaucher, *v.t.*, to sketch, outline

éboulis, *s.m.*, rubble

s'ébrouer, *v.pr.*, to shake oneself

échafaud, *s.m.*, scaffold

échappée, *s.f.*, glimpse

éclaboussement, *s.m.*, splash

écorcher, *v.t.*, to flay

écorchure, *s.f.*, abrasion

écueil, *s.m.*, reef, danger-point

écuelle, *s.f.*, bowl

effectif, *s.m.*, personnel

égrener, *v.t.*, to produce one by one (sounds, etc.)

élimé, *adj.*, worn shiny

embouteillage, *s.m.*, traffic-jam

embrasse, *s.f.*, curtain-loop

embrasure, *s.f.*, opening (of door or window)

embrayer, *v.i.*, to let in the clutch

émeuter, *v.t.*, to rouse

émeutier, *s.m.*, rioter

emmailloter, *v.t.*, to swathe, swaddle

emmitouffler, *v.t.*, to wrap up, muffle up

s'empâter, *v.pr.*, to thicken, clog

empiéter, *v.i.*, to encroach

empoignant, *adj.*, thrilling, gripping

emprise, *s.f.*, hold

encapuchonner, *v.t.*, to hood

engloutir, *v.t.*, to swallow up

engrenage, *s.m.*, gear - wheels, workings

engrener, *v.t.*, to put into gear

engueuler, *v.t.*, to bawl out (*fam.*)

enjôleur, *s.m.*, coaxer

ensevelir, *v.t.*, to bury

entaille, *s.f.*, notch

entournure, *s.f.*, armhole

épater, *v.t.*, to flabbergast, show off to

épaulement, *s.m.*, breastwork

escale, *s.f.*, port of call

espadrille, *s.f.*, rope-soled shoe

esquille, *s.f.*, splinter

esquiver, *v.t.*, to dodge

essaim, *s.m.*, swarm

estampe, *s.f.*, engraving

étau, *s.m.*, vice

étayer, *v.t.*, to prop up

s'étioler, *v.pr.*, to wilt

étiquette, *s.f.*, label

étoile, *s.f.*, — filante, shooting-star

étourderie, *s.f.*, thoughtlessness

exsangue, *adj.*, bloodless

F

façon, *s.f.*, travail à —, article made out of customer's own materials

faconde, *s.f.*, fluency of speech, gift of the gab

fadaise, *s.f.*, nonsense

faille, *s.f.*, faille, a kind of silk

faire, *v.t.*, on ne peut plus nous la —, they can't take us in with that one again

faix, *s.m.*, load

falot, *s.m.*, lantern
famélique, *adj.*, half-starved
faraud, *adj.*, vain
farfadet, *s.m.*, hobgoblin
ferré, *adj.*, — sur, well up in (*fam.*)
Fête-Dieu, *s.f.*, Corpus Christi
feu-follet, *s.m.*, will-o'-the-wisp
filature, *s.f.*, spinning-mill
flageoler, *v.i.*, to shake, quake
flammèche, *s.f.*, spark
flancher, *v.i.*, to weaken
flan, *s.m.*, à la —, happy-go-lucky
fléau, *s.m.*, scourge
fleurette, *s.f.*, sweet nothings
flonflon, *s.m.*, blare
forain, *adj.*, marchand —, pedlar
fouailler, *v.t.*, to poke
fournil, *s.m.*, bakehouse
fourré, *s.m.*, thicket
fouine, *s.f.*, weasel
fouir, *v.t.*, to dig
four-à-bachot, *s.m.*, crammer's establishment
fourbu, *adj.*, exhausted
fourmilière, *s.f.*, ant-hill
frangé, *adj.*, fringed
frelater, *v.t.*, to doctor, adulterate
frelon, *s.m.*, hornet
friable, *adj.*, crumbly
friper, *v.t. and pr.*, to crease
frondaison, *s.f.*, foliation
front, *s.m.*, mener de —, to carry on at the same time
funambule, *s.m.*, acrobat
fureter, *v.i.*, to rummage
fusain, *s.m.*, charcoal
fusant, *adj.*, (shell) with time-fuse
futé, *adj.*, astute, sly

G

galonné, *adj.*, of officer rank
gamelle, *s.f.*, mess-tin
garde-barrière, *s.m.f.*, level-crossing keeper
gargote, *s.f.*, eating-house
gauche, *s.f.*, jusqu'à la —, till the cows come home (*fam.*)
geindre, *v.i.*, to whimper
genette, *s.f.*, civet
genévrier, *s.m.*, juniper

gibus, *s.m.*, opera-hat
gicler, *v.i.*, to spurt up
giroflier, *s.m.*, clove-tree
glabre, *adj.*, clean-shaven
glaire, *s.f.*, mucus
gluant, *adj.*, gummy, sticky
godille, *s.f.*, stern-oar
goguenard, *adj.*, mocking, bantering
goinfre, *s.m.*, glutton
goinfrer, *v.i.*, to gorge
gouailleur, *adj.*, bantering
goulu, *adj.*, gluttonous
gourmette, *s.f.*, curb-chain
grabat, *s.m.*, pallet
grabuge, *s.m.*, ructions
gracier, *v.t.*, to reprieve
grand-duc, *s.m.*, eagle-owl
gréement, *s.m.*, rigging
grignoter, *v.t.*, to gnaw, nibble at
grignotis, *s.m.*, grating sound
gripper, *v.t.*, to jam (clutch)
grouiller, *v.i.*, to swarm
guangue, *s.f.* (*variant of* gangue), crust
guarrigue, *s.f.*, moor
guenille, *s.f.*, tattered rag

H

haras, *s.m.*, stud
hargneux, *adj.*, ill-tempered
haut-mal, *s.m.*, epileptic fit
historié, *adj.*, historiated
houppelande, *s.f.*, surcoat
huche, *s.f.*, kneading - trough or bread-bin
huissier, *s.m.*, bailiff
huit-reflets, *s.m. inv.*, top-hat
hulotte, *s.f.*, brown owl

I

imberbe, *s.m.*, beardless
imprescriptible, *adj.*, unalienable
indolore, *s.m.*, painless
inédit, *adj.*, unpublished, unknown
infirmière-major, *s.f.*, matron
instituteur, *s.m.*, primary school teacher
intempestif, *adj.*, inopportune, untimely
inusable, *adj.*, inexhaustible

J

jachère, *s.f.*, fallow
jeûne, *s.m.*, fasting
jonchets, *s.m.pl.*, spillikins
jucher, *v.i.*, to perch

K

kermesse, *s.f.*, village fair
khmère, *adj.*, Cambodian

L

lacis, *s.m.*, network
laïus, *s.m.*, speech (*fam.*)
landèche, *s.f.*, scrub, briar
langue, *s.f.*, j'en donne ma — au chat, I give it up
latte, *s.f.*, lath
laudateur, *s.m.*, eulogist
lavallière, *s.f.*, flowing bow-tie
léser, *v.i.*, to wrong
leurrer, *v.t.*, to gull, delude
lice, *s.f.*, hound-bitch
licorne, *s.f.*, unicorn
liesse, *s.f.*, joyfulness
lilial, *adj.*, lily-like
limaille, *s.f.*, filings
limitrophe, *adj.*, bordering on
louche, *adj.*, suspicious
loustic, *s.m.*, wag
lumignon, *s.m.*, night-light (in railway carriage)
luron, *s.m.*, strapping lad
lyciet, *s.m.*, lycium, flower of the nightshade family

M

major, *s.m.*, army doctor
malingre, *adj.*, sickly, weedy
mamelle, *s.f.*, breast
manille, *s.f.*, [card game]
mantique, *adj.*, pertaining to soothsaying
maquiller, *v.t.*, to make up
marcher, *v.i.*, faire —, to trick, dupe; je ne marche plus, I 'm not having any (*fam.*)
marmitage, *s.m.*, strafing
marquise, *s.f.*, glass porch
méduse, *s.f.*, jelly-fish

mélomane, *adj.*, music-mad
métairie, *s.f.*, farm
métayer, *s.m.*, tenant farmer
météo., *s.m.* (*abbr. of* **métérologique**) met(eorological) office
métèque, *s.m.*, dago
meule, *s.f.*, millstone
minable, *adj.*, seedy-looking
mistral, *s.m.* [north-east wind blowing down the Rhône valley)
mitron, *s.m.*, baker's journeyman
mobile, *s.m.*, motive
moite, *adj.*, damp, clammy
molleton, *s.m.*, duffel
monte, *s.f.*, mounting, style of riding
mouchard, *s.m.*, informer
moulinet, *s.m.*, twirl, flourish
moustiquaire, *s.f.*, mosquito-net
musette, *s.f.*, haversack

N

narguer, *v.t.*, to flout
nerveux, *adj.*, tense
névé, *s.m.*, field or patch of frozen snow
nourrisson, *s.m.*, suckling, foster-child

O

œil, *s.m.*, tenir à l' —, to keep an eye on
olivaie, *s.f.*, olive grove
ombrageux, *adj.*, touchy
oripeaux, *s.m.pl.*, cheap finery
ourler, *v.t.*, to hem

P

palier, *s.m.*, platform, ridge
panne, *s.f.*, breakdown
panneau, *s.m.*, panel (of saddle); donner dans le —, to walk into the trap
pantois, *adj.*, nonplussed
papillote, *s.f.*, curling-paper
papotage, *s.m.*, chatter
papoteur, *s.m.*, gossip, chatterer
parloir, *s.m.*, visiting-room

253

patauger, *v.i.,* to wallow

pâtis, *s.m.,* grazing-ground

patte, *s.f.,* à quatre —s, on all fours

pavé, *s.m.,* du — jusqu'à la salade, from head to foot

paysagiste, *s.m.,* landscape painter

pébron, *s.m.* [spotted Mediterranean fish, *see* Notes]

pédoncule, *s.m.,* peduncle

pèlerine, *s.f.,* cape

pelle-bêche, *s.f.,* entrenching tool

peloton, *s.m.,* — d'exécution, firing-squad

péplum, *s.m.,* mantle

périmé, *adj.,* out of date, invalid

permanence, *s.f.,* assurer une —, to maintain permanent service, continuity

permission, *s.f.,* — de détente, privilege leave

pétiller, *v.i.,* to crackle

phtisique, *adj.,* consumptive

piaffer, *v.i.,* to paw the ground

piailler, *v.i.,* to squeak

piéton, *s.m.,* pedestrian

pigeonnier, *s.m.,* pigeon-loft

pilonner, *v.t.,* to pound

pince-monseigneur, *s.f.,* jemmy

piqueux, *s.m.* (*Norman form of* piqueur), groom

planche, *s.f.,* — de bord, instrument panel

plant, *s.m.,* seedling or plantation of seedlings

plein, *s.m.,* battre son —, to be in full swing

pochette, *s.f.,* fancy handkerchief

pois, *s.m.,* — chiche, chick-pea

pont-levis, *s.m.,* drawbridge

pont-transbordeur, *s.m.,* transporter bridge

populacier, *adj.,* lower-class

porte, *s.f.,* — cochère, carriage gateway

pot, *s.m.,* prendre un —, to have a drink (*fam.*)

potence, *s.f.,* gibbet

pourvoi, *s.m.* (= — en cassation), appeal

pousse, *s.m.,* rickshaw

pratique, *s.m.,* regular customer

préalable, *adj.,* previous, preliminary

préséance, *s.f.,* precedence

prestance, *s.f.,* bearing, deportment

prie-Dieu, *s.m.,* kneeling-chair

projecteur, *s.m.,* searchlight

prunelle, *s.f.,* eyeball

pulluler, *v.i.,* to swarm

purin, *s.m.,* manure

Q

quart, *s.m.,* drinking-mug

quatre coins, *s.m.pl.,* puss-in-the-corner

à la queue-leu-leu, *adv.,* one behind the other

quiche, *s.f.* [regional dish of Lorraine and the east]

quincaillier, *s.m.,* ironmonger

quolibet, *s.m.,* gibe

R

rabrouer, *v.t.,* to scold

raccommoder, *v.t.,* to patch

racler, *v.i.,* to scrape, grind

rafistolage, *s.m.,* patching up

ragoûtant, *adj.,* savoury, tempting

râle, *s.m.,* death-rattle

râle, *s.m.,* rail (bird of Rallidae family).

ramoner, *v.t.,* to clean, sweep

rapetisser, *v.t., i.,* and *pr.,* to shrink

ras, *adj.,* short-cropped

rassasier, *v.t.,* to satiate

râtelier, *s.m.,* arms-rack

rater, *v.t.,* to miss, mess up

raturer, *v.t.,* to scratch out

rauque, *adj.,* hoarse

se rebiffer, *v.pr.,* to bridle

rebours, *s.m.,* à —, backwards; au — de, in the opposite direction from

rebrousser chemin, to turn back

rebuter, *v.t.,* to repulse

rechange, *s.m.,* pièce, *s.f.,* de — spare part

recors, *s.m.,* — de justice, minion of the law

se récrier, *v.pr.,* to expostulate

refluer, *v.i.*, to ebb, surge
régisseur, *s.m.*, farm-bailiff, steward
relais, *s.m.*, posting-house
relent, *s.m.*, stench
reluquer, *v.t.*, to ogle
remise, *s.f.*, coach-house
repère, *s.m.*, landmark
reptation, *s.f.*, crawl
ressasser, *v.t.*, to repeat over and over again
rétiaire, *s.m.*, retiarius
retors, *adj.*, twisted
revêtement, *s.m.*, coating
rigolard, *adj.*, jovial (*fam.*)
rogue, *adj.*, haughty
romanichel, *s.m.*, gipsy
rouget, *s.m.*, red mullet
rougeaud, *adj.*, ruddy-complexioned
rustre, *s.m.*, lout

souille, *s.f.*, filth (*lit.* lair of wild boar)
soûl, *s.m.*, avoir son —, to have one's fill
soupape, *s.f.*, valve
soupirail, *s.m.*, air-vent
sourdine, *s.f.*, mettre en —, to mute
sourdre, *v.i.*, to well up
sournois, *adj.*, sly
Sperry, *s.m.*, navigational instrument of artificial horizon type
suaire, *s.m.*, winding-sheet
suc, *s.m.*, sap
suie, *s.f.*, soot
supercherie, *s.f.*, deceit
supputer, *v.t.*, to compute
sureau, *s.m.*, elder-tree
surenchérir, *v.i.*, to outdo, go one better
surgeon, *s.m.*, sucker

S

saillie, *s.f.*, fenêtre en —, bow window
Saint-Guy, *n.pr.*, danse de —, St. Vitus's dance
sainte-nitouche, *s.f.*, demure hypocrite
saladelle, *s.f.*, statice (plant of south France)
sanitaire, *adj.*, train —, hospital train
sarment, *s.m.*, vine-twig
saulnier, *s.m.*, faux —, contraband salt dealer
saut, *s.m.*, — périlleux, somersault
sauterelle, *s.f.*, grasshopper
sauts, *s.m.pl.*, — de mouton, shivers
scabreux, *adj.*, rough
septuor, *s.m.*, septet
serin, *s.m.*, canary
sergot, *s.m.* (*fam.* = sergent de ville), policeman
serre, *s.f.*, claw
serviable, *adj.*, obliging
serviette, *s.f.*, —d'écolier, schoolboy's satchel; — éponge, *s.f.*, Turkish towel
sinuer, *v.i.*, to wind
soc, *s.m.*, ploughshare

T

taïaut, *interj.*, tally-ho!
tail, *s.m.*, slice
taillable, *adj.*, — et corvéable, *adj.*, à merci, on tap for any and every dirty job going
tamponner, *v.t.*, to bump into, collide with
se tapir, *v.pr.*, to squat
taquiner, *v.t.*, to tease
tavelé, *adj.*, spotted
tergiverser, *v.i.*, to beat about the bush
têtard, *s.m.*, pollard
tête, *s.f.*, — de loup, mop
tétine, *s.f.*, teat
tétrarque, *s.m.*, tetrarch
ticket, *s.m.*, ration coupon
tire, *s.f.*, getting away with it (*fam.*)
titubation, *s.f.*, lurching
tombereau, *s.m.*, tip-cart
tomme, *s.f.* [type of cheese of south-east France]
topette, *s.f.*, phial
torchon, *s.m.*, rag
tortiller, *v.t.*, to twist
toupet, *s.m.*, cheek, impertinence (*fam.*)
tourbe, *s.f.*, peat

tourbière, *s.f.*, peat-bog
tournevis, *s.m.*, screwdriver
grand tralala, *s.m.*, jollification (*fam.*)
transvasement, *s.m.*, decanting, siphoning
traquenard, *s.m.*, trap, trick
traviole, *s.f.*, de —, asquint (*fam.*)
trimballer, *v.t.*, to lug about (*fam.*)
tringle, *s.f.*, curtain rod
truc, *s.m.*, trick, knack

U

urbaniste, *s.m.*, town-planner
user, *v.t.*, — jusqu'à la corde, to wear threadbare

V

vagir, *v.i.*, to whimper, wail
varice, *s.f.*, varicose vein
vasière, *s.f.*, mud-flat
vauvert, *s.m.*, au diable —, *also* au diable vert, miles from anywhere

veilleuse, *s.f.*, night-light
velléité, *s.f.*, desire, inclination
venelle, *s.f.*, alley
verni, *adj.*, souliers —s, patent leather shoes
verrue, *s.f.*, wart
vicaire, *s.m.*, curate
viguier, *s.m.*, provost
viorne, *s.f.*, viburnum
vire, *s.f.*, narrow winding track
virée, *s.f.*, trip (*fam.*)
virer, *v.i.*, to bank (of aircraft)
vivoter, *v.i.*, to live somehow, rub along (*fam.*)
voire, *adv.*, even, indeed
volet, *s.m.*, shutter
volte-face, *s.f. inv.*, face-about
voyou, *s.m.*, guttersnipe
vrac, *s.m.*, en —, loose, in bulk

Y

yéchiba, *s.f.*, Talmudic school